UN HOMME ET SON FILS

Tony Parsons

UN HOMME ET SON FILS

ÉDITIONS FRANCE LOISIRS

Titre original : *Man and Boy*
Traduit de l'anglais par Colette Vlerick

Édition du Club France Loisirs,
avec l'autorisation des Presses de la Cité.

France Loisirs,
123, boulevard de Grenelle, Paris.
www.franceloisirs.com

ISBN : 2-7441-3393-0

À ma mère

PREMIÈRE PARTIE

Les Galopins

Le plus beau petit garçon du monde

C'est un garçon! C'est un garçon!
C'est un petit garçon.

Je regarde ce bébé — aussi chauve, aussi ridé et fripé qu'un vieillard — et quelque chose se passe en moi, comme une réaction chimique.

Ça — je veux dire : « il » — a tout l'air du plus beau bébé depuis que le monde existe. Est-ce — est-il — vraiment le plus beau bébé du monde? Ou bien est-ce seulement ma programmation biologique qui parle? Est-ce que tout le monde éprouve la même chose? Même les gens qui n'ont que des bébés banals? Est-il possible que notre bébé soit vraiment aussi beau?

Honnêtement, je ne peux pas répondre.

Ce bébé dort en ce moment dans les bras de la femme que j'aime. Je suis assis au bord du lit et je les couve tous les deux du regard. Dans cette pièce, où se trouvent cette femme et ce bébé, j'ai la sensation d'être chez moi comme je ne l'ai jamais été nulle part.

Après toute l'excitation des dernières vingt-quatre heures, je me sens soudain submergé par mes émotions — de la gratitude, du bonheur, de l'amour —, quelque chose que je sens surgir du plus profond de moi, prêt à déborder.

Je crains de me ridiculiser, de tout gâcher, si je me mets à pleurer. Mais le bébé s'éveille et se met à geindre pour avoir

11

sa tétée. Nous — la femme que j'aime et moi —, nous éclatons de rire. Nous rions, de surprise et d'émerveillement.

C'est un petit miracle. Même si nous ne pouvons échapper aux réalités quotidiennes — à propos, quand dois-je reprendre le travail? —, cette journée rayonne d'une aura magique. Nous n'en parlons pas expressément mais nous sentons sa présence tout autour de nous.

Plus tard, mes parents arrivent. Quand elle en a fini avec les baisers et les câlins, ma mère entreprend de compter les doigts et les orteils de mon bébé, inquiète à l'idée qu'il pourrait avoir une palmature. Mais il est parfait. Mon bébé est parfait.

— C'est une petite merveille, dit ma mère. Une vraie petite merveille!

Mon père aussi regarde le bébé et quelque chose semble fondre en lui.

Mon père a beaucoup de bons côtés mais ce n'est pas une mauviette, ce n'est pas un sentimental. Il n'est vraiment pas du genre à s'attendrir et à gazouiller devant les bébés dans la rue. Mon père est un homme bien mais ce qu'il a enduré dans sa vie en a fait un dur à cuire. Pourtant, aujourd'hui, cette part de lui qui s'est endurcie commence à se craqueler et je me rends compte qu'il s'en aperçoit, lui aussi.

C'est le plus beau bébé du monde.

J'offre à mon père une bouteille que j'ai achetée plusieurs mois auparavant. C'est du bourbon. Mon père ne boit que de la bière et du whisky mais il prend la bouteille avec un grand sourire. Sur l'étiquette de la bouteille, il écrit : Old Granddad [1]. C'est lui! C'est mon père.

Je sais qu'à partir d'aujourd'hui nous avons quelque chose de plus en commun. Aujourd'hui, moi aussi je suis devenu un père. Tous les prétendus passages à l'âge adulte — la pre-

1. Bon-Papa. *(N.d.T.)*

mière expérience sexuelle, l'obtention du permis de conduire, le premier vote — en réalité appartenaient encore à ma jeunesse. J'ai passé toutes ces étapes et j'en suis sorti fondamentalement le même, toujours un petit garçon.

Mais à présent j'ai participé à la mise au monde d'un nouvel être humain.

Aujourd'hui, je suis devenu ce que mon père était depuis toujours.

Aujourd'hui, je suis devenu un homme.

J'ai vingt-cinq ans.

1

Quelques situations à éviter quand vous préparez cet anniversaire si important des trente ans, l'âge où l'on peut dire : « Enfin, je suis un adulte à part entière. »

Passer une nuit avec une collègue de travail.

Être abandonné par sa femme.

Perdre son travail.

Devenir du jour au lendemain un parent isolé.

Si vous vous apprêtez à fêter vos trente ans, quoi que vous fassiez, évitez tout ce qui précède.

Cela vous gâcherait la journée.

Trente ans, cela devrait être le moment où vous songez : voici mes meilleures années, mon jour de gloire, le meilleur est encore à venir. Bref, les sottises habituelles !

Vous êtes encore assez jeune pour passer une nuit blanche sans problème et, à la fois, assez âgé pour avoir une carte de crédit. Toutes les incertitudes et la précarité de l'adolescence puis de la vingtaine sont enfin derrière vous — bon débarras ! — mais vos réserves d'énergie sont encore intactes.

L'anniversaire des trente ans devrait être un très bon anniversaire. Un des meilleurs.

La question est de savoir comment le fêter. Avec une bande de joyeux amis célibataires dans un bar ou un restaurant intime? Ou bien aux côtés d'une femme aimante et d'enfants qui vous adorent, dans votre maison de famille? Quelle est la bonne façon de passer ses trente ans? Peut-être toutes les façons sont-elles bonnes.

Les images qui me restent de cet anniversaire semblent tout droit sorties d'un feuilleton américain où tout le monde est riche et beau. Quand j'y pensais, j'imaginais de jeunes couples mariés et séduisants en train de se bécoter comme des adolescents en chaleur tandis qu'à l'arrière-plan un bébé gazouille en se traînant à quatre pattes sur un parquet bien ciré; ou bien je voyais une réunion d'amis élégants et spirituels en train de boire du *caffé latte*[1] et de se pavaner dans des pulls magnifiques tout en commentant les liaisons des uns et des autres sur le ton d'une ironie désabusée. C'était cela, mon problème. Quand je pensais à mes trente ans, je pensais à la vie de quelqu'un d'autre.

En réalité, voici ce que devraient représenter les trente ans : devenir adulte sans aigreur, installé dans la vie mais sans prétention, conscient des réalités du monde mais pas au point de se jeter sous un train. Le moment où votre vie vous appartient enfin.

À trente ans, vous avez aussi fini par comprendre que vous n'êtes pas éternel. Cela ne peut que rendre encore plus précieux le fait de pouvoir rire et boire du *caffé latte*, n'est-ce pas? Il n'est pas question de laisser cette fin inévitable assombrir toute chose. Il n'est pas question de laisser cette longue et lente descente vers la tombe gâcher les bons moments.

Que vous profitiez de vos dernières années de célibataire ou que vous vous soyez depuis peu décidé à mener une vie plus adulte, plus engagée, avec quelqu'un que vous aimez, il est difficile de croire que vos trente ans pourraient mal se passer.

---

1. *Caffé latte* : café au lait. A été une boisson très à la mode à Londres il y a une quinzaine d'années. *(N.d.T.)*

Mais moi, je suis arrivé à faire en sorte que cela se passe très mal.

La voiture avait l'odeur d'une autre vie. Une odeur de liberté.

Quand je l'ai vue, elle était exposée au milieu de la vitrine du garage, une voiture de sport à la ligne élancée et qui, même décapotée, avait l'air aussi lisse et musclée qu'un cheval de course.

Bien sûr, elle était rouge, d'un bête rouge, bourré de testostérone. Quelques années plus tôt seulement, une couleur d'un machisme aussi flagrant m'aurait fait renifler avec mépris, ricaner ou vomir, ou le tout à la fois.

Mais à présent, cela ne me dérangeait plus du tout. Un peu de bluff bourré de testostérone me semblait répondre exactement à ce que je cherchais à ce moment de ma vie.

Je ne suis pas le genre d'homme qui s'intéresse aux voitures mais, dans le cas de cette petite chose rouge si excitante, j'avoue que j'en avais furtivement cherché les publicités en feuilletant les magazines sur papier glacé. Oui, je le reconnais. Nos yeux s'étaient déjà croisés.

Son nom ne m'intéressait pas vraiment. J'aimais son allure, c'est tout. Et son odeur. Par-dessus tout, j'aimais son odeur. Cette odeur de « tout peut arriver ». Comment la décrire ?

Derrière l'odeur du cuir, des pneus et de la peinture fraîche, on percevait le parfum bouleversant du neuf, une odeur puissante à en perdre la tête. Elle suggérait l'existence d'un autre monde, libre et sans limites, une route grande ouverte pour foncer vers les certitudes d'un avenir parfait. Un avenir où l'on n'aurait jamais entendu parler des limites de vitesse, de la déchéance du corps ou de mon trentième anniversaire.

Je reconnaissais cette odeur et je reconnaissais ce qu'elle

me faisait éprouver. Assez curieusement, elle me rappelait ce qu'on éprouve à tenir dans ses bras un nouveau-né.

La comparaison n'avait pas beaucoup de sens — la voiture ne pouvait pas tourner vers moi des yeux qui venaient de s'ouvrir, agripper mes doigts dans un poing minuscule ou me sourire de toutes ses gencives. Pourtant, l'espace d'un instant, je ressentis la même chose.

— On ne vit qu'une fois, me déclara le vendeur, ses talons claquant sur le sol de la vitrine d'exposition.

Je lui répondis d'un sourire poli, comme pour lui promettre de réfléchir sérieusement à cette question.

— Vous voulez vraiment vous faire plaisir ? reprit le vendeur. Parce que, si la MGF a une qualité, c'est bien celle-là. On se fait vraiment plaisir, avec elle !

Tout en me débitant son boniment, il m'évaluait, essayant de savoir si cela valait la peine de me proposer un essai.

Il était insistant, mais pas au point de me hérisser. Il faisait son travail, sans plus. Malgré ma tenue de week-end qui, en raison de mon travail, ne différait pas tellement de ma tenue de tous les jours, il avait dû deviner en moi un homme à l'aise. Un homme dont la carrière marchait vite et qui cherchait une voiture du même style. Jeune, indépendant et célibataire. Une vie aussi insouciante qu'une publicité pour une bière. C'est incroyable comme on peut se tromper.

— Ce modèle est équipé du système de contrôle variable des soupapes, dit-il avec un enthousiasme qui ne paraissait pas feint. Le temps d'ouverture des soupapes d'admission peut être modulé en altérant la vitesse de rotation de l'arbre à cames.

De quoi pouvait-il bien me parler ? Du moteur ?

— Un vrai aimant à minettes, ajouta-t-il en constatant mon expression ahurie. On n'arrête plus ! Un jeune célibataire ne peut pas rêver mieux que la MGF.

Cette fois, le baratin me convenait mieux. Laisse tomber l'esbroufe technique, dis-moi plutôt qu'on peut tout oublier dans une pareille voiture. Dis-moi comment on peut s'éclater. C'était ce que je voulais entendre.

Le vendeur fut distrait par quelque chose qui se passait dans la rue. Je suivis son regard.

De l'autre côté de l'immense vitrine, il regardait une grande femme blonde qui tenait la main d'un petit garçon vêtu d'un T-shirt de *La Guerre des Étoiles*. Autour d'eux étaient posés plusieurs sacs à l'enseigne d'un supermarché, pleins à craquer. Cette femme et ce petit garçon nous observaient.

Son fils — car c'était certainement son fils — se faisait remarquer par le long tube de plastique qu'il brandissait et qui rayonnait faiblement d'une lumière pâle.

Même si vous n'êtes allé au cinéma qu'une seule fois au cours des vingt dernières années, vous aurez reconnu aussitôt qu'il s'agissait d'un sabre laser, l'arme traditionnelle des chevaliers Jedi. Celui-ci avait besoin de nouvelles piles.

La belle femme blonde nous souriait, au vendeur et à moi. Le petit garçon pointait son sabre, comme s'il voulait nous foudroyer.

— *Papa!*

Ses lèvres formaient le mot, de l'autre côté de la vitrine qui nous séparait, mais on ne pouvait pas l'entendre.

— Ma femme et mon fils, dis-je en me détournant mais pas assez vite pour ne pas voir la lueur de déception dans le regard du vendeur. Je dois y aller.

— Papa. C'est moi. Papa.

— Je croyais que tu n'aimais pas les voitures, me rappela ma femme, qui faufilait notre vieux break VW dans les embouteillages du début de soirée.

— Je regardais, c'est tout.

— Et tu es trop jeune pour le démon de midi, ajouta-t-elle. Trente ans, c'est bien trop tôt, Harry. Normalement, tu dois encore attendre une quinzaine d'années et, à ce moment-là, tu t'enfuis avec une secrétaire assez jeune pour être ta deuxième femme. Et moi, je découpe les manches de tous tes costumes avant de t'arracher ce que je pense!

— Je n'ai pas encore trente ans, Gina, dis-je en riant, même si ce n'était pas très drôle. (Gina exagérait toujours.) J'ai vingt-neuf ans!

— Encore pendant un mois! s'exclama-t-elle en riant à son tour.

— C'est *bientôt* ton anniversaire, dit notre fils qui riait avec nous sans avoir la moindre idée de la raison de notre hilarité.

Il me donna un grand coup de son fichu sabre sur la tête.

— Ne fais pas ça, Pat, s'il te plaît, lui dis-je.

Il était à l'arrière avec les courses du week-end, sanglé dans son siège pour enfant. Il marmonnait, jouant à être dans la cabine de pilotage du Millenium Falcon avec Harrison Ford.

— J'ai perdu mon moteur tribord, grogna-t-il. Tire quand tu seras prêt.

Je me retournai pour le regarder. Il avait quatre ans, des cheveux blonds et sales qui lui tombaient sur les yeux, et des yeux exactement du même bleu que ceux de sa mère. Le bleu Tiffany. Rencontrant mon regard posé sur lui, il me sourit avec une délicieuse joie enfantine. Il se mit à chanter.

— Joyeux anniversaire, mon papa. Joyeux anniversaire, anniversaire.

Pour Pat, mon anniversaire était l'occasion de pouvoir enfin me donner la carte qu'il avait dessinée pour moi et cachée sous son lit. (Luke Skywalker décapitant un monstre de l'espace avec son fidèle sabre laser.) Pour moi, cela signifiait que le meilleur était peut-être déjà passé. Et c'était vrai.

Pourrais-je à nouveau éprouver ce que j'avais éprouvé le soir où ma femme m'avait dit qu'elle voulait bien m'épouser? Ou le matin de la naissance de mon fils? Quand la vie serait-elle de nouveau aussi — comment dire? — aussi *vraie*? Quand?

— Depuis quand t'intéresses-tu aux voitures? demanda Gina.

Elle n'avait visiblement pas l'intention de me laisser tranquille avec cette voiture.

— Je parie, reprit-elle, que tu ne sais même pas quel type de carburant consomme la nôtre.

— Oh! arrête, Gina.

— Alors, c'est quoi?

Et zut!

— L'essence écolo, dis-je au hasard. Tu sais... sans plomb. Celle qui te permet de sauver une forêt équatoriale chaque fois que tu fais le plein.

— C'est du diesel, espèce d'idiot! dit-elle en riant. Je n'ai jamais connu d'homme aussi peu concerné par les voitures que toi! Qu'est-ce qui t'arrive?

Qu'aurais-je pu lui répondre? Vous ne pouvez pas dire à votre femme qu'un vulgaire objet inanimé représente tout ce que vous n'aurez jamais. Les endroits que vous ne verrez jamais, les femmes que vous n'aimerez jamais, les choses que vous ne ferez jamais. Il est impossible de dire cela à votre femme, même si vous l'aimez énormément. Et encore moins si c'est une femme comme la mienne.

— On ne peut prendre qu'un seul passager, dit-elle.

— Et alors? répondis-je comme si je n'avais pas compris le sous-entendu.

— Tu sais très bien ce que je veux dire, reprit-elle. Il n'y a de place que pour un seul passager, plus précisément du genre féminin et mince.

— Tu es toujours du genre féminin et mince, lui dis-je. Du moins l'étais-tu la dernière fois que j'ai vérifié!

— Qu'est-ce qui t'arrive, Harry? Allons, dis-le-moi.

— Peut-être ai-je besoin de compenser le fait que je deviens un vieux machin. Je m'inscris bientôt au club des débris; alors, de façon tout à fait lamentable, j'essaye de me raccrocher à ma glorieuse jeunesse. Même si je sais que c'est futile, au bout du compte, et que ma jeunesse n'a pas été particulièrement glorieuse. C'est typique des hommes, non ?

— Tu vas avoir trente ans. Nous allons ouvrir quelques bonnes bouteilles et manger un chouette gâteau avec des bougies.

— Et on aura des ballons, intervint Pat.

— On aura des ballons, confirma Gina.

Elle hocha sa tête adorable.

— On ne va pas te laisser déprimer, Harry.

Gina avait quelques mois de plus que moi. Elle avait soufflé ses trente bougies entourée par les amis et la famille, puis dansé avec son fils sur les tubes des Wham, une flûte de champagne à la main. Elle était superbe, ce soir-là, vraiment superbe. Mon propre anniversaire promettait d'être un peu plus traumatisant.

— Tu ne regrettes rien, dis-moi ? demanda-t-elle.

— Quoi donc ?

— Tu sais ce que je veux dire, répondit-elle d'un ton brusquement très sérieux. Nous, par exemple.

Nous nous étions mariés très jeunes. Gina était enceinte de trois mois lors de notre mariage et cela avait été le plus beau jour de ma vie, sans comparaison possible. Mais, après, rien n'avait plus été pareil, car nous ne pouvions plus faire comme si nous n'étions pas des adultes.

La station de radio où je travaillais m'avait donné ma semaine et nous avons passé notre lune de miel dans notre petit appartement à regarder la télévision au lit, à manger des sandwiches de chez Marks & Spencer et à parler du beau bébé que nous allions avoir.

Nous avons aussi parlé de nous offrir une vraie lune de miel d'adultes, où nous ne nous contenterions pas de rester au lit à regarder la télé et à manger des sandwiches. Mais, le temps d'avoir à la fois de l'argent et du temps, Pat était né et le cours de nos vies semblait fixé.

Gina et moi, nous nous trouvâmes séparés du reste du monde. Les autres couples mariés de notre connaissance avaient au moins dix ans de plus que nous et les amis de notre âge se trouvaient encore dans cette brève période de transition qui sépare les petits déjeuners préparés par maman et les mensualités d'emprunt-logement. Notre petite famille était la seule de son espèce.

Pendant que nos amis passaient la nuit à danser en boîte, nous nous levions à toute heure à cause de Pat, qui faisait ses dents. Pendant qu'ils se demandaient comment rencontrer l'homme ou la femme de leur vie, nous nous demandions comment payer notre premier appartement. Mais je ne regrettais rien de tout cela. Oui, nous avions renoncé à notre liberté, mais nous y avions renoncé pour quelque chose de mieux.

J'aimais ma femme et j'aimais mon fils. Ils donnaient à ma vie tout son sens. Je ne pouvais imaginer de vivre sans eux. J'avais de la chance, et je le savais. Pourtant, je n'y pouvais rien, c'était plus fort que moi — depuis quelque temps, j'avais commencé à me demander quand j'avais cessé d'être jeune.

— Je déteste la façon dont la vie donne l'impression de se contracter quand on vieillit, dis-je à Gina. La façon dont tes possibilités de choix se rétrécissent. En fait, ce que je me demande, c'est : à quel moment est-il devenu ridicule pour moi d'avoir envie d'une voiture comme celle-là ? À quel moment, précisément ? Pourquoi est-ce si drôle ? J'aimerais le savoir, c'est tout.

— Celui-ci a la Force ! dit Pat.

— Une voiture de sport rouge, dit Gina, se parlant à elle-même. Et tu n'aimes même pas conduire !

— Écoute, je n'ai fait que regarder, d'accord ?

— Joyeux anniversaire, chanta Pat en me donnant un grand coup de sabre sur l'oreille. Patates pourries et colle partout ! Tu-ressembles-à-un-singe-et-tu-fais-tout-comme-un-singe !

— Ce n'est pas gentil, lui dis-je.

Le flot de voitures venait de s'immobiliser et mon oreille commençait à me faire mal.

Gina serra le frein à main et me regarda comme si elle se demandait ce qui avait bien pu l'attirer chez moi. Elle paraissait quelque peu perplexe.

Moi, je savais très bien ce qui m'avait attiré chez elle. Elle avait les plus longues jambes que j'avais jamais vues chez une femme. En revanche, je ne savais toujours pas si c'était le meilleur point de départ pour aimer quelqu'un toute sa vie.

Le meilleur, ou le pire.

2

Je ne supportais plus la vue de la vieille camionnette blanche qui brinquebalait devant moi. Je lançai ma MGF dans le flot de voitures et enfonçai l'accélérateur.

Ma belle voiture neuve dépassa la camionnette rouillée avec un rugissement sourd et assuré. En me rabattant, j'aperçus le conducteur, une image floue et peu engageante de mauvaises dents et de tatouages. Puis il disparut dans mon rétroviseur.

Je me sentais bien. Grâce à la MGF, je n'avais plus besoin de faire attention aux vieilles camionnettes blanches ou à leurs conducteurs. Tout cela était derrière moi à présent. Devant moi s'ouvrait un avenir où je roulais en décapotable tandis qu'on me regardait passer avec admiration. La camionnette s'arrêta à côté de moi tandis que j'attendais au feu rouge.

Et zut! pensai-je. Encore un conducteur enragé.

— Espèce de pauvre taré! me lança-t-il en abaissant sa vitre.

Il avait la tête d'un Big Mac dans un tonneau de bière.

— Allez, poursuivit-il, sors de là si t'as le cran.

Le feu passa au vert et il démarra, mais je restai quelques instants sans pouvoir réagir, tremblant et réfléchissant à ce que j'aurais dû lui répliquer.

Si je sors, mon pote, ce sera pour te fourrer ta cochonnerie de camionnette où je pense! Ah! Quel plaisir de l'appeler « mon pote »! Espèce de taré plein de bière! Gros enfoiré!

Je m'imaginais en train de lui envoyer une insulte définitive avant de démarrer dans un grand hurlement de pneus et avec un petit sourire exaspérant. En réalité, je suis resté assis, tout tremblant, jusqu'à ce que les autres conducteurs se mettent à klaxonner derrière moi et m'expliquent à coups de grandes invectives que le feu était passé au vert.

Je démarrai donc. Je me demandais ce que mon père aurait fait.

Il ne serait certainement pas resté assis sans rien dire. Et il n'aurait pas perdu un instant à ruminer une repartie cinglante, digne d'Oscar Wilde dans ses meilleurs jours.

Mon père serait sorti de la MGF et aurait mis l'autre conducteur KO. Tout simplement.

Sauf que mon père ne se serait jamais exhibé dans une voiture de sport, à dire vrai. Pour lui, ce sont des voitures de « petits jean-foutre ».

Mon père se serait senti nettement plus à l'aise dans une camionnette blanche.

Gina avait été incroyablement compréhensive pour la MGF. Elle m'avait encouragé à retourner voir le vendeur alors même que l'idée d'acheter une voiture de sport commençait à me paraître stupide.

Il y avait en effet de nombreuses raisons pour trouver cela stupide. L'habitacle était plus petit qu'un chariot de supermarché. Nous n'avions pas besoin d'une deuxième voiture. À Londres, une décapotable est un objet de haine pour n'importe quel crétin de quatorze ans tout boutonneux qui cherche la bagarre, le cran d'arrêt planqué dans sa botte. Cependant, rien de tout cela ne dérangeait Gina.

Elle me dit de l'acheter et d'arrêter de croire que ma vie était finie parce que j'allais avoir trente ans. Elle me déclara que je devenais lamentable mais elle le dit en riant et mit son bras autour de mes épaules pour me secouer gentiment. Comme si cela pouvait me faire entrer un peu de bon sens dans la tête. Aucun risque !

Au cours de nos sept années de vie commune, nous n'avions encore jamais eu les moyens de nous offrir une deuxième voiture correcte. En réalité, nous n'aurions même pas pu nous permettre une épave. Quant à notre première voiture, si délabrée fût-elle, nous avions longtemps attendu avant de l'avoir.

Mais, à ce moment-là, nous avions oublié l'époque où la moindre facture nous donnait une crise cardiaque. J'arrivais enfin à bien gagner ma vie.

Je produisais le *Marty Mann Show*, une émission de société qui passait tard le dimanche soir. Au cours des six années qui avaient précédé mes débuts de producteur à la télévision, je produisais déjà cette émission, mais sur une petite radio locale. À l'époque, presque personne ne connaissait son présentateur, quelqu'un de remarquable pourtant. J'avais l'impression que cela datait de plusieurs siècles...

Au cours des douze derniers mois, nous étions passés d'une émission de radio sans budget à une émission de télévision à petit budget. La frontière entre les deux s'était révélée étonnamment mince. Pourtant, le seul fait de traverser cette frontière avait transformé Marty Mann en vedette.

Si on allait au restaurant avec lui, tout le monde s'arrêtait de manger et de parler pour le regarder. Des femmes qui, quelques années plus tôt, ne l'auraient pas touché même avec des gants le considéraient à présent comme un dieu de l'amour. On le photographiait même quand il ne faisait rien. Marty avait réussi et avait eu l'élégance de m'associer à son succès.

Les critiques, du moins ceux qui l'appréciaient, le comparaient à un enfant — signifiant par là qu'il était ouvert, franc et intuitif. Pour eux, il posait le genre de questions que les autres présentateurs préféraient ne même pas imaginer. Ils avaient raison ; le système de sélection que possède un cerveau normal semblait ne pas exister chez Marty. Et il obtenait des réponses alors qu'il aurait mérité un bon direct dans la figure.

Ceux des critiques qui ne l'aimaient pas le comparaient aussi à un enfant mais, pour eux, cela voulait dire égoïste, immature et cruel. Pourtant, Marty n'avait rien d'un enfant. Parfois, je regardais notre petit Pat jouer paisiblement pendant des heures avec ses miniatures en plastique de *La Guerre des Étoiles*. C'était *cela*, un enfant. Marty n'avait jamais eu cette capacité d'attention. Marty n'était pas un enfant. Il était infantile.

Nous nous étions rencontrés dans une radio locale dont l'équipe bougeait beaucoup, que ses membres montent en grade ou décident d'aller voir ailleurs. Les studios se trouvaient dans un petit immeuble minable où régnaient des ambitions rancies et une odeur de cigarette refroidie. La plupart de nos visiteurs habituels étaient soit malades de solitude soit cinglés. Pourtant, j'ai toujours gardé une certaine nostalgie de cet endroit. En effet, c'est là que j'ai fait la connaissance de Gina.

La radio cherchait toujours désespérément des invités intéressants. Pour une raison ou pour une autre, on ne se disputait pas nos chèques — en réalité, presque invisibles à l'œil nu. Les émissions comportaient donc souvent une part d'improvisation.

Par exemple, quand les premières banques japonaises firent faillite, ce ne fut pas un économiste ou un journaliste financier que nous réussîmes à inviter pour en parler mais le professeur de japonais de la fac d'à côté.

D'accord, ce n'était qu'un professeur de langue mais, comme tout professeur de langue, il était amoureux du pays dont il enseignait la langue. Qui, mieux que lui, aurait pu expliquer pourquoi le tigre asiatique s'était transformé en chaton inoffensif? À dire vrai, beaucoup de gens, sans doute. Mais nous n'avions pu trouver mieux. Ce qui, de toute façon, ne l'empêcha pas de nous faire faux bond.

Comme par témoignage de sympathie envers la crise japonaise, le professeur eut une crise d'appendicite le matin de l'émission. Pour le remplacer, il nous envoya la meilleure de ses étudiantes, Gina.

Grande, radieuse, ainsi apparut Gina. Elle parlait couramment le japonais, connaissait tout de la culture japonaise et avait des jambes qui n'en finissaient pas. Je la fis entrer dans le studio, incapable de lui dire un mot, incapable même de la regarder dans les yeux. Elle était belle, adorable, intelligente. Mais surtout, et c'était le point essentiel, elle me paraissait totalement inaccessible.

Ensuite, la lumière rouge s'alluma dans le studio, et quelque chose se produisit ou, plutôt, il ne se produisit rien du tout. Gina était paralysée par le trac, incapable de parler.

Quand je l'avais vue, j'avais tout de suite pensé qu'elle était inapprochable. Or, tandis qu'elle transpirait et s'empêtrait en bafouillant dans une histoire sans queue ni tête de déclin économique, elle devint soudain humaine à mes yeux. Je compris que j'avais une chance. Pas bien grande, sans doute. Une chance microscopique et très fragile, certainement. Mais une chance quand même.

Je savais très bien ce qu'elle ressentait. Je réagissais toujours de cette façon, moi aussi, quand la lumière rouge s'allumait. Je ne me suis jamais senti à l'aise devant un micro ou une caméra et le seul fait d'y penser me donne encore des sueurs froides.

À la fin de l'émission, une fois que Marty eut mis un terme à son calvaire, il me fut facile de compatir. Elle eut une excellente réaction, se révéla capable de se moquer de son trac et jura que sa carrière à la radio était terminée.

Mon cœur s'arrêta.

Mais alors, pensai-je, quand vous reverrai-je ?

Ce qui m'emballa chez Gina, c'était son indifférence à son apparence. Elle se savait belle mais cela ne l'intéressait pas. Plus exactement, elle estimait que c'était la chose la moins intéressante en elle. Mais moi, on ne se retourne pas sur moi dans la rue. Quelqu'un d'ordinaire comme moi ne peut jamais être indifférent à la beauté.

Elle m'emmena manger des sushis à Sogo, le grand magasin japonais de Piccadilly Circus où tout le personnel la connaissait. Elle s'adressait à eux en japonais et ils l'appelaient « Gina-san ».

— Gina-san ? lui demandai-je.

— C'est difficile à traduire, me répondit-elle en souriant. Le plus approchant serait quelque chose comme : honorable ou respectée Gina.

Honorable, respectée Gina. Elle s'était prise de passion pour la culture japonaise alors qu'elle n'était encore qu'une petite fille. Elle y avait vécu pendant son année de stage, enseignant l'anglais à Kyoto — « La meilleure année de ma vie », disait-elle —, et elle prévoyait d'y retourner. Il y avait un poste à pourvoir dans une banque américaine à Tokyo. Rien ne pourrait l'empêcher d'y aller. J'espérais pourtant l'en empêcher.

Je fouillai désespérément ma mémoire pour y retrouver quelque bribe de connaissance sur le Japon et le nom de Yukio Mishima me revint. Je le mentionnai. Elle le récusa, le traitant de tapette réactionnaire.

— Il n'y a pas que le poisson cru et le suicide rituel, vous savez, me dit-elle en me conseillant de lire Kawabata si j'avais envie de comprendre quelque chose au Japon.

Elle me proposa de me prêter quelques-uns de ses livres si je voulais. Je vis aussitôt que j'avais une chance à saisir et je m'y cramponnai.

Nous nous revîmes donc pour prendre un verre et elle m'apporta un roman de Kawabata, *Pays de neige*. Je le commençai à peine rentré chez moi. C'est l'histoire d'un play-boy blasé qui tombe amoureux d'une geisha dans une station de montagne. Un bon roman, vraiment. Mais tout en lisant, je rêvais des yeux de Gina, de ses jambes, de la façon dont tout son visage s'illuminait quand elle riait.

Elle m'invita à dîner chez elle et je dus ôter mes chaussures avant d'entrer. Nous parlâmes du Japon — du moins, Gina parla et j'écoutai en laissant échapper de mes baguettes des morceaux de *teriyaki* de poulet qui tombaient sur la moquette. Puis le moment arriva où je devais appeler un taxi ou me brosser les dents. Et nous nous retrouvâmes en train de faire l'amour par terre, ou plutôt sur le futon, comme Gina l'appelait. J'étais prêt à bombarder Pearl Harbor pour elle.

Surtout, je voulais qu'elle reste avec moi pour toujours. Je lui promis donc tout — le bonheur, un amour éternel et, par-dessus tout, une famille. Je savais que la famille ferait la différence. Son père était parti quand elle avait quatre ans et elle avait grandi dans la nostalgie de la sécurité familiale. Elle pleura néanmoins quand elle annonça à la banque qu'elle n'irait pas à Tokyo.

Au lieu d'aller vivre au Japon, elle travailla comme traductrice indépendante pour des sociétés japonaises de la City. Mais la plupart firent faillite ou se replièrent sur le Japon. Sa carrière n'était pas ce qu'elle aurait dû être. Je savais qu'elle avait renoncé à beaucoup de choses pour pouvoir être avec moi. Si je n'avais pas été si follement heureux, j'en aurais sans doute éprouvé des remords.

Après notre mariage et la naissance de Pat, elle resta à la maison. Elle déclara qu'elle ne regrettait pas d'abandonner son travail pour Pat et moi — « mes deux gars », nous appelait-elle.

Je soupçonnais que sa déception professionnelle comptait autant dans le fait de rester à la maison que le désir d'avoir une vraie vie de famille. Cependant, elle essaya toujours de faire comme si c'était la chose la plus naturelle au monde.

— Je ne veux pas que mon fils soit élevé par des étrangères, me déclara-t-elle. Je ne veux pas d'une jeune fille au pair qui le mettrait devant une cassette vidéo pendant que je suis au travail !

— Très bien, lui dis-je.

— Et je ne veux pas qu'il n'ait à manger que des plats réchauffés au micro-ondes. Je ne veux pas rentrer à la maison trop fatiguée pour jouer avec lui. Je ne veux pas qu'il grandisse sans moi. Je veux qu'il ait une vie de famille, même si je ne sais pas ce que cela peut être. Je ne veux pas qu'il ait la même enfance que moi.

— D'accord.

Je savais qu'on abordait là un sujet sensible. Gina avait l'air de quelqu'un qui va se mettre à hurler d'une minute à l'autre.

— Qu'y a-t-il de mal pour une femme à vouloir rester chez elle avec son enfant ? dit-elle. Toutes ces histoires d'ambition sont minables, typiques des années quatre-vingt. Ces idioties sur le fait de tout avoir en même temps. On peut se débrouiller avec moins d'argent, n'est-ce pas ? Et tu m'offriras des sushis une fois par semaine, d'accord ?

Je lui répondis que je lui achèterais tellement de poisson cru qu'il lui pousserait des ouïes. Elle resta donc à la maison pour s'occuper de notre fils.

Le soir, quand je rentrais du travail, je criais : « Chérie ! Je suis là ! », exactement comme un feuilleton américain des années cinquante avec Dick Van Dyke qui rapporte du bacon à la maison et Mary Tyler Moore qui fait des sandwiches avec le bacon.

Je ne sais pas pourquoi j'ai essayé de prendre tout cela à la plaisanterie. Peut-être parce que, au fond de moi, je croyais que Gina faisait seulement semblant d'être une femme d'intérieur tandis que je jouais à être mon père.

3

Marty avait grandi devant la télévision. Il mangeait tous les jours devant la télévision. C'était sa baby-sitter, son meilleur ami et son professeur. Devenu adulte, il pouvait encore réciter par cœur les horaires des programmes de son enfance. Il sifflait sans faute le thème de *Dallas*. Son imitation des Dalek[1] était une des meilleures que j'aie jamais entendues. L'élection de Miss Monde lui avait appris tout ce qu'il savait sur les fleurs et les abeilles, ce qui représentait peu de chose en réalité.

Nous n'avions rien en commun mais Marty se prit d'amitié pour moi parce que je venais du même genre de famille. Cela ne paraît pas former une base très solide pour une amitié mais vous seriez étonné de savoir le peu de gens travaillant à la télévision qui viennent de ce type d'environnement. La plupart de ceux avec qui nous travaillions venaient de familles où on lisait.

À la petite station de radio où nous nous sommes rencontrés, on nous qualifiait tous les deux, en riant, de polyvalents. Marty était surtout doué pour aller chercher les sandwiches, trier le courrier et faire le thé. Mais déjà, avec son grand sourire et ses yeux protubérants, il possédait une telle présence que tout le monde le remarquait, même si personne ne le prenait au sérieux.

J'occupais un poste plus important que Marty. Je rédigeais

1. Les Dalek : une race d'extraterrestres de *Star Trek*. *(N.d.T.)*

des sujets, je produisais des émissions et parfois, mais avec un trac abominable, je lisais les informations. Je paniquais quand la lumière rouge s'allumait, j'étais à peine mieux que Gina. Cela s'allumait et, au lieu de devenir vivant, je devenais comme mort. En revanche, on découvrit que c'était pour cela que Marty était fait.

Du jour au lendemain, la station perdit l'animateur habituel de l'émission de nuit où les auditeurs pouvaient téléphoner — l'équipe des zinzins, comme nous la surnommions. Il avait trouvé un poste intéressant dans une chaîne câblée. Je persuadai les dirigeants de la station de donner sa chance à Marty. D'une part, je pensai qu'il devait être doué pour le micro. D'autre part, et surtout, j'étais terrifié à l'idée de devoir m'en charger moi-même.

Or Marty fit des merveilles dans une situation désespérante de nullité. Cinq soirs par semaine, il prenait les appels des auditeurs, les pots de colle qui n'avaient rien d'autre à faire, les moralistes prêts à tout fustiger, les paranoïaques qui voyaient partout des conspirations, les partisans des extraterrestres, et bien d'autres. Avec ce ramassis de délires, Marty réussissait à faire de la bonne radio.

Cela marchait car il donnait l'impression de ne pas souhaiter autre chose que de bavarder avec les inquiétants habitants d'une planète de fous.

Peu à peu, son émission devint une émission culte. À partir de là, les choses s'accélérèrent. Nous reçûmes bientôt des propositions d'embauche à la télévision. On nous invitait à déjeuner, on se répandait en propos flatteurs à notre sujet, on nous faisait de grandes promesses. Il nous fallut peu de temps pour renoncer à notre radio qui marchait si bien, ce qui représente un cas assez rare où les rats ont déserté un bateau en bon état.

Or, à la télévision, ce n'était pas le même travail. Nous ne pouvions nous permettre de prendre nos invités n'importe où, comme nous le faisions à la radio. Il nous fallait autre chose que de sympathiques allumées engrossées par des extraterrestres libidineux.

Au bout de sa première année d'animateur de télévision, Marty avait toujours l'air d'être exactement là où il avait envie d'être. La tension commençait pourtant à percer et, chaque semaine, il fallait un peu plus de temps à la maquilleuse pour en cacher les effets. Le stress de devoir trouver des invités intéressants, sept jours par semaine, n'était pas seul à mettre des touches de gris dans ses cheveux de faux blond. Tant que nous étions à la radio, Marty n'avait rien à perdre. Maintenant, si.

Ce jour-là, il était dans le fauteuil de maquillage quand j'arrivai au studio. Il s'interrogeait à haute voix sur ses futurs invités au milieu du groupe de jeunes femmes qui l'entouraient, avides de recueillir le moindre de ses désirs à peine exprimés. Pendant ce temps, la maquilleuse s'évertuait à lui faire une peau vaguement humaine pour les caméras. Il but d'un air dubitatif une gorgée d'eau dans le verre placé devant lui.

— C'est de l'Évian?

— Vous auriez préféré de l'eau pétillante? demanda une jeune femme au visage très doux.

Elle portait un pantalon de treillis et des chaussures montantes des surplus militaires.

— Je voulais de l'Évian.

Elle eut l'air soulagée.

— C'est de l'Évian.

— Je ne crois pas.

— C'est vrai, c'est de la Badoit.

Marty la regarda.

— Mais il n'y avait plus d'Évian dans le distributeur, expliqua-t-elle.

— Essayez dans le salon vert, suggéra-t-il avec un petit soupir.

Il y eut des murmures d'assentiment. Le salon vert — le cagibi où l'on parquait les invités de l'émission — était certainement l'endroit où trouver l'Évian réclamée par Marty. L'air penaude mais réussissant quand même à sourire, la fille en treillis partit en quête de l'eau désirée.

— Je suis en train de penser à un classique du genre, une rencontre avec une légende de Hollywood, me confia Marty. Je pense à une star qui a reçu un oscar. Je pense à... Jack Nicholson ?

— Jack n'est pas là en ce moment, dit notre chercheuse.

Elle était petite et nerveuse, et ne ferait certainement pas de vieux os dans la profession. Elle n'avait déjà plus d'ongles.

— Leonardo Di Caprio ?

— Leo n'est pas disponible.

— Clint Eastwood ?

— J'ai réussi à joindre son secrétariat mais... j'en doute.

— Robert Mitchum ? James Stewart ?

— Ils sont morts.

Marty lui lança un regard venimeux.

— N'employez jamais ce mot, lui dit-il. Ils sont simplement dans l'incapacité de participer à l'émission en ce moment.

Il leva les yeux vers mon reflet dans le miroir, ses yeux de fouine clignant dans un halo de fond de teint orange.

— Pourquoi ne pouvons-nous jamais avoir la moindre de ces fichues stars, Harry ?

— Parce que aucun de ceux dont tu viens de parler n'a quelque chose à vendre en ce moment, lui répondis-je comme je le faisais chaque semaine. Et quand ils ont quelque chose à vendre, on doit se battre avec les autres producteurs pour les avoir.

— Vous avez vu les informations ce soir ? demanda la maquilleuse.

Elle avait parlé d'une voix feutrée, comme font toutes les maquilleuses, totalement inconscientes des drames qui se jouent autour d'elles.

— C'était vraiment intéressant, reprit-elle. Ils ont montré les manifestants à l'aéroport. Vous savez, ceux qui s'enchaînent aux arbres. Pour protester contre le nouveau terminal.

— Et alors? dit Marty. Qu'ont-ils de si intéressant? À moins que vous disiez ça juste pour dire quelque chose?

— Leur chef me plaît beaucoup, répondit-elle. Vous savez, Cliff. Celui qui a des dreadlocks. Il est superbe!

Toutes les femmes présentes eurent un murmure d'approbation. J'avais vu ce Cliff dans son arbre. Il était maigre, beau parleur et avait des dreadlocks. Je n'avais pourtant pas imaginé qu'on puisse le considérer comme un objet de désir.

— C'est lui que vous devriez inviter, conclut triomphalement la maquilleuse tout en tapotant Marty de sa houppette pleine de poudre. Il est bien plus intéressant que n'importe quelle vieille superstar avec des implants capillaires et un film d'action qu'on peut voir partout.

— Ce n'est pas une mauvaise idée, dis-je à mon tour. Mais j'ignore comment le joindre, même si ça a des chances d'être plus facile que Clint Eastwood.

— Euh... J'ai un numéro de portable où on peut le joindre, dit quelqu'un dans le fond de la loge. Si ça peut vous rendre service...

Tout le monde se tourna pour voir qui avait parlé.

C'était une rousse très mince avec cette peau qu'ont certaines Irlandaises, si pâle qu'elle paraît ne jamais avoir été exposée au soleil. Elle avait à peine vingt ans. On avait l'impression qu'elle sortait tout juste de l'université, ce qui ne l'empêchait pas d'avoir quelques taches de rousseur. Elle en aurait toute sa vie. Je ne l'avais jamais vue.

— Siobhan Kemp, dit-elle sans s'adresser à personne en particulier.

Elle avait rougi en parlant.

— Je suis la nouvelle assistante de production, ajouta-t-elle. Voulez-vous que j'appelle Cliff?

Marty me regarda. Je savais que l'idée lui plaisait, tout comme elle me plaisait car, comme tous les gens de télévision, nous aimions l'authenticité par-dessus tout. Du moins, en dehors des célébrités confirmées. Cela nous plaisait infiniment.

Toutefois, nous avions la nausée des stars adolescentes qui venaient faire la promotion de leurs productions débiles. Nous voulions de vrais êtres humains, authentiques, qui vivaient de vraies vies et de vraies histoires — des histoires, pas des anecdotes futiles. Ils nous offraient de formidables moments de télévision à des prix défiant toute concurrence. Nous, nous leur offrions une thérapie, une opportunité de sortir ce qu'ils avaient sur le cœur, de tout vomir sur un million de moquettes à la fois.

Bien sûr, si Jack Nicholson nous avait téléphoné en nous suppliant de l'inviter, nous aurions aussitôt appelé le service de sécurité pour vider le bâtiment de tous les êtres humains authentiques qui s'y trouvaient. Malheureusement, allez savoir pourquoi, Jack n'a jamais appelé. En fait, à l'époque, il n'y avait pas assez de stars pour satisfaire la demande.

Nous adorions donc les vrais êtres humains, les gens authentiques qui se passionnaient pour une chose ou une autre, qui avaient une vraie histoire à raconter, et pas de carrière à bichonner. Or un homme perché dans un arbre avec des chiens policiers cherchant à lui mordre les mollets offrait toute l'apparence d'authenticité désirée.

— Comment le connaissez-vous ? lui demandai-je.

— Je suis sortie avec lui, répondit-elle.

Marty et moi, nous échangeâmes un regard impressionné. Ainsi, cette Siobhan était aussi une personne authentique.

— Ça n'a pas marché, dit-elle. Ce n'est pas facile quand l'un des deux passe son temps dans les arbres ! Mais nous sommes restés proches et je l'admire ; il croit vraiment en ce qu'il fait. D'après lui, alors que les systèmes vitaux de la planète sont au bord de l'épuisement, les politiques ne savent faire qu'une seule chose : de beaux discours sur l'importance de l'écologie. Il estime que l'homme ne devrait laisser sur la terre que ses empreintes et n'y prendre que des souvenirs.

— Fichue bonne idée! s'exclama Marty. Qui est son agent?

J'étais en haut, à la régie, devant une douzaine d'écrans montrant Marty sous cinq angles différents. Il interviewait un homme qui se vantait de pouvoir gonfler un préservatif enfilé sur sa tête jusqu'à mi-visage. Tout se passait très bien. Soudain, je sentis une présence à mon côté.

C'était Siobhan, souriant comme une petite fille qui, tout juste arrivée dans une nouvelle école, vient de découvrir que tout ira très bien.

Dans la pénombre de la salle, la clarté des moniteurs se reflétait sur son visage. Ce sont de simples postes de télévision mais nous disons « moniteurs ». Ils fournissent au réalisateur le choix entre plusieurs angles de prise de vues. Les moniteurs ne montrent pas seulement l'image retransmise mais toutes celles que l'on peut transmettre si l'on préfère. Siobhan les regardait en souriant. Elle avait un très beau sourire.

— Je croyais que votre Cliff ne donnait pas d'interviews, lui dis-je. En tout cas, pas depuis le coup monté de ce journal à scandales où on disait que seule la gloire l'intéressait, ainsi que les petites écologistes.

Je me souvins brusquement qu'elle était sortie avec lui.

— Excusez-moi...

— Il n'y a pas de mal. Pour en revenir aux interviews, vous avez raison mais je pense qu'il devrait accepter, cette fois.

— Pourquoi? À cause de vous?

— Non, dit-elle en riant. Parce qu'il aime bien Marty. Il trouve qu'il n'est pas dans le système.

J'observai Marty sur le moniteur. Il s'étranglait de rire en voyant le préservatif exploser sur la tête du type. Si quelqu'un faisait partie du système, c'était bien Marty. De plus, il aurait pris cela comme un compliment.

— Surtout, poursuivait Siobhan, il acceptera parce que c'est du direct.

En effet, nous étions pratiquement la dernière émission de société en direct. La plupart étaient diffusées, selon l'expression consacrée, « dans les conditions du direct ». Autrement dit, on fabriquait l'ambiance excitée du direct en conservant la sécurité de l'enregistrement. Une histoire de fous !

Mais le *Marty Mann Show* n'était pas truqué. Quand on voyait ce type avec son préservatif éclaté sur la tête, le préservatif venait réellement d'éclater.

— Pour ces éco-guerriers, dit Siobhan, la télévision en direct est le seul média où la censure ne peut intervenir. Je peux vous poser une question ?

— Je vous en prie.

— C'est votre MGF qui est garée en bas ? La rouge ?

Nous y voilà, pensai-je. Je vais avoir droit au discours sur la pollution de l'air et le trou dans la couche d'ozone. Il y a des moments où les jeunes d'aujourd'hui me paraissent sans espoir. Ils ne pensent qu'à une chose, l'avenir de la planète.

— Oui, c'est la mienne, répondis-je.

— Elle est belle, dit-elle.

Tout le monde dormait quand je suis rentré à la maison. Je me suis brossé les dents et je me suis déshabillé dans le noir, écoutant le souffle léger de ma femme endormie.

Entendre la respiration de Gina assoupie m'emplissait toujours d'une infinie tendresse. C'était le seul moment où elle paraissait vulnérable, le seul moment où je pouvais me faire croire qu'elle avait besoin de ma protection. Elle remua un peu quand je me glissai dans le lit et mis mon bras autour d'elle.

— L'émission était bien, ce soir.

Elle était toute chaude, tout endormie, et j'aimais qu'elle soit ainsi. Elle me tournait le dos, sa position habituelle pour dormir, et elle soupira quand je me blottis contre elle. Je lui embrassai la nuque et ma main descendis le long de ces jambes interminables qui m'avaient rendu fou dès le premier regard, et me rendaient toujours aussi fou.

— Oh! Gina, ma Gina.

— Oh! Harry, murmura-t-elle. Tu n'as pas envie... si?

Elle m'effleura de la main.

— Eh bien, on dirait que oui, conclut-elle.

— J'adore te toucher.

— Tout fringant, dirait-on? observa-t-elle en riant.

Elle se tourna pour me regarder, les yeux encore lourds de sommeil.

— Je veux dire : pour un homme de ton âge! ajouta-t-elle.

Elle s'assit dans le lit, fit passer son T-shirt par-dessus sa tête et l'expédia sur le parquet. Elle fit glisser ses doigts dans ses cheveux et me sourit, son long corps si familier luisant dans la lumière des lampadaires de la rue, qui filtrait à travers les stores. Il ne faisait jamais complètement noir dans notre chambre.

— Tu as toujours envie de moi? demanda-t-elle. Même après toutes ces années?

Je ne sais plus si j'ai eu le temps de dire oui avec la tête. Nos lèvres se frôlaient déjà quand Pat s'est mis à pleurer. Nous nous regardâmes. Elle sourit. Pas moi.

— Je vais le chercher, dit Gina tandis que je me laissais retomber sur l'oreiller.

Elle revint avec Pat dans les bras. Il suffoquait en essayant d'expliquer au travers de ses larmes qu'il avait fait un cauchemar — une histoire de très grands monstres. Gina le cajolait et l'installa dans le lit entre nous deux. Comme toujours, dans la chaleur de notre lit, il s'arrêta immédiatement de sangloter.

— On fait les cuillères, dit Gina.

Pat et moi, nous nous tournâmes docilement sur le côté, ses petites jambes tièdes enfouies dans son pyjama de coton tout doux blotties à l'arrière des miennes. Il reniflait encore mais il était calmé. Gina mit l'un de ses longs bras minces autour de nous deux, se pelotonnant à son tour contre Pat.

— Dors, maintenant, dit-elle. Tout va bien.

Je fermai les yeux, notre petit garçon entre nous. Tandis que le sommeil me gagnait, je me demandai si Gina avait dit cela à Pat, à moi, ou à nous deux.

— Il n'y a pas de monstres, dit-elle encore.

Et nous nous endormîmes dans ses bras.

4

Les trente ans de Gina n'avaient pas été totalement exempts de chagrin.

Son père lui avait téléphoné en début de soirée pour lui souhaiter un bon anniversaire. Cela signifiait qu'elle avait passé la matinée et tout l'après-midi à se demander si ce vieux minus l'appellerait.

Vingt-cinq ans plus tôt, juste avant que Gina entre à l'école, Glenn — ainsi que son père exigeait d'être appelé, en particulier par ses enfants —, Glenn quitta le foyer conjugal pour devenir musicien de rock. Depuis, il était vendeur dans un magasin de guitares à Soho et ses rêves de gloire s'étaient amenuisés, suivant en cela sa chevelure de hippy. Il n'en persistait pas moins à se considérer comme un esprit libre qui avait le droit d'oublier les anniversaires ou de s'en souvenir, selon son humeur.

Glenn n'avait jamais percé comme musicien. Il est vrai qu'il avait fait partie d'un groupe qui avait obtenu un petit contrat d'enregistrement et avait brièvement figuré au hit-parade, plutôt dans le bas de la liste. Vous l'avez peut-être vu en train de jouer de la basse au *Top 50* juste avant que Ted Heath quitte le 10 Downing Street[1] pour toujours.

Il avait été très beau dans sa jeunesse, une sorte de grand

1. 10 Downing Street : résidence du Premier ministre. Edward Heath dut démissionner à la suite d'un scandale. *(N.d.T.)*

Nordique aux boucles blondes et à la peau lisse. Il n'empêchait que, à mon avis, la vraie vocation de Glenn avait été de fonder des familles uniquement pour pouvoir les détruire.

La petite famille de Gina n'avait été que la première d'une longue liste d'épouses et d'enfants abandonnés par Glenn. Il y en avait dans tout le pays. Des femmes semblables à la mère de Gina, dont la beauté lui avait valu, dans les années soixante et soixante-dix, de poser de temps en temps pour des magazines sur papier glacé. Et des enfants comme Gina qui avaient grandi dans une famille monoparentale à l'époque où cela s'appelait encore un foyer brisé.

Glenn passait dans leurs vies en coup de vent, oubliant sans gêne les anniversaires et les Noëls. Puis, un jour où personne ne l'attendait, il surgissait avec un cadeau, énorme et idiot. C'était à présent un banlieusard d'âge moyen qui devait emprunter le train tous les matins pour aller travailler dans un magasin en ville. Mais cela ne l'empêchait pas de se prendre pour Jim Morrison et de penser que les règles valables pour les autres ne s'appliquaient pas à lui.

En réalité, je ne dois pas trop me plaindre de lui. D'une certaine façon, il nous a rapprochés, Gina et moi, car ce qu'elle a le plus aimé chez moi, c'est ma famille.

C'était une petite famille, très banale. Je suis fils unique. Nous habitions un pavillon mitoyen des alentours de Londres comme on aurait pu en trouver pratiquement dans toutes les banlieues d'Angleterre. Nous étions entourés de maisons et de gens mais il fallait faire presque un kilomètre avant de trouver un journal. La vie nous entourait mais nous avions en permanence le sentiment que la vie se passait ailleurs. C'est ça, la banlieue.

Ma mère observait la rue derrière ses rideaux en crochet. (« C'est ma rue », disait-elle quand nous la taquinions, mon père ou moi.) Mon père s'endormait devant la télévision. (« Il n'y a jamais rien », grognait-il toujours.) Et moi, je tapais dans un ballon, dans le jardin de derrière, rêvant de jouer les prolongations à Wembley et essayant d'éviter les rosiers de mon père.

Combien y a-t-il de familles comme celle-ci dans notre pays? Sans doute des millions. Quoique, aujourd'hui, beaucoup moins qu'avant. Les familles comme la mienne deviennent une espèce en danger, je crois. Gina réagit comme si mes parents et moi étions la dernière vraie cellule familiale, une espèce à protéger, aimer, respecter et admirer.

De mon point de vue, ma famille était un peu trop sérieuse, avec la voiture à laver régulièrement, la rue à observer de derrière des rideaux, les soirées devant la télévision, les vacances en chambres d'hôte à la campagne ou en caravane dans un camping. J'enviais le milieu exotique de Gina, sa mère ancien mannequin, son père future star du rock, les photos dans les magazines chics, même si les photos commençaient à pâlir.

Gina, elle, n'avait retenu que ses anniversaires oubliés, un père qui ne se souciait que de sa dernière conquête, les promesses de vacances qui ne se réalisaient jamais, et sa mère qui dormait seule et finit par mourir seule. Gina ne pouvait rester indifférente à une famille normale. C'était impossible.

Le premier Noël où j'invitai Gina chez mes parents, je la vis retenir ses larmes quand ma mère lui offrit son cadeau — une simple babiole parfumée, présentée dans un panier de chez Body Shop, des savons en forme d'ours polaire sous papier Cellophane. Je sus à cet instant que j'avais gagné. Un seul regard à ses ours polaires et elle avait gobé l'hameçon.

Ne sous-estimez jamais la force d'une famille à l'ancienne, une famille nucléaire comme on dit à présent. Aujourd'hui, venir d'un foyer intact, c'est comme d'avoir des revenus sans travailler, ou les yeux de Paul Newman, ou encore une capacité sexuelle hors du commun. C'est une chance exceptionnelle dont ne bénéficient qu'une poignée d'heureux veinards. Et il est très difficile d'y résister.

En revanche, ces familles normales risquent de donner à

leurs enfants un sentiment de sécurité erroné. En devenant adulte, je ne remis jamais en question l'idée qu'un mariage était toujours aussi stable et définitif que celui de mes parents. Cela concernait aussi mon propre mariage. À voir mes parents, la chose paraissait facile, mais cela ne l'est pas du tout.

Gina se serait sans doute désintéressée du sort de Glenn depuis longtemps si sa mère n'était pas morte. Elle décéda d'un cancer du sein peu de temps avant l'apparition de Gina à la radio et dans ma vie. Gina avait ressenti un violent besoin de sauver les débris de sa famille.

Glenn assista donc à notre mariage et se roula un joint devant mes parents. Ensuite, il essaya de séduire une des demoiselles d'honneur. Malgré ses cinquante ans, il semblait croire qu'il en avait toujours vingt et que l'avenir lui appartenait. Il portait des pantalons de cuir qui crissaient quand il dansait. Et de quelle façon dansait-il!

Gina avait été tellement marquée par le refus de Glenn de jouer son rôle de père qu'elle s'abstint de lui envoyer une photo de Pat quand il naquit.

Je dus insister de toutes mes forces et faire valoir que Glenn avait le droit de voir des photos de son unique petit-fils. Je dois avouer que je nourrissais le secret espoir de voir Glenn transformé par notre beau bébé. Mais quand il oublia l'anniversaire de Pat pour la troisième fois consécutive, je me rendis compte que j'avais à présent mes propres raisons de haïr ce vieux salaud de hippy.

— Peut-être est-il terrifié à l'idée d'être grand-père, dis-je à Gina. Peut-être que ça le fait flipper, comme il dirait?

— Oui, c'est ça, me répondit Gina. Et aussi le fait que c'est un vieux salaud d'égoïste qui n'est jamais devenu adulte. Ne l'oublions pas!

Contrairement aux parents de Gina, personne n'avait jamais considéré les miens comme le couple idéal. Personne n'avait jamais pensé que leur union incarnait l'esprit d'une époque.

Aucun magazine de luxe n'avait jamais demandé à ma mère de poser, même si ses tomates, qui lui avaient valu le premier prix lors d'un concours de jardins, avaient figuré dans la gazette locale. Seulement, mes parents ne s'étaient jamais quittés. Et nous en ferions autant, Gina et moi.

Depuis que nous nous étions mariés, nous avions vu certains de nos amis faire une rencontre, tomber amoureux, se marier, divorcer et se mettre à haïr leur ex-conjoint. Cela ne nous arriverait jamais. Nous venions de milieux différents mais desquels nous voulions tous deux la même chose.

Je voulais réussir un couple qui durerait toujours parce que c'était ce que j'avais connu avec mes parents. Gina voulait réussir un couple qui durerait toujours parce que c'était exactement ce que ses parents n'avaient pas été.

— C'est ce qui est si fantastique entre nous, m'avait-elle dit. Nos rêves se rencontrent.

Elle adorait mes parents et ils le lui rendaient bien. Quand la blonde vision de Gina apparaissait dans l'allée du jardin, accompagnée de leur petit-fils, ils rayonnaient de plaisir, souriant avec timidité à l'abri de leurs lunettes de lecture et de leurs géraniums.

Ils n'arrivaient pas à croire à une telle chance. Pour mes parents, Gina avait l'auréole d'une Grace Kelly. Et pour Gina, mes parents représentaient le couple idéal, tout droit sorti de *La Petite Maison dans la prairie* !

— J'emmène Pat voir tes parents, me dit-elle ce jour-là, juste avant que je parte au travail. Je peux t'emprunter ton portable ? La batterie du mien est vide.

Je le lui tendis avec plaisir. J'ai horreur des téléphones portables.

Ils me donnent l'impression d'être pris au piège.

Un vent de panique passa sur l'équipe de la régie.

— La mouche est revenue ! s'écria le réalisateur. On a la mouche à l'image !

Elle était là, sur l'écran du moniteur. La mouche du studio.

Notre mouche était une énorme bestiole toute noire avec des ailes immenses. Sur le gros plan de Marty en train de lire son prompteur, la mouche prenait tout son temps pour décrire des cercles autour de la tête de Marty. Puis elle s'éloigna lentement, suivant une parfaite courbe ascendante.

La mouche vivait quelque part dans les hauteurs obscures du studio, parmi le fouillis de prises, de câbles électriques et de projecteurs. La mouche ne se manifestait jamais que pendant une émission. À la régie, les vieux de la vieille prétendaient qu'elle réagissait à la chaleur des projecteurs. En ce qui me concerne, j'ai toujours pensé qu'elle était attirée par la substance que sécrètent les glandes humaines pendant une émission en direct. Notre mouche de studio aimait l'odeur de la peur.

Hormis la démonstration aérienne de la mouche, l'interview de Cliff se passait bien. Notre jeune « Vert » s'était d'abord montré très tendu, grattant sa barbe de trois jours et tripotant ses dreadlocks d'une saleté repoussante. Il se perdait en bafouillant dans des phrases sans queue ni tête et avait même commis le péché capital à la télévision : regarder la caméra. Marty avait toutefois réussi à le mettre à l'aise. Il pouvait se montrer étonnamment gentil avec un invité angoissé. De plus, il ne cacha pas sa sympathie pour la cause de Cliff. Ce n'est qu'à la fin, quand Marty amorça la séquence de fin d'émission, que cela se gâta.

— Je remercie Cliff de sa présence parmi nous ce soir, commença Marty.

Il avait adopté un ton d'une solennité inhabituelle et parla tout en chassant la mouche d'un revers de main.

— Je veux aussi, poursuivit-il, remercier tous ses camarades installés dans les arbres devant l'aéroport, car ils se battent pour nous tous.

Le public se mit à applaudir. Marty serra la main de son invité. Cliff lui serra la main en retour. Et ne la lui rendit pas.

Il fouilla dans la poche de son manteau, malpropre et vaguement ethnique. Il en sortit une paire de menottes. Marty regardait avec un sourire hésitant. Cliff referma un des bracelets de métal autour de son poignet et l'autre autour du poignet de Marty Mann.

— Liberté pour les oiseaux, dit calmement Cliff avant de s'éclaircir la voix.

— Quoi... Qu'est-ce que ça veut dire ? s'exclama Marty.

— Liberté pour les oiseaux ! cria Cliff, dont le ton prenait de l'assurance. Liberté pour les oiseaux !

Marty secoua la tête.

— Tu as la clef de ce truc, espèce de pauvre con ?

À la régie, nous assistions à la scène sur le mur d'écrans qui brillait dans la pénombre. Le réalisateur continuait à chorégraphier le ballet des cinq caméras — « La deux, tu restes sur Marty... La quatre, donne-moi un gros plan des menottes... » — mais j'éprouvais ce que l'on n'éprouve que lors d'un affreux dérapage en direct. Cela se situe entre la nausée, la paralysie et une terrible fascination. Et cela s'installe, là, au creux de votre estomac.

Soudain, la mouche revint, plana quelques instants au-dessus de Cliff puis exécuta un atterrissage impeccable sur son nez.

— Liberté pour les oiseaux !

Marty regardait son poignet d'un air incrédule, incapable de réaliser qu'il se trouvait réellement enchaîné à ce jeune homme mal soigné dont le maquillage commençait à fondre sous les projecteurs. Soudain, il attrapa la carafe d'eau posée sur la table entre eux et, presque comme s'il cherchait à écraser la mouche, frappa Cliff avec la carafe, en pleine figure. Le sang jaillit en même temps que l'eau. Il ne restait que l'anse brisée dans la main de Marty.

— Merde aux oiseaux ! dit-il. Et merde à la couche d'ozone !

Un des techniciens de plateau apparut dans le champ. Il était bouche bée, le casque autour du cou. Cliff protégeait de la main son nez cassé. Dans l'audience, quelqu'un commença à huer Marty. C'est à cet instant que nous avons compris que nous étions dans une affreuse panade.

Marty avait fait la seule chose qu'il n'avait pas le droit de faire dans ce genre d'émission. Il avait perdu son public.

À la régie, les téléphones se mirent tous à sonner en même temps, comme pour célébrer le fait que ma brillante carrière venait de sombrer dans un trou noir. Je pris brusquement conscience d'être couvert de sueur.

La mouche réapparut brièvement sur tous les écrans, exécuta quelque chose qui ressemblait à une danse de victoire, et disparut.

— J'ai été vraiment stupide, me dit Siobhan.

Nous étions dans la salle de contrôle et plusieurs heures s'étaient écoulées.

— C'est entièrement ma faute, renchérit-elle. Je n'aurais jamais dû le proposer. J'aurais dû savoir qu'il chercherait à nous utiliser d'une façon ou d'une autre. C'est un sale type, un monstre d'égoïsme. Mais pourquoi ai-je fait cela? Parce que j'avais envie d'impressionner tout le monde. Et voilà le résultat!

— Vous n'êtes pas stupide, lui dis-je. C'est Marty qui l'a été. Votre idée reste une bonne idée, malgré ce qui s'est passé.

— Que va-t-il arriver maintenant? reprit-elle, l'air soudain très jeune. Que va-t-on nous faire?

Je secouai la tête en haussant les épaules.

— On le saura bien assez tôt.

J'en avais assez. Je n'avais plus envie d'y penser.

— Allons, lui dis-je. Venez, on s'en va.

J'avais expédié Marty chez lui. Il avait filé par la porte de derrière. Un taxi l'attendait près de l'entrée de service. Je lui avais ordonné de ne parler à personne. La presse allait le mettre en charpie. On pouvait y compter. J'étais toutefois beaucoup plus inquiet à l'idée de ce que la station allait lui faire. Allait nous faire. Je savais qu'ils avaient besoin du *Marty Mann Show*. Mais jusqu'à quel point?

— Il est affreusement tard, dit Siobhan. Où puis-je trouver un taxi?

— Où habitez-vous?

J'aurais dû deviner qu'elle habitait Camden Town, dans un de ces anciens quartiers d'ouvriers colonisés par les gens qui s'habillent tout en noir. En fait, elle n'était pas très loin de notre propre maison. Nous nous trouvions chacun à un bout de la même rue, Siobhan du côté de Camden Road qui aspire à la bohème, et moi du côté où l'on rêve de banlieue verte.

— Je peux vous déposer, proposai-je.

— C'est vrai? Vous voulez dire : dans votre MGF?

— Bien sûr!

— Formidable!

Nous nous mîmes à rire, j'ignore en réalité pour quelle raison, mais c'était la première fois depuis des heures. L'ascenseur nous amena au parking souterrain où ma petite voiture rouge attendait, toute seule. Il était très tard. Presque deux heures. Je la regardai glisser ses jambes sous le tableau de bord.

— Je ne veux pas insister, dit-elle, mais vous avez été vraiment gentil ce soir. Merci de ne pas vous être fâché contre moi. Ça me touche beaucoup.

C'était une façon élégante de s'excuser alors qu'elle n'avait pas réellement à le faire. Je regardai à nouveau son pâle visage d'Irlandaise et je réalisai à quel point elle me plaisait.

— Ne dites pas de bêtises, lui répondis-je en mettant le moteur en marche pour couvrir mon embarras. Nous sommes dans le même bain, non?

C'était une chaude nuit d'été et il n'y avait presque personne dans les rues. En moins de vingt minutes, nous dépassions le marché aux puces, les restaurants ethniques et les magasins d'occasions avec leurs enseignes grotesquement démesurées : bottes de cow-boy géantes, fauteuils de rotin monumentaux et monstrueux morceaux de vinyle, tous suspendus au-dessus de la rue comme autant de visions de drogué. À une lointaine époque, Gina et moi faisions nos courses dans ce quartier, le samedi après-midi.

Siobhan me guida jusqu'à une grande maison bourgeoise, convertie en appartements de nombreuses années plus tôt.

— Eh bien voilà, dis-je. Bonne nuit.

— Merci. Merci pour tout.

— Je vous en prie.

— Écoutez, reprit-elle, je crois que je serai incapable de dormir après ce qui s'est passé. Je vous offre un verre?

— Cela risquerait plutôt de m'empêcher de dormir.

Je me haïs de répondre ainsi, comme un pensionnaire obligé de rentrer boire son chocolat chaud et dormir dans son petit lit protégé par une alèse, bien à l'abri.

— Vous êtes sûr? insista-t-elle.

Elle paraissait un peu déçue et cela me flatta ridiculement. Mais je savais qu'elle n'insisterait pas plus.

Rentre chez toi, disait une voix à l'intérieur de moi. *Refuse poliment et rentre chez toi.*

Et c'est peut-être ce que j'aurais fait si elle ne m'avait pas tant plu. Peut-être serais-je rentré tout droit si la soirée n'avait pas été aussi horrible. Peut-être, si je n'avais pas eu trente ans. Peut-être, si ses jambes n'avaient pas été aussi longues...

— D'accord, dis-je avec bien plus de décontraction que je n'en éprouvais. D'accord, c'est une bonne idée.

Elle me regarda un court moment et, l'instant suivant, nous nous embrassions, ses mains sur ma nuque, ses doigts me tirant les cheveux à petits coups impatients. C'est curieux, pensai-je, Gina ne fait jamais ça.

5

Un enfant peut changer d'un instant à l'autre. Vous tournez le dos quelques secondes et, quand vous le regardez de nouveau, vous vous apercevez qu'il a grandi et n'est plus le même.

Je me souviens du premier sourire de Pat. C'était une petite chose chauve à l'époque, un Winston Churchill en grenouillère. Il hurlait à cause de sa première dent qui perçait. Gina lui massa les gencives avec du chocolat. Il s'arrêta instantanément de pleurer et c'est alors qu'il nous sourit — un large sourire, un immense sourire tout en gencives, comme si nous venions de lui révéler le plus beau secret du monde.

Je me souviens aussi de ses premiers pas. Il se tenait à la poignée de son petit chariot en plastique jaune, oscillant de droite et de gauche comme sous l'effet d'un vent violent, ainsi qu'il avait l'habitude de faire. Il avait juste sa couche qui laissait voir ses petites jambes potelées. Soudain, sans prévenir, il démarra et se mit à soulever puis à poser ses pieds de toutes ses forces pour suivre son chariot.

Il sortit de la pièce en fonçant. Gina éclata de rire, trouvant qu'il ressemblait à ces gens qui se dépêchent pour ne pas arriver en retard à leur bureau.

En revanche, je ne sais pas quand il a changé de jeux. J'ignore quand il abandonna ses voitures de pompiers et ses dessins animés de bébé au profit de *La Guerre des Étoiles.* Cela fait partie des changements qui se produisirent au moment où j'étais occupé ailleurs.

L'instant d'avant, il ne rêvait que d'animaux parlants. À présent, il n'y en avait plus que pour les Étoiles de la Mort, les troupes d'assaut et les sabres laser.

Si on l'avait laissé faire, il serait resté nuit et jour devant la télévision à se repasser les cassettes de *La Guerre des Étoiles*. Bien sûr, nous l'en empêchions — plus exactement, Gina l'en empêchait. Quand la télévision était éteinte, il jouait pendant des heures avec ses figurines de *La Guerre des Étoiles* et avec des vaisseaux spatiaux en plastique gris. Ou bien il sautait sur le canapé en brandissant son sabre laser, se racontant à lui-même des épisodes du scénario de George Lucas.

J'avais l'impression qu'on était encore hier, quand rien ne l'amusait plus que ses animaux de ferme en miniature — ses « aminaux » comme il les appelait. Plongé dans son bain moussant, petit ange blond avec des flocons de mousse dans les cheveux, il faisait parader ses vaches, ses moutons et ses chevaux sur le bord de la baignoire, meuglant et bêlant jusqu'à ce que l'eau soit froide.

— Ze prends mon bain, déclarait-il. Avec mes aminaux.

À présent, ses chers animaux se couvraient de poussière, oubliés dans un coin de sa chambre tandis qu'il jouait sans fin au bon et au méchant intergalactiques.

Ses jeux ressemblaient beaucoup à ceux de mon enfance. Parfois, les histoires de braves chevaliers, de méchants seigneurs de la guerre et de princesses emprisonnées que se racontait Pat me rappelaient un lointain passé, comme s'il essayait de faire revivre quelque chose de précieux mais de disparu à jamais.

La façon de dormir de Siobhan était bien celle d'une célibataire.

Elle se retrouvait systématiquement au milieu du lit, bras et jambes jetés en travers — avec leurs taches de rousseur ! —, ou bien elle roulait sur le côté en entraînant mon côté de la couette. J'étais étendu les yeux grands ouverts dans ce lit étrange, accroché à un morceau de drap de la taille d'un mouchoir. Les premières lueurs annonciatrices du jour commençaient à dissiper l'obscurité.

Il était encore trop tôt pour que je me sente vraiment mal. J'avais repoussé à l'arrière-plan l'image de Gina et toutes les promesses que je lui avais faites — les promesses pour la persuader de m'aimer, les promesses prononcées le jour de notre mariage et toutes celles de tous les jours, toutes ces paroles d'amour éternel et de fidélité absolue auxquelles, à l'époque, je croyais. Auxquelles je croyais toujours, comme je m'en aperçus. Et à présent, de façon assez curieuse, plus que jamais.

Plus tard, je prendrais vraiment conscience de tout cela et, rentrant à la maison, je me regarderais dans le rétroviseur en me demandant quand j'étais devenu le genre d'homme dont, normalement, j'avais horreur. Mais il était encore trop tôt pour cela. Dans l'immédiat, j'étais couché, l'aube pointait, et je pensais : « Eh bien, on dirait que c'était plutôt réussi. »

La raison pour laquelle un homme découche est le plus souvent qu'une occasion se présente. De plus, il ne faut jamais sous-estimer le plaisir d'une rencontre sexuelle sans conséquence. Cela avait été un accouplement de hasard, dépourvu de signification. C'était ce que j'avais préféré dans l'histoire.

Ce que j'aimais le moins, c'était le sentiment d'avoir trahi.

De plus, cela n'avait pas été extraordinaire, loin de là. Avec une nouvelle partenaire, on veut en faire trop. On s'applique trop pour y prendre vraiment du plaisir. Faire l'amour avec une femme que l'on vient de rencontrer, cela ressemble trop à l'examen du permis de conduire. Pourtant, quand je réfléchissais à tout ce qui aurait pu mal se passer — et qui n'avait été, apparemment, qu'une question de juste minutage —, j'étais content.

Merci mon Dieu, merci mon Dieu, merci.

Mais pendant que j'étais avec Siobhan, pendant qu'une partie de moi reconnaissait la femme que j'avais probablement cherchée toute ma vie en cette pâle beauté irlandaise dont les enfants seraient délicieusement roux, pendant ce temps-là, l'autre partie de moi-même souffrait de l'absence de Gina.

Gina me manquait, avec cette intimité si agréable qui se crée entre personnes qui vivent ensemble depuis des années. Si je devais être infidèle, d'une certaine façon j'aurais aimé l'être avec Gina.

On peut néanmoins se fatiguer d'être en permanence celui qui paye l'emprunt de la maison, qui appelle le plombier et échoue à monter les meubles en kit. On se fatigue d'être cet homme car, à la fin, on a la sensation de ne plus être un homme mais un équipement domestique.

C'est ainsi que vous rentrez avec une étrangère qui vous prend votre part de couette et que vous vous retrouvez plus dégoûté de vous-même que jamais. Et maintenant, où avais-je mis mon pantalon ?

Il faisait de plus en plus clair dans la chambre tandis que je m'habillais, et je distinguais des fragments de la vie de Siobhan. C'était un appartement agréable, du genre confortable et bien rangé dont j'avais toujours rêvé sans l'avoir. J'étais passé directement de la médiocrité étudiante au désordre familial.

Les seules photographies visibles montraient Siobhan adolescente, qui riait en serrant contre elle des chiens béats ou des personnes âgées à l'expression pleine de tendresse. Ses chiens et ses parents.

Il y avait quelques estampes japonaises au mur, des paysans luttant contre les éléments dans un paysage de déluge, le genre de choses que Gina aurait aimé. Sur les étagères les livres et les disques compacts bien classés révélaient une préférence pour les romans adaptés au cinéma et un étrange mélange de rock et de jazz — Oasis et U2 à côté de Stan Getz, Chet Baker et Miles dans ses enregistrements les plus « soft ».

De connaître ses goûts me la fit apprécier encore plus. Mais c'est peut-être ce qui arrive avec tous les gens dont on regarde les livres et les disques, même s'ils ont mauvais goût. En effet, ce qu'ils aiment et ce qu'ils ont aimé donne sur eux des renseignements que, normalement, ils n'auraient pas criés sur les toits.

J'aimais savoir que Siobhan avait grandi en écoutant des groupes de rock blanc et recherchait à présent une musique moins agressive et plus savante (l'inverse me paraissait impensable, qu'elle soit passée de Chet Baker et Miles Davis à U2 ou Oasis !). Cela prouvait qu'elle était encore vraiment jeune et curieuse, avide de découvrir ce qu'elle attendait de la vie. Qu'elle était encore en train de créer sa vie et non d'essayer de rattraper le temps perdu.

C'était l'appartement typique d'une jeune célibataire, d'une jeune femme qui pouvait vivre selon son bon plaisir. Malgré les magazines et les vêtements qui traînaient, il n'y régnait pas le vrai désordre, inévitable quand il y a un enfant. Cela n'avait rien à voir avec le chantier familial auquel j'étais habitué. On pouvait aller jusqu'à la porte sans marcher sur une figurine de Han Solo.

Pourtant, d'une certaine façon, ce désordre me manquait, exactement comme me manquait déjà d'être un homme capable de tenir ses promesses.

Gina pleurait quand je suis rentré.

Je m'assis au bord du lit, effrayé à l'idée de la toucher.

— C'était la folie, hier soir, après l'émission, lui dis-je. J'ai dû rester là-bas.

— Je comprends, mais ce n'est pas ça.

— Alors, que se passe-t-il ?

— C'est ta mère, Harry.

— Que se passe-t-il ?

— Elle est tellement extraordinaire avec Pat ! sanglota Gina. C'est si naturel, chez elle ! Je n'y arriverai jamais. Elle est si patiente, si douce ! Je lui ai dit que, parfois, j'ai l'impression de devenir folle à rester toute la journée à la maison sans avoir personne d'autre à qui parler qu'un petit garçon.

Elle leva vers moi ses yeux pleins de larmes.

— Je crois qu'elle n'a même pas compris de quoi je lui parlais ! ajouta-t-elle.

Merci, Seigneur ! Pendant un instant, j'avais cru qu'elle savait tout.

— Tu es la meilleure mère au monde, lui dis-je en la prenant dans mes bras.

Et j'étais sincère.

— Non, ce n'est pas vrai. Tu le voudrais, et moi aussi. Vraiment. Mais il ne suffit pas de vouloir quelque chose pour que ce soit vrai.

Elle pleura encore un peu mais ses sanglots n'avaient plus la même intonation désespérée. Il lui arrivait de temps en temps d'avoir une crise de larmes mais je ne savais jamais ce qui pouvait les déclencher. J'avais plutôt l'impression qu'elle pleurait sans raison. Pas une bonne mère ? De quoi parlait-elle ? Gina était une mère admirable. Et si elle se sentait seule dans la journée, elle pouvait toujours m'appeler. Ma secrétaire prenait le message. Sinon, il y avait le répondeur de mon portable. Comment pouvait-elle se sentir seule ? Je ne comprenais pas.

Je la câlinai jusqu'à ce que ses larmes soient séchées puis je descendis faire le café. Le répondeur débordait de messages. Marty avait mis le monde en ébullition. Je ne m'inquiétais pourtant pas outre mesure des journaux et de la station.

Un jour, j'ai entendu dire qu'un problème de travail, c'est comme un avion qui va s'écraser mais dans lequel vous n'êtes pas obligé de rester. Ce n'est pas comme votre famille. Même si vous courez très vite, les problèmes vous rattrapent toujours.

6

Tout père est un héros pour son fils. Du moins tant qu'il est trop petit pour devenir critique.

Pat me croit capable de tout. Il pense que je peux plier le monde à ma volonté, tout comme Han Solo ou Indiana Jones. Je sais pourtant que, un jour, Pat s'apercevra qu'il y a quelques différences entre son vieux père et Harrison Ford. Et le jour où il comprendra que je n'ai pas de fouet ni de sabre laser, il ne me regardera plus de la même façon.

Avant cela, tout fils prend donc son père pour un héros. C'était un peu différent entre mon père et moi. En effet, mon père était un authentique héros. Il avait une médaille pour le prouver.

Si vous le voyiez dans son jardin ou au volant de sa voiture, vous l'auriez pris pour un père de banlieue comme les autres. Or dans un tiroir du salon de notre petit pavillon reposait la Distinguished Service Medal qu'il avait gagnée pendant la guerre. Toute mon enfance, j'ai joué à être un héros. Mon père en était un vrai, lui.

La DSM, ce n'est pas rien. Seule la Victoria Cross lui est supérieure et, en général, il faut être mort pour l'avoir. Si vous aviez croisé mon père dans un pub ou dans la rue, vous auriez pu croire tout savoir de lui en voyant son chandail usé ou son début de calvitie, son salon ou ses journaux. Vous auriez cru le connaître et vous vous seriez totalement trompé.

Je décrochai le téléphone. Je pouvais ignorer les messages de la télévision ou des journaux mais je devais appeler mes parents.

Mon père répondit. Ce n'était pas dans ses habitudes. Il avait horreur du téléphone. Il ne le prenait que si mère était trop loin pour répondre ou s'il passait à côté à ce moment-là, en route pour s'occuper de son jardin après lecture de sa revue de jardinage favorite.

— Papa? C'est moi.

— Je vais chercher ta mère.

Il était toujours bourru et raide au téléphone, comme s'il ne s'était jamais habitué à cet appareil. Comme si nous ne nous étions jamais rencontrés. Comme si j'avais voulu lui vendre quelque chose qu'il ne voulait pas.

— Papa? Tu as vu l'émission d'hier soir?

Je savais qu'il l'avait regardée. Mes parents regardaient toujours mon émission.

Il y eut un silence.

— Tout un spectacle, laissa tomber mon père.

Je savais que cela lui aurait foncièrement déplu, la grossièreté, la violence, la politique. Je l'entendais pester contre les publicités comme si j'y étais. Mais j'avais très envie de l'entendre me dire que ce n'était pas grave, que j'étais pardonné.

— Ce sont les risques du direct, papa, lui dis-je avec un rire forcé. Tu ne sais jamais ce qui va arriver.

Il grogna.

— Ce n'est pas mon truc.

Au cours des années quatre-vingt-dix, mon père s'était mis brusquement à utiliser des expressions familières des années soixante.

Ses phrases étaient ponctuées de « non, merci! » et « pas mon truc ». Dans trente ans, retraité clopinant avec son déambulateur, il dira sans doute « génial » et « branché ». Mais plus personne ne comprendra.

— Enfin, repris-je, il n'y a pas de quoi s'inquiéter. Je contrôle la situation.

— Inquiet? Je ne suis pas inquiet, répliqua-t-il.

Un silence lourd s'installa. Je ne savais pas quoi lui dire. Je ne savais comment jeter un pont entre nos deux mondes. Je ne savais pas par quoi commencer.

— Je vais chercher ta mère.

Pendant que j'attendais, Pat entra dans le salon. Il était en pyjama, les cheveux ébouriffés, ses yeux au bleu si étonnant encore pleins de sommeil. Je lui tendis les bras, réalisant avec un pincement au cœur à quel point je l'aimais. Il passa devant moi, directement vers le magnétoscope.

— Pat? Viens me voir, chéri.

Il s'approcha de moi d'un air peu enthousiaste, serrant contre lui la cassette du *Retour du Jedi*. Je le hissai sur mes genoux. Il avait cette odeur sucrée et comme poussiéreuse qu'ont les enfants qui viennent de se lever. Il bâilla à s'en décrocher la mâchoire et j'embrassai sa joue. Sa peau était toute neuve. On venait de la fabriquer. Il n'y avait rien de plus doux au monde.

Pour moi, il restait la huitième merveille du monde, un angelot tout blond descendu d'un nuage alors qu'il faisait route vers la boutique vidéo céleste.

Était-il réellement si beau? Ou bien était-ce l'amour paternel qui m'aveuglait? Est-ce que tous les parents du monde ressentent la même chose pour leurs enfants? Je continue à me poser la question.

— Tu t'es bien amusé chez papy et mamie?

Il se concentra un instant.

— Ils n'ont pas de films bien, dit-il.

— Quel genre de films ont-ils?

— Des films bêtes. Avec rien... rien que des images.

— Tu veux dire des dessins animés?

— Voui. Que des images. Pour les bébés.

J'étais indigné.

— Pat, ce n'est pas pour les bébés. Tu n'aimes pas Dumbo ? L'éléphant avec les grandes oreilles ? Le pauvre petit éléphant dont tout le monde se moque ?

— Il est bête, Dumbo.

— Dumbo est formidable ! Qu'est-ce que tu lui reproches ? Moi, j'adorais Dumbo !

J'allais lui faire une conférence sur le génie de Walt Disney, la splendeur de l'animation et la magie de l'enfance quand ma mère prit le téléphone.

— Harry ? On était si inquiets ! Qu'est-ce qu'il va arriver ? Tu vas perdre ton travail ?

— Maman, je ne vais pas perdre mon travail. Ce qui s'est passé hier, eh bien, ça s'appelle de la bonne télévision.

— Vraiment, mon chéri ? J'avais cru comprendre, d'après ce que tu avais dit un jour, que c'est bon si l'invité s'en prend à l'animateur. Je ne savais pas que ça marchait aussi dans l'autre sens.

— Ne t'en fais pas pour moi.

Elle avait pourtant raison. Dans tous les cas de violence dont je me souvenais, c'était l'animateur la victime. Pas l'inverse.

— Je vais bientôt avoir un nouveau contrat, ajoutai-je. Ne t'inquiète pas, maman. Pour l'instant, nous n'avons pas besoin de mettre Pat au travail !

— Et Gina ? Qu'est-ce qui cloche ? Elle me paraît... comment dire ? Déprimée ?

— Gina va très bien, maman. Pourquoi déprimerait-elle ?

Une fois le téléphone raccroché, Pat trottina jusqu'au magnétoscope et y enfourna *Le Retour du Jedi*. Le film démarra là où il l'avait arrêté, au moment où la princesse Leia se trouve habillée en esclave, aux pieds de Jabba le Hutt. De la bave coulait de la bouche hideuse de Jabba tandis qu'il détaillait sa jeune concubine. À quatre ans, mon fils regardait impassiblement la scène. Cela ne pouvait pas être bon pour lui. Si ?

— Et si on jouait ? lui proposai-je.

Son visage s'illumina.

— D'accord!

— À quoi veux-tu jouer?

— À *La Guerre des Étoiles*!

Souriant d'une oreille à l'autre, il alla chercher dans sa chambre son coffre à jouets préférés et le renversa. Toutes les choses qui avaient rendu célèbre George Lucas s'éparpillèrent sur la moquette du salon. Je m'assis par terre à côté de lui tandis que, avec le plus grand sérieux, il faisait manœuvrer Han, Luke, Chewie et les deux droïdes autour de son Millenium Falcon en plastique gris.

— La princesse Leia est captivée sur l'Étoile de la Mort, m'expliqua-t-il.

— Captive, lui dis-je. Elle est captive.

— Elle est captivée, répéta-t-il. On doit la sauver, papa.

— Bon.

J'ai joué avec lui pendant un moment, chose que je ne faisais pas assez souvent. Puis, au bout de cinq ou dix minutes, j'ai estimé qu'il était temps de me mettre au travail. La journée menaçait d'être très longue.

Pat fut déçu de me voir interrompre notre jeu mais son sourire revint dès que j'appuyai sur le bouton du magnétoscope. Le film reprit où nous l'avions laissé. La princesse Leia était toujours une superbe esclave. Mon fils adorait ce passage.

On ne parlait que de nous dans toute la presse.

Pour la presse d'opinion, l'incident avec Cliff était symptomatique d'un média en plein déclin, prêt à tout pour gagner de l'audience dans un monde de surinformation visuelle conjuguée à une capacité d'attention limitée. Quant à la presse populaire, ses pages étaient pleines du sang versé et de la grossièreté de l'animateur.

Tous réclamaient la tête de Marty Mann. Je décidai de

l'appeler depuis ma voiture puis je me souvins que j'avais prêté mon portable à Gina. Je hais les portables.

La société de Marty — Mad Mann Productions — occupait un étage dans un building de Notting Hill Gate, un immense bureau sans cloisons où des jeunes gens à la décontraction très étudiée travaillaient sur le *Marty Mann Show* ou passaient des mois sur les projets de Marty. Pas un n'avait trente ans. Le bureau étudiait alors un projet de jeu télévisé pour public intelligent, un programme sur les voyages « différents », une série sur la plongée sous-marine qui permettrait à Marty de passer six mois aux Maldives, et beaucoup d'autres idées dont, vraisemblablement, aucune n'aboutirait.

Nous appelions cela du développement. Le reste du monde aurait dit : du vent.

Marty et moi, nous étions les seuls à avoir des bureaux fermés chez Mad Mann. En fait, cela ressemblait plutôt à deux débarras, pleins à craquer de vidéocassettes et de scripts, sans oublier quelques magnétoscopes. Siobhan m'attendait dans le mien.

Jusque-là, elle n'était jamais entrée dans mon bureau. Chacun de nous rougit. Pourquoi est-il si facile de parler avec quelqu'un tant qu'on n'est pas allé au lit, et si difficile après ?

— Tu aurais dû me réveiller avant de partir, dit-elle.

— Je voulais le faire, mais tu étais si...

— Paisible ?

— Épuisée.

Elle rit.

— En fait, la nuit a été difficile. Le seul bon moment, c'était toi.

— Écoute, Siobhan...

— Il n'y a pas de problème, Harry. Je sais ! Je ne te reverrai pas, c'est ça ? Du moins, pas comme cette nuit. Tu n'as pas besoin de faire semblant. Tu n'as pas besoin de me raconter des histoires. Je sais que tu es marié.

— Tu es une fille formidable, Siobhan, vraiment.

Je le pensais sincèrement.

— Mais tu aimes ta femme. Je sais, je sais ! Ne t'en fais pas. Je préfère l'entendre maintenant que dans six mois. Je préfère que ce soit fini avant de trop tenir à toi. Au moins, tu n'es pas comme les autres. Tu ne m'as pas raconté que ta femme ne te comprend pas et que tu penses sérieusement à la quitter. Tu n'as pas passé des mois à te cacher pour me téléphoner. Tu n'es pas un sale hypocrite.

Pas un hypocrite ? J'ai passé la nuit avec toi et, ce soir, je dormirai avec ma femme. N'est-ce pas exactement cela, un hypocrite ?

— Tu n'es pas très doué pour ce genre de chose, Harry, et c'est ce que j'apprécie en toi. Tu peux me croire, il n'y a pas beaucoup d'hommes comme toi. Je suis bien placée pour le savoir. Le dernier... La vache ! Je croyais vraiment qu'il allait quitter sa femme pour m'épouser. C'est te dire à quel point je peux être bête.

— Mais non, tu n'es pas bête, lui dis-je en la prenant dans mes bras.

Nous nous tînmes serrés l'un contre l'autre, très affectueusement. Maintenant que c'était fini, nous nous entendions parfaitement.

Elle pleura un peu, se plaignant de la difficulté à trouver un homme bien pendant que, de mon côté, je me sentais très soulagé. Nous n'allions pas rejouer *Liaison fatale*[1], en définitive.

Je savais que je m'en tirais bien. Siobhan me laissait partir sans arroser ma MGF d'acide ni mettre notre lapin nain à la casserole. Toutefois, une fois le soulagement passé, j'eus la surprise de me sentir un peu blessé. Était-ce donc si facile de me quitter ?

— C'est toujours la même chose, dit Siobhan en riant, les yeux encore tout brillants de larmes. Je tombe toujours sur

1. *Liaison fatale* : film d'Adrian Lyne (États-Unis, 1987) avec Michael Douglas et Glenn Close. Une femme persécute un avocat avec lequel elle a eu une aventure d'un jour. *(N.d.T.)*

ceux qui sont déjà pris. Ta femme a de la chance. C'est d'ailleurs ce que je te dis dans le message que je t'ai laissé.

— Quel message ?

— Sur ton portable.

— Mon portable ?

— Oui, je t'ai laissé un message sur ton portable, répéta Siobhan, qui s'essuyait les yeux du dos de la main. Tu ne l'as pas eu ?

7

Gina était dans notre chambre quand je suis arrivé à la maison. Livide, les yeux secs, elle remplissait à toute vitesse une valise et un sac de voyage, ne prenant que l'indispensable. Comme si elle ne pouvait souffrir de rester chez nous une minute de plus.

— Gina?

Elle se retourna et me fit face. Elle me regardait comme si elle me voyait pour la première fois, comme étourdie de mépris, de chagrin et de colère. Surtout de colère. Cela me terrifia. Elle ne m'avait jamais regardé de cette façon.

Elle pivota de nouveau sur ses talons pour prendre un objet sur sa table de chevet. Un cendrier. Non, pas un cendrier. Nous n'en avions pas. Elle me jeta mon portable à la figure.

Elle n'avait jamais su viser — nous avions eu une ou deux disputes où des objets avaient volé à travers la pièce — mais, cette fois, il n'y avait pas assez de place pour me rater et je le pris en pleine poitrine. Je me baissai pour le ramasser et je ressentis une douleur dans une de mes côtes, à la hauteur du cœur.

— Je ne te le pardonnerai jamais, dit-elle. Jamais.

Elle désigna le portable d'un mouvement de la tête.

— Tu ne veux pas écouter tes messages?

J'appuyai sur la touche qui représentait une petite enveloppe. La voix de Siobhan s'éleva, désabusée et encore empreinte de sommeil, totalement incongrue dans notre chambre.

C'est toujours mauvais signe s'ils s'en vont avant qu'on se réveille... mais, je t'en prie, ne t'inquiète pas pour cette nuit... parce que je ne... ta femme a beaucoup de chance... et je serais très contente de travailler avec toi... Au revoir, Harry.

— As-tu couché avec cette fille, Harry ? demanda Gina avec un mouvement incrédule de la tête. Qu'est-ce que j'ai fait de mal ? Je me demande même pourquoi je te pose la question. Sans doute parce que j'ai envie de t'entendre dire que ce n'est pas vrai. Mais c'est vrai, bien sûr !

J'essayai de la prendre dans mes bras. Pas de la serrer contre moi, juste de la toucher. Je voulais la calmer. L'empêcher de me quitter. Elle me repoussa brusquement avec une sorte de grognement.

— Une petite garce du bureau, je suppose ? dit-elle en recommençant à jeter des affaires dans sa valise sans même regarder ce qu'elle y mettait.

Elle n'avait pas l'air convaincue d'être une femme « qui a beaucoup de chance ».

— Une petite traînée, reprit-elle, qui croit que ça peut lui être utile pour sa carrière.

— Mais non, c'est une chic fille. Je suis sûr qu'elle te plairait.

C'était la chose la plus stupide à dire. Je m'en rendis compte au moment même où les mots sortaient de ma bouche mais c'était impossible à rattraper. Gina traversa la chambre et me gifla à toute volée. Je la vis grimacer de douleur, les yeux soudain pleins de larmes. Elle ne savait pas comment frapper sans se faire mal. Gina n'était pas comme ça.

— Tu dois croire que c'était romantique, passionné ou je ne sais quelle nullité, dit-elle. Mais non, rien de tout cela. C'est seulement sale, sordide et minable. Vraiment minable. Tu l'aimes ?

— Quoi ?

— Es-tu amoureux de cette fille ?

— Il ne s'agit pas de ça.

— Si elle veut prendre ma place, elle peut l'avoir. Tout. Y

compris toi. Surtout toi, Harry. Parce que notre histoire n'est qu'une immense tromperie.

— Je t'en prie, Gina, c'est une erreur. Une affreuse erreur, tu comprends?

Je cherchais désespérément les mots susceptibles de la toucher.

— Cela n'avait aucune importance, lui dis-je.

Elle se mit à rire et à pleurer en même temps.

— Tu ne vois pas que tu aggraves ton cas? me dit-elle. Tu ne comprends donc rien à rien?

Là, elle se mit à sangloter, la tête dans les épaules, tout le corps secoué par ses pleurs. Elle n'essayait même pas d'essuyer ses larmes qui semblaient monter d'un endroit situé tout au fond de sa poitrine. J'aurais voulu la prendre dans mes bras, mais je n'osai pas.

— Tu es comme mon père, dit-elle, ce qui était la pire des insultes pour elle. Exactement comme lui.

— Je t'en prie, Gina, dis-je. Je t'en prie.

Elle secoua la tête de droite à gauche, comme si elle ne me comprenait plus, comme si ce que je disais n'avait plus aucun sens.

— Quoi, Harry? Je te prie de quoi? Quoi? On dirait un perroquet. Tu me pries de quoi?

— Je t'en prie, répétai-je comme un perroquet. Je t'en prie, ne me dis pas que tu ne m'aimes plus.

— Mais tu aurais dû le savoir! dit-elle en claquant le couvercle de la valise.

La plupart de ses vêtements gisaient encore en désordre sur notre lit. L'autre sac était déjà plein. Elle était presque prête à partir.

— Tu aurais dû savoir que c'était la seule chose que je ne pourrais jamais te pardonner. Tu aurais dû savoir que je ne peux pas aimer un homme qui ne m'aime pas. Et si tu ne l'as pas compris, Harry, c'est que tu ne me connais vraiment pas.

Une fois, j'ai lu que, dans une relation, celui qui aime le moins détient le pouvoir absolu sur l'autre.

Gina détenait le pouvoir à présent, car elle ne se souciait plus du tout de moi.

Je la suivis dans le couloir qu'elle traversa en traînant sa valise et son sac jusqu'à la chambre de Pat. Il était paisiblement occupé à ranger ses figurines de *La Guerre des Étoiles* dans un petit sac à dos orné de personnages de bande dessinée. Il leva les yeux vers nous en riant.

— Regarde ce que je fais, dit-il.

— Tu es prêt, Pat ? demanda Gina.

— Presque, répondit-il.

— Alors, on y va, dit-elle en essuyant ses larmes d'un revers de manche.

— D'accord, dit Pat. Devine ? ajouta-t-il en se tournant vers moi, son beau visage illuminé par un grand sourire. On part en vacances !

Je les laissai aller jusqu'à la porte puis je compris soudain que je ne supportais pas de les perdre. C'était impossible. Je saisis la poignée du sac de Gina.

— Où allez-vous ? Dis-moi au moins où vous allez.

Elle tira pour récupérer son sac mais je refusai de le lâcher. Elle me l'abandonna donc, ouvrit la porte et franchit le seuil.

Je les suivis dans la rue, tenant toujours son sac de voyage. Je la regardai attacher Pat dans son siège. Il avait senti que cela n'allait pas et ne souriait plus du tout. Je pris brusquement conscience qu'il représentait ma dernière chance.

— Et Pat ? dis-je. As-tu pensé à lui ?

— Et toi ? me lança-t-elle. As-tu pensé à lui, Harry ?

Elle hissa sa valise dans le coffre du break sans se soucier de me reprendre l'autre sac. Je pouvais le garder.

— Où vas-tu ?

— Au revoir, Harry.

Et elle me quitta. Pat, sanglé à l'arrière dans son siège, paraissait tout petit et inquiet. Gina regardait droit devant elle, les yeux durs et brillants. Elle avait déjà l'air de quelqu'un d'autre, quelqu'un que je ne connaissais pas. Elle démarra.

Je suivis la voiture du regard jusqu'à ce qu'elle ait disparu dans le virage. C'est à ce moment-là seulement que je pris conscience des rideaux soulevés. Les voisins nous observaient. Avec un sentiment d'effondrement, je me rendis compte que nous étions devenus un couple comme ceux-là.

Je rapportai le sac de Gina à l'intérieur. Le téléphone sonnait. C'était Marty.

— Tu te rends compte de ce que ces enfoirés racontent sur moi dans leurs canards ? dit-il. Écoute ça : NOUS NE VOULONS PAS DES MAUVAISES MANIÈRES DE MANN SUR NOS ÉCRANS ! Et celui-là : UN HOMME AU VOCABULAIRE RÉDUIT ! — SAUF POUR DIRE DES C*** ! Et tu sais ce que ça veut dire ? Ces gens veulent mon *boulot,* Harry. Ma mère est sens dessus dessous. Qu'est-ce qu'on va faire ?

— Marty... Gina m'a quitté.

— Elle t'a quitté ? Tu veux dire qu'elle est partie ?

— Oui.

— Et le gamin ?

— Elle a emmené Pat avec elle.

— Elle a quelqu'un d'autre ?

— Non, pas du tout. C'est moi. J'ai fait une idiotie.

Marty s'étrangla de rire.

— Harry, espèce de vieux cochon ! Je la connais ?

— J'ai peur, Marty. Je crois qu'elle est partie pour de vrai.

— Ne t'inquiète pas, Harry. Elle obtiendra au maximum la moitié de tout ce que tu as.

Sur ce point, il se trompait. Gina était partie avec tout ce que j'avais jamais désiré dans ma vie. Elle avait tout pris.

8

Barry Twist travaillait pour la station. Au cours de l'année écoulée, j'avais dîné chez lui et il était venu dîner chez nous. Mais, compte tenu du milieu dans lequel nous évoluions, nous n'étions pas des amis à strictement parler. Je ne pouvais pas lui parler de Gina. En fait, il n'y avait presque personne à qui je pouvais en parler.

Barry avait été le premier des gens de télévision à nous inviter à déjeuner, Marty et moi, à l'époque où nous faisions encore de la radio. C'était lui qui avait cru à la transposition de l'émission à la télévision et, plus que quiconque, il avait contribué à notre réussite. Barry n'avait cessé de sourire au cours de ce premier déjeuner, comme si c'était un honneur de se trouver sur la même planète que Marty et moi. Mais, à présent, il ne souriait plus.

— Vous n'êtes plus des gamins en train de faire des blagues à la radio, dit-il. Ici, on ne rigole pas.

Sa conversation fourmillait d'expressions du style « on ne rigole pas », comme si le fait de travailler à la télévision tenait de la mission secrète en pays ennemi.

— On a neuf cents appels de téléspectateurs qui, tous, se sont plaints du langage d'enfoiré de Marty !

Je n'allais pas rouler à ses pieds et mourir sous prétexte que c'était notre producteur délégué.

— Barry, vous le payez pour avoir de la télévision spontanée. Dans ce genre d'émission, ce n'est pas ce que disent les invités qui compte mais ce qu'ils font.

— Nous ne le payons pas pour qu'il agresse les invités !

Avec un sourire sarcastique, Barry désigna les journaux étalés sur son bureau. J'en pris un tas.

— La une du *Mirror* et du *Sun,* dis-je. Deux colonnes en première page du *Telegraph*... Une belle photo couleur de Marty en troisième page du *Times*...

— Ce n'est pas de la bonne publicité, m'interrompit Barry. Et vous le savez. Je répète : on n'est plus à la radio. C'est fini le temps où il n'y avait que deux ou trois cinglés et leurs chats pour vous écouter. Et nous ne sommes pas une petite chaîne sur satellite qui tire la langue pour avoir un peu d'audience. Nous devons tenir compte de nos annonceurs, des autorités du Conseil de l'audiovisuel, des associations de téléspectateurs et, enfin, de notre patron ! Et croyez-moi, Harry, si je vous dis qu'ils sont tous fous de rage !

Je reposai les journaux sur son bureau, les doigts noirs d'encre. L'air aussi décontracté que j'en étais capable, je me frottai les mains l'une contre l'autre, mais l'encre ne s'en allait pas.

— Je vais vous dire ce qui va se passer, Barry. Marty va se faire traiter de tous les noms et, la semaine prochaine, on fera notre meilleur taux d'audience. Voilà ce qui va arriver. Et on parlera encore de cette émission pendant des années. Cela aussi, c'est ce qui va arriver.

Barry Twist hocha la tête d'un air dubitatif.

— C'est allé trop loin. Ce n'est pas seulement Marty qui est en cause. Le patron aussi se fait injurier par tout le monde, et il n'aime pas ça. Au cours des douze derniers mois, il y a eu de tout dans l'émission, des invités ivres, des invités grossiers et d'autres encore qui voulaient se déshabiller devant les caméras. Mais c'est la première fois qu'un invité se fait casser la figure. Il faut que ça s'arrête. Nous ne pouvons nous permettre de faire du direct sur une chaîne nationale avec un homme manifestement instable.

— Que suggérez-vous ?

— On arrête le direct, Harry. On enregistrera l'émission l'après-midi pour la diffuser le soir. De cette façon, si Marty agresse quelqu'un, ou s'amuse à l'écraser psychologiquement, nous pourrons couper le passage.

— Dans les conditions du direct ? Vous voulez que nous travaillions dans les conditions du direct ? Marty ne l'acceptera jamais.

— Débrouillez-vous pour qu'il l'accepte, Harry. Vous êtes son producteur, alors produisez. On ne devait pas bientôt parler du renouvellement de votre contrat ?

Je savais qu'ils ne pouvaient pas virer Marty comme un malpropre. Il était déjà trop connu pour cela. En revanche, à ce moment-là, je compris que ce n'était pas la peau de Marty qui était en jeu.

C'était la mienne.

Malgré tous ses jeux de guerre et de destruction, Pat était un enfant très aimant. Il était sans arrêt en train de serrer les gens dans ses bras et de les embrasser, y compris les inconnus ; une fois, je l'avais vu embrasser le vieux type qui balayait la rue. Mais on ne pouvait plus le lui permettre dans ce monde moderne et sans pitié.

Pat ne se souciait pas de ce qui était permis ou raisonnable. Il avait quatre ans et il débordait d'amour. Quand il me vit sur le seuil de la maison de son autre grand-père, il devint comme fou, me tenant le visage à pleines mains et m'embrassant sur la bouche.

— Papa ! Tu restes avec nous ? Tu restes avec nous pour... pour... pour les vacances chez papy Glenn ?

Je les retrouvai dès le lendemain de leur départ. Cela ne fut pas difficile. J'appelai quelques amis de fac de Gina, celles et ceux qui étaient venus pour ses trente ans, mais les liens s'étaient distendus depuis longtemps. Elle les avait laissés glisser hors de sa vie pour mieux se faire croire que Pat et moi nous la comblions. C'est la grande difficulté avec une relation aussi exclusive que la nôtre : quand elle s'écroule, vous vous apercevez que vous êtes au milieu d'un désert.

Il ne me fallut pas longtemps pour comprendre que Gina n'avait pas d'autre solution que d'aller chez son père, qui, à cette époque-là, se trouvait entre deux mariages.

Glenn vivait dans un petit appartement à la limite des beaux quartiers, au milieu de clubs de golf et de parcs protégés, voisinage auquel il avait dû trouver des ressemblances avec Woodstock, au début. Hélas, au lieu de s'éclater avec Dylan ou les autres, tous les jours Glenn prenait le train pour aller vendre des guitares à Soho. Il était chez lui quand je frappai à la porte. Tandis que je tenais Pat serré contre moi, il m'accueillit avec une cordialité apparemment non feinte.

— Harry, comment ça va, mon vieux ? Désolé de savoir que tu as des ennuis.

Glenn, qui avait passé la cinquantaine, coiffait avec soin ce qui restait de son ancienne crinière pour continuer à arborer la frange de sa jeunesse. Il était resté mince comme un serpent et portait toujours des vêtements qu'on aurait plutôt vus dans l'entourage de Jimi Hendrix. Et il avait toujours de l'allure, dans un style vieux beau. Mais, en 1975, quand il descendait King's Road, il devait avoir un « look d'enfer » !

Malgré toutes ses fautes — les anniversaires oubliés, les promesses non tenues, sa tendance à abandonner femmes et enfants —, Glenn n'était pas un méchant homme. Il avait un abord amical et décontracté qui ne manquait pas de séduction et que Gina possédait aussi à ses heures. Glenn souffrait simplement d'une lacune fatale : il n'avait jamais été capable de voir plus loin que sa satisfaction personnelle. Tout le mal qu'il avait fait l'avait été involontairement. Ce n'était pas un homme cruel, à moins que la faiblesse ne soit une autre forme de la cruauté.

— Tu cherches Gina ? dit-il en me passant le bras autour des épaules. Elle est là.

À l'intérieur, la musique de The Verve hurlait dans les haut-parleurs. Glenn n'était pas un de ces rockers qui n'écoutent que les groupes de leur jeunesse. Dans sa dévotion à la cause, il se tenait informé de toutes les nouveautés. Je ne sais pas comment il faisait.

Gina sortit de la petite chambre d'amis, pâle et grave. Affreusement pâle. J'eus très envie de l'embrasser, mais je m'en abstins.

— Bonjour, Harry.

— On peut parler ?

— Bien sûr. Il y a un parc à côté.

Nous partîmes donc, emmenant Pat avec nous. Glenn nous signala que, malgré toute la verdure environnante, le parc n'était pas tout près. Il se trouvait au bout d'une triste rangée de magasins et d'une autre interminable rangée de grosses maisons prétentieuses. Je proposai donc de prendre la MGF. Pat en hurla presque de plaisir. Quant à moi, même si je n'étais plus un petit garçon de quatre ans, j'espérais que Gina se laisserait peut-être impressionner. À l'instant où j'avais vu cette voiture, j'avais su que je voulais conduire avec une femme merveilleuse à côté de moi. Je savais à présent, avec une terrible lucidité, que cette femme merveilleuse avait toujours été Gina. Mais Gina ne desserra pas les dents de tout le trajet.

— Pas besoin de t'inquiéter pour rester jeune, Harry, dit-elle en extirpant ses longues jambes de ma belle voiture. En réalité, tu n'as jamais cessé d'être terriblement jeune.

Pat s'élança devant nous, brandissant son sabre laser et hurlant. Quand il arriva au niveau du portique d'escalade, il s'arrêta en silence pour contempler timidement deux garçons plus âgés qui se hissaient tout en haut. Pat admirait toujours les garçons plus grands que lui. Gina et moi nous le regardâmes tandis qu'il observait les deux autres.

— Tu me manques terriblement, dis-je. Je t'en prie, reviens.

— Non.

— Ce n'était pas une folle histoire de passion. Juste une nuit, c'est tout.

— Ce n'est jamais juste une nuit. Si tu en es capable une fois, tu recommenceras. Encore, encore et encore. Et à chaque fois, ça devient plus facile. Je sais comment cela se passe, Harry. J'ai bien vu comment cela se passe avec Glenn.

— Mais bon Dieu! Je ne suis pas comme ton père. Je n'ai même pas de boucle d'oreille!

— J'aurais dû m'en douter. Les romantiques sont toujours les pires. La tribu « fleurs et cœur ». Ceux qui promettent de ne jamais regarder une autre femme. Toujours les pires. Parce qu'ils ont toujours besoin de leur dose. Une dose régulière de romantisme. Ce n'est pas vrai, Harry?

Je n'aimais pas qu'elle parle de moi comme si je n'étais qu'un homme comme les autres, comme si je n'étais qu'un spécimen dans la masse des adultères, comme si je n'étais qu'un de ces tristes salariés qui se font prendre un jour avec une maîtresse. Je voulais toujours être l'unique.

— Je m'en veux affreusement de t'avoir fait du mal, Gina, et je me le reprocherai toujours. Tu es la dernière personne au monde à qui je voudrais faire du mal.

— La lune de miel ne peut pas durer toujours, tu sais.

— Je sais, je sais, dis-je tout en pensant : *Pourquoi pas? Pourquoi pas?*

— Nous avons été ensemble pendant des années. Nous avons un enfant. Les niaiseries à la Roméo et Juliette, c'est fini.

— Je comprends, lui dis-je.

Et c'était vrai, en grande partie : je comprenais ce qu'elle voulait dire. Mais tout au fond de moi, bien que ténue, je sentais une envie de dire : « Oh! Si c'est comme ça, je m'en vais. »

Gina avait raison. Je voulais que tout redevienne comme au début. Je voulais que nous vivions comme cela pour toujours. Et vous savez pourquoi? Parce que nous étions tous les deux heureux à cette époque.

— Tu crois que c'était facile pour moi de vivre dans cette maison? explosa-t-elle. Tu crois que c'est facile de t'écouter geindre sur ton adolescence disparue à jamais, d'empêcher Pat de regarder *La Guerre des Étoiles* pendant cinq minutes, de m'occuper de la maison à longueur de journée? Et sans que tu m'aides pour quoi que ce soit! Tu es comme tous les hommes. Tu estimes que, à partir du moment où tu as fait ton petit boulot, tu as accompli ta part.

— Eh bien, réussis-je à dire, abasourdi. Je m'étonne que tu ne sois pas partie depuis longtemps.

— Parce que tu ne m'avais donné aucun motif. Jusqu'à hier. J'ai seulement trente ans, Harry, mais, parfois, j'ai l'impression d'être une vieille. Tu as *triché,* Harry, tu as triché pour que je t'aime!

— Reviens chez nous. Toi, moi et Pat. Je veux que les choses redeviennent comme avant.

— Cela ne pourra plus jamais être comme avant. Tu as tout changé. Je te faisais confiance et tu as détruit ma confiance en toi. À cause de toi, je me sens idiote de t'avoir cru.

— On ne rompt pas à cause d'une erreur d'une nuit, Gina. Ce n'est pas un comportement d'adulte. Tu ne réduis pas tout à néant pour une bêtise de ce genre. Je sais que ça fait mal. Je sais que j'ai mal agi. Mais comment pourrais-je être du jour au lendemain le salaud du siècle après avoir été le Prince charmant?

— Tu n'es pas le salaud du siècle, Harry.

Elle secoua la tête dans une tentative pour s'arrêter de pleurer.

— Mais tu n'es plus qu'un homme comme les autres, reprit-elle. Je m'en rends bien compte maintenant. Tu n'es pas différent des autres. Tu ne comprends pas? J'ai tellement cru que tu étais quelqu'un de *différent*! J'ai renoncé à tellement de choses pour toi, Harry!

— Je le sais, Gina. Tu étais prête à partir travailler à l'autre bout du monde. Tu allais faire l'expérience d'une autre culture, une expérience extraordinaire. Et tu es restée à cause de moi. Je sais tout cela. C'est pour tout cela que je veux que notre couple tienne. C'est pour tout cela que je veux une autre chance.

— J'ai beaucoup réfléchi, tu sais, dit Gina. Et j'en ai conclu que personne ne s'intéresse à une femme qui reste chez elle avec son enfant. Personne, même pas son mari. Surtout pas son mari. Je suis devenue tellement ennuyeuse! Il a besoin d'aller dormir ailleurs!

— Ce n'est pas vrai.

— S'occuper de son enfant devrait être le travail le plus respecté au monde. Cela devrait être bien plus respectable que d'aller travailler dans un bureau. Mais c'est l'inverse qui se produit. Sais-tu combien de gens, dans tes fichus dîners entre gens de télévision, dans tes soirées et autres petites fêtes, m'ont donné l'impression de ne pas exister? De n'être rien? *Et que faites-vous?*

Elle avait dit cela avec un petit reniflement.

— *Que faites-vous?* Moi? Eh bien, je ne fais rien. Je reste à la maison et je m'occupe de mon petit garçon. À ce moment-là, ils ne te voient plus — les femmes comme les hommes, en fait les femmes sont peut-être pires. Pour eux, tu es une espèce de tarée. Et je suis infiniment plus intelligente que la plupart de ces gens avec lesquels tu travailles, Harry. Infiniment plus intelligente.

— Je le sais, dis-je. Écoute, Gina, je ferais n'importe quoi. Que veux-tu?

— Je veux avoir de nouveau une vie à moi, dit-elle. Rien d'autre, Harry. Je veux avoir de nouveau une vie à moi.

Cela voulait dire que les difficultés ne faisaient que commencer.

9

Les choses n'avaient pas tourné exactement comme mon père l'avait prévu. Ni pour sa maison ni pour moi.

Quand mes parents avaient acheté le pavillon où j'ai grandi, c'était encore la campagne. Mais, trente ans plus tard, la ville avait tout envahi. Les champs dans lesquels j'avais joué avec ma carabine à air comprimé étaient à présent remplacés par d'affreux lotissements. Dans l'ancienne grand-rue, il n'y avait plus que des agences immobilières et des cabinets d'avocats. Mes parents avaient acheté là en pensant que ce serait toujours un endroit paisible et vert, mais la banlieue avait commencé à détruire leur rêve presque immédiatement.

Les changements ne gênaient pas trop ma mère. C'était une citadine que je me rappelle avoir entendue se plaindre du manque de magasins et de cinémas dans notre commune quand j'étais petit. En revanche, je me sentais triste pour mon père.

Il n'appréciait pas la horde qui partait travailler en ville en s'entassant sur les quais de la gare cinq jours par semaine, pour s'entasser ensuite sur les terrains de golf pendant le week-end. Il n'aimait pas plus les bandes qui traînaient autour des maisons en se donnant des airs de petits voyous américains. Il n'avait pas prévu de vivre en côtoyant les foules et le crime. Et à présent, il y avait mes problèmes.

Mes parents ouvrirent la porte en s'attendant à nous voir arriver tous les trois pour le déjeuner. Or il n'y avait que leur fils.

Déconcertés, ils me regardèrent passer devant leur portail à la recherche d'une place pour me garer. Tout avait changé.

Quand j'étais petit, personne ne se garait dans notre rue. Un garage par famille était plus que suffisant. Maintenant, il fallait presque se dévisser le cou pour trouver une place. Tout avait changé.

J'embrassai ma mère et serrai la main de mon père. Ils ne savaient pas ce qui était arrivé. Il y aurait trop à manger. Ils attendaient aussi Gina et Pat. Ils attendaient une famille unie et heureuse. Mais il n'y avait que moi.

— Maman, papa. J'ai quelque chose à vous dire.

Ils avaient mis un de leurs bons vieux disques, l'enregistrement d'un concert de Tony Bennett à Carnegie Hall, mais ç'aurait tout aussi bien pu être Sinatra, Dean Martin ou Sammy Davis junior. Mes parents n'avaient jamais cessé d'écouter les vieilles chansons qu'ils aimaient.

Ils s'assirent dans leurs fauteuils, me fixant d'un regard interrogateur. Comme deux enfants. Je vous donne ma parole qu'ils s'attendaient que je leur annonce l'arrivée imminente d'un autre petit-enfant. Et moi, je me sentais comme cela m'était si souvent arrivé devant eux, un personnage d'un mauvais feuilleton plutôt qu'un fils digne de ce nom.

— Eh bien, voilà... Il semblerait que Gina m'ait quitté...

J'avais parlé d'un ton complètement faux, trop désinvolte, trop détaché. Mais j'avais le choix entre jouer l'indifférence et m'écrouler en larmes sur leur moquette. En effet, après notre conversation au parc et une deuxième nuit dans un lit bien trop grand pour moi seul, je commençais à croire qu'elle pourrait ne pas revenir. J'avais pourtant le sentiment d'être trop vieux pour apporter de mauvaises nouvelles à mes parents. Et qu'ils étaient trop vieux pour avoir à les entendre.

Ils restèrent muets pendant un moment.

— Comment cela? dit enfin mon père. Quitté?

— Où est le petit? demanda ma mère.

Elle avait tout de suite compris.

— Pat est avec Gina. Chez son père.

— Ce rocker minable ? Pauvre petit chou !

— Que veux-tu dire, elle t'a quitté ? reprit mon père.

— Elle est partie, papa.

— Je ne comprends pas.

Il était sincère. Il aimait Gina, il nous aimait, et maintenant tout cela n'existait plus.

— Elle s'est tirée ! lui dis-je. Pris la tangente, partie. Elle a fichu le camp !

— Ton langage, s'il te plaît ! dit ma mère.

Elle avait les doigts devant la bouche, comme si elle priait.

— Oh ! Harry, dit-elle. Je suis tellement triste pour toi !

Elle se leva et vint s'asseoir à côté de moi. Je crus que j'allais craquer. Il ne fallait surtout pas qu'ils soient trop gentils avec moi. Je pouvais tenir, sauf s'ils me prenaient dans leurs bras et compatissaient à mon malheur. Trop d'amour de leur part ferait exploser les émotions que j'essayais de contenir. Heureusement, mon cher vieux papa vint à la rescousse.

— Partie ? dit-il d'un ton fâché. Quoi ! Vous allez divorcer ? Tu es en train de nous dire que vous divorcez ?

Je n'avais pas encore envisagé la situation sous cet aspect. Divorcer ? Comment fait-on ?

— Je suppose, sans doute. C'est ce qu'on fait dans ces cas-là, n'est-ce pas ? Quand on se sépare ?

Il se leva, affreusement pâle. Il pleurait et ôta ses lunettes pour essuyer les verres. J'étais incapable de le regarder.

— Tu as gâché ma vie, dit-il.

— Pardon ?

Je n'en croyais pas mes oreilles. Mon couple s'écroulait et c'était lui la victime ? Comment était-ce possible ? J'étais navré que sa chère belle-fille l'ait quitté. J'étais navré que son petit-fils ait vu ses parents se séparer. Et, plus que tout, j'étais navré que son fils se soit révélé n'être qu'un pauvre minable dont le par-

82

cours chaotique l'amenait devant le juge des affaires matrimoniales! Je n'allais pourtant pas laisser mon père s'attribuer le rôle principal dans notre petit drame.

— Comment ai-je pu gâcher ta vie, papa? S'il y a une victime dans cette histoire, c'est Pat. Pas toi!

— Tu as gâché ma vie, répéta-t-il.

J'avais le visage brûlant de honte et de ressentiment. De quoi pouvait-il se plaindre avec tant d'amertume? Sa femme ne l'avait jamais quitté, que je sache!

— Ta vie est finie, lui dis-je avec colère.

Nous échangeâmes un regard où planait une violence proche de la haine puis il sortit du salon. Peu après, on entendit le bruit de ses pas à l'étage. Je regrettais déjà mes paroles mais il ne m'avait pas laissé le choix.

— Il ne pense pas ce qu'il a dit, tenta ma mère. Il est bouleversé.

— Moi aussi. Il ne m'était jamais rien arrivé de grave, maman. Tout avait été facile. C'est la première fois qu'il m'arrive quelque chose de grave.

— Ne fais pas attention à ton père. Il aurait seulement voulu que Pat connaisse la même chose que toi, qu'il soit élevé par ses deux parents, qu'il puisse construire sa vie sur quelque chose de stable et de sûr.

— Mais ce ne sera jamais plus comme ça pour lui, maman. En tout cas, si Gina a vraiment décidé de me quitter. Je suis désolé mais ce ne sera jamais aussi simple.

Mon père finit par redescendre et par nous rejoindre. Le déjeuner fut assez pénible. J'essayai de leur donner des explications. On avait eu des problèmes, disais-je, cela ne marchait plus aussi bien depuis un certain temps mais nous tenions toujours l'un à l'autre. Il faut garder de l'espoir.

Je me gardai de laisser échapper un seul mot à propos de ma nuit avec une collègue de travail. De même, je passai sous silence que Gina estimait avoir gaspillé son temps.

Cela risquait de leur donner des nausées.

Quand je repartis, ma mère me serra très fort dans ses bras et me dit que tout s'arrangerait. Mon père fit aussi de son mieux ; il me prit par les épaules en me disant d'appeler s'ils pouvaient faire quelque chose. Malgré cela, j'étais incapable de le regarder dans les yeux.

C'est parfois difficile quand on pense avoir un héros pour père.

Sans un seul mot, il peut vous donner l'impression d'avoir de nouveau huit ans, quand vous avez perdu votre première bagarre.

— Notre invité de ce soir n'a pas besoin d'être présenté, répéta Marty pour la troisième fois. Zut, zut et zut ! Pourquoi ça ne marche pas, cette saleté de prompteur ?

Le prompteur marchait très bien, et Marty le savait.

Là-haut, à la régie, le réalisateur murmurait des mots apaisants dans son oreillette, disant à Marty qu'il n'avait qu'à recommencer quand il se sentirait prêt. Mais Marty arracha son micro et quitta le plateau.

Quand nous faisions du direct, Marty n'avait jamais éprouvé le moindre trac face au prompteur. S'il se trompait, s'il butait sur les mots qui défilaient devant lui, il souriait et continuait. Il savait qu'il ne pouvait pas faire autrement.

Enregistrer était un autre travail. Vous savez que vous pouvez vous arrêter et reprendre à tout moment. En principe, cela rend les choses plus faciles. En réalité, cela peut se révéler paralysant, cela peut modifier votre façon de respirer ; à moins que vous ne vous mettiez à transpirer. Et si on voit à l'écran que vous transpirez, vous êtes un homme fini.

Je retrouvai Marty dans le salon vert, où il était en train d'ouvrir une canette de bière. Cela m'ennuya plus que ses caprices sur le plateau. Marty était un râleur mais pas un buveur.

Quelques bières le calmeraient trop bien. Il serait incapable de faire le moindre mouvement.

— L'enregistrement demande un autre rythme, lui expliquai-je. En direct, tu t'investis tellement fort que tu vas du début jusqu'à la fin sans t'en rendre compte. En revanche, quand tu enregistres, il faut contrôler ton niveau d'adrénaline. Je suis certain que tu y arriveras.

— Qu'est-ce que tu en sais ? me demanda-t-il. Tu as présenté beaucoup d'émissions ?

— Ce que je sais, c'est que tu ne facilites pas les choses en agressant la fille qui s'occupe du prompteur.

— Elle va trop vite !

— C'est exact. C'est pour suivre ton débit, lui répondis-je. Si tu ralentis, elle ralentira. Marty, ça fait un an qu'elle est là !

— Tu n'as même pas essayé de te battre pour rester en direct, dit-il d'un ton boudeur.

— À partir du moment où tu as assommé Tarzan, c'était impossible. La chaîne ne peut pas prendre le risque que cela se reproduise. C'est pour cette raison que, maintenant, on fait du direct enregistré.

— Saleté de direct enregistré ! Ça dit tout ! Tu es de quel côté, Harry ?

Je m'apprêtais à le lui dire quand Siobhan passa la tête dans l'ouverture de la porte.

— Je me suis débrouillée pour trouver une remplaçante à la fille du prompteur, dit-elle. On essaye ?

— On regarde la tévé-vision, m'annonça Pat quand j'arrivai chez Glenn.

Je le soulevai pour l'embrasser. Il s'accrocha à moi des bras et des jambes comme un ouistiti et nous rentrâmes ainsi dans l'appartement.

— Tu regardes la télé avec maman ?

— Non.

— Avec papy Glenn ?

— Non. Avec Sally et Steve.

Dans le petit salon, il y avait deux adolescents, une fille et un garçon, étroitement enlacés sur le canapé. Ils portaient le genre de vêtements qui ne paraissent réellement adaptés qu'avec un snowboard.

La fille — maigre, livide, languissante — leva les yeux en m'entendant entrer. Le garçon — joufflu, boutonneux et encore plus livide — tapotait la télécommande de la télévision contre ses dents du bas. Il garda les yeux fixés sur l'écran, où l'on voyait un homme en colère, torse nu, un chanteur. Il avait l'air de quelqu'un qu'on oblige à aider la police dans une enquête. Glenn aurait su son nom. Glenn devait avoir tous ses disques. En ce qui me concernait, il m'amena plutôt à me demander si la musique ne devenait pas une vaste blague ou si j'étais en train de vieillir. Ou les deux.

— Salut, dit la fille.

— Salut. Je suis Harry, le père de Pat. Gina est là ?

— Nan. Elle est allée à l'aéroport.

— À l'aéroport ?

— Ouais — elle devait, vous savez... Comment on dit ? Attraper un avion.

Je reposai Pat. Il s'installa au milieu de ses figurines de *La Guerre des Étoiles* éparpillées au sol. Il envoyait des regards admiratifs au jeune boutonneux. Pat adorait les garçons plus grands que lui. Même les garçons laids et débiles.

— Où est-elle allée ?

La fille — Sally — fronça les sourcils pour se concentrer.

— En Chine, je crois.

— En Chine ? Tu es sûre ? Ce n'est pas plutôt au Japon ? C'est très important.

Son visage s'illumina.

— Ouais... peut-être le Japon.

— Ce sont deux pays très différents, lui dis-je.

Le garçon — Steve — me regarda pour la première fois.

— Pas pour moi, dit-il.

Cela fit rire la fille et Pat l'imita. Il était trop petit pour comprendre. Il ne savait même pas pourquoi il riait. Je compris qu'il avait la figure très sale. Si on ne l'encourageait pas quelque peu, Pat gardait une attitude très distante à l'égard de la propreté.

Steve retourna à sa vidéo avec un petit sourire satisfait. Il tapotait toujours la télécommande contre ses dents. Je la lui aurais fait avaler avec plaisir.

— Sais-tu si elle est partie pour longtemps ?

Elle grogna quelque chose qui ressemblait à « non », serrant d'un air absent la grosse jambe de Steve.

— Glenn n'est pas là ? insistai-je.

— Nan... mon père travaille ! répondit Sally.

Ainsi, c'était cela. Sally était l'un des enfants abandonnés par Glenn. Elle devait « dater » d'un mariage ou deux après celui de la mère de Gina.

— Tu es venue lui rendre visite ? demandai-je.

— Je suis là pour un moment. Ma mère m'embête trop. Elle n'arrête pas de râler contre mes amis, mes fringues, l'heure à laquelle je rentre, l'heure à laquelle je ne rentre pas.

— Vraiment ?

— Tu te crois à l'hôtel, cria Sally d'une voix grinçante. Tu es trop jeune pour fumer ces saletés. Et bla-bla-bla !

Elle eut un de ces soupirs las dont seuls les très jeunes ont le secret.

— Le truc habituel. Comme si elle n'en avait pas fait autant il y a une éternité, cette vieille garce hypocrite.

— Garce, répéta Steve.

— C'est une garce, répéta Pat à son tour avec un grand sourire, serrant une de ses figurines dans chaque menotte.

Steve et Sally se moquèrent de lui.

Voilà comment cela se passe, pensai-je. Vous rompez et votre enfant devient une sorte de naufragé, à la dérive sur un océan de télévision permanente et de responsabilités soigneusement évitées. Bienvenue dans ce monde pourri où le parent avec lequel vous vivez est un personnage à ignorer, à mépriser, et où le parent avec lequel vous ne vivez pas se sent assez coupable pour vous recueillir si la situation devient trop tendue.

Mais pas mon fils !

Pas mon Pat !

— Prends ton manteau et tes jouets, lui dis-je.

Sa petite figure toute sale s'illumina.

— On va au parc ?

— Non, chéri, on va à la maison !

10

On était censés fêter la solution de la « retransmission légèrement différée ».

Barry Twist avait eu l'idée de refaire l'émission en direct mais avec un délai de diffusion d'un quart d'heure. Cela nous garantissait contre tout risque de débordement, de la part des invités comme de l'animateur.

La chaîne était ravie parce que cela leur permettait de couper tout ce qui risquait de déranger les annonceurs publicitaires. De son côté, Marty était aux anges parce que cela le libérait de sa hantise du prompteur.

Marty m'emmena donc déjeuner dans son restaurant préféré, un spartiate sous-sol à la mode où les gens bien nourris de la télévision mettent sur leur note de frais d'authentiques plats paysans italiens.

Comme dans la plupart des endroits où nous allions, son plancher nu et ses murs peints en blanc conféraient à la salle des allures de gymnase plutôt que de restaurant. Peut-être pour nous donner la sensation que nous nous faisions du bien en y venant ? Nous arrivâmes peu après deux heures ; je m'étais mis en retard après avoir amené Pat chez mes parents. L'endroit était déjà bondé mais il n'y avait personne à la réception.

Une serveuse s'approcha de nous. Sa journée avait manifestement mal commencé. Elle avait chaud, elle était sur les nerfs et elle avait une tache de vin rouge sur sa tenue blanche. Et elle avait un tic. Elle avait des cheveux noirs et brillants, coupés comme on l'imagine chez les héroïnes de F. Scott Fitzgerald, une de ces coupes démodées, presque au bol. Cela s'appelle un bob. Elle n'arrêtait pas de faire voler sa frange en soufflant, la lèvre inférieure légèrement poussée vers le haut.

— Que puis-je pour vous ? demanda-t-elle.

— Nous avons une table, répondit Marty.

— Parfait, dit-elle en prenant le cahier des réservations. À quel nom ?

— Marty Mann, dit-il avec cette façon discrète d'insister sur son nom par laquelle il indiquait s'attendre à être reconnu.

La serveuse était censée à moitié s'évanouir d'émotion, du point de vue de Marty. Malheureusement, le nom de Marty Mann n'évoquait rien du tout pour elle. Elle était américaine.

— Désolée, dit-elle tout en consultant sa liste. Je ne trouve pas votre nom, monsieur.

Et elle nous sourit, d'un bon sourire, large, ouvert, d'une blancheur impeccable. Un de ces sourires qui illuminent tout.

— Je vous assure que nous avons une table, dit Marty.

— Pas ici, je suis désolée.

Elle referma le cahier et commença à s'éloigner. Marty lui barra le chemin. Cela parut la rendre furieuse. Elle souffla rageusement, faisant voler les mèches de sa frange.

— Excusez-moi, dit-elle.

Elle était grande et mince, avec des jambes de danseuse et des yeux bruns assez écartés. Une belle silhouette, mais pas une gamine. Peut-être un ou deux ans de plus que moi. La plupart des employés de ce restaurant étaient de très jeunes gens, très décontractés, très clairement persuadés qu'un avenir brillant les attendait ailleurs. Ce n'était pas du tout son cas.

Elle fixa Marty et se massa le bas du dos comme s'il lui faisait mal depuis longtemps.

— Savez-vous à qui vous avez affaire ? lui dit Marty.

— Savez-vous que je travaille ? lui répondit-elle.

— Nous ne sommes peut-être pas sur votre liste, reprit Marty très lentement, comme s'il parlait à une demeurée. Mais un de mes employés a appelé Paul — le directeur. Vous savez qui est Paul ?

— Sûrement, dit-elle sans élever le ton. Je connais Paul.

— Paul a dit qu'il s'arrangerait. Il s'arrange toujours.

— Je suis très heureuse d'apprendre que vous vous entendez si bien avec Paul mais, s'il ne me reste pas de table libre, je ne peux pas vous donner de table, vous comprenez ? Je répète : désolée.

Et elle s'en alla.

— Qu'est-ce que c'est, cette idiotie ? s'exclama Marty.

Mais Paul nous avait repérés et traversa rapidement son restaurant bondé pour accueillir son célèbre client.

— Monsieur Mann, dit-il, je suis ravi de vous voir. Y a-t-il un problème ?

— Il semblerait que nous n'ayons pas de table.

— Oh ! mais nous avons toujours une table pour vous, monsieur Mann.

Le sourire méditerranéen de Paul éclaira son visage bronzé. Lui aussi avait un bon sourire, mais dans un genre très différent de celui de la serveuse.

— Si vous voulez bien me suivre.

Notre traversée de la salle suscita les regards, chuchotements et sourires idiots que la présence de Marty provoquait toujours. Paul claqua des doigts et l'on apporta une table de la cuisine. En quelques instants, une nappe la recouvrit, des couverts y furent disposés avec une corbeille de pain de campagne et de l'huile d'olive dans un bol en argent. Une serveuse apparut. C'était elle.

— Re-bonjour, dit-elle.

— Dites-moi une chose, lui lança Marty. Qu'est-il arrivé à ce bon vieux stéréotype de la serveuse américaine ? Celle qui vous sert avec le sourire ?

— C'est son jour de congé, répondit-elle. Je vous apporte le menu.

— Je n'ai pas besoin du menu, dit Marty. Je sais ce que je veux.

— Je vous l'apporte quand même, pour votre ami. Nous avons des plats du jour sympathiques.

— Pourrions-nous reprendre cette conversation dès que vous aurez branché votre appareil acoustique ? dit Marty. Écoutez-moi bien. Nous avons l'habitude de manger ici et nous n'avons pas besoin du menu.

— Laisse-la travailler, Marty, intervins-je.

— Oui, dit-elle en me regardant pour la première fois. Laissez-moi travailler, Marty.

— Je veux les pâtes en tortillons avec le truc rouge dessus, et la même chose pour lui, dit Marty.

— Pâtes en tortillons, dit-elle en écrivant sur son bloc. Truc rouge. Ça marche !

— Et une bouteille de champagne, ajouta Marty en lui donnant une tape sur le derrière. Vous serez une gentille fille.

— Ôtez vos sales pattes moites de mes fesses ou je vous casse le bras, dit-elle. Vous serez un gentil garçon.

— Contentez-vous de nous apporter à boire, d'accord ? dit Marty en retirant promptement sa main.

Elle s'éloigna.

— Bon Dieu, on aurait mieux fait de commander un plat à emporter, s'exclama Marty. Ou d'arriver un peu plus tôt.

— Désolé d'être arrivé si tard, dis-je. C'est la circulation.

— Pas grave, me coupa-t-il avec un geste de la main.

— Je suis content que tu aies accepté le système des quinze minutes de décalage. Je te promets que ça ne causera aucun tort à l'émission.

— En fait, il y a d'autres changements. C'est pour cette raison que je voulais te parler.

J'attendis, remarquant enfin la tension de Marty. Il utilisait diverses techniques respiratoires pour cacher sa nervosité quand cela le prenait mais, cette fois, cela ne marchait pas. Après tout, nous n'étions peut-être pas là pour fêter quoi que ce soit.

— Je veux aussi que Siobhan prenne plus de responsabilités dans le choix des invités. Je veux aussi qu'elle soit systématiquement à la régie. Et qu'elle empêche les gens de la chaîne de m'embêter.

Je pris le temps de comprendre ce qu'il me disait. Pendant ce temps, la serveuse nous apporta le champagne et nous servit. Marty prit une longue gorgée et s'absorba dans la contemplation de son verre, la bouche entrouverte pour laisser échapper un imperceptible renvoi.

— Excuse-moi, dit-il.

Je laissai mon propre verre sur la table, sans y toucher.

— Mais tout ce que tu viens d'énumérer... C'est le travail du producteur, dis-je en tentant de sourire. C'est mon travail.

— Eh bien, ce sont les changements dont je voulais te parler.

— Attends une minute. Mon contrat n'est pas renouvelé ?

Marty écarta les mains comme pour dire : « Qu'y puis-je ? Ce monde est fou, que veux-tu ! »

— Écoute, Harry. Tu ne voudrais pas que je te mette à l'écart en te confiant des petits boulots minables que tu pourrais faire les yeux fermés ? Ce serait sinistre, tu ne trouves pas ?

— Marty, dis-je. Marty, attends, attends un instant. J'ai besoin de ce boulot, maintenant plus que jamais. Il y a cette histoire avec Gina — Pat vit avec moi — et je ne sais pas ce qui va se passer. Tu sais tout cela. Je ne peux pas me permettre de perdre mon travail. Pas maintenant.

— Je suis navré, Harry. Il fallait faire des changements.

— Qu'est-ce que ça veut dire ? Une punition parce que je ne

suis pas disponible vingt-quatre heures sur vingt-quatre au moment où ma femme et moi nous nous séparons? Je suis désolé de n'avoir pas été là ce matin, d'accord? Mais je ne peux pas laisser mon fils seul. Je devais...

— Harry, tu n'as pas besoin de te mettre à crier. Nous pouvons régler ça entre gens civilisés.

— Arrête, Marty. Tu es le roi de la polémique. Une petite scène ne peut pas te déranger, voyons!

— Je suis navré, Harry. Siobhan est dans le coup. Tu ne l'es plus. Et je suis sûr qu'un jour tu me remercieras. C'est peut-être la meilleure chose qui pouvait t'arriver. Tu ne m'en veux pas?

La petite ordure osa me tendre la main. Je l'ignorai, me levant aussi vite que possible, si vite que je me cognai les jambes contre le bord de la table. Il hocha la tête comme si je l'avais terriblement déçu et je l'abandonnai.

Je sortis du restaurant. Mes jambes me faisaient mal après le coup que je m'étais donné contre la table et j'avais les joues en feu. Je ne m'étais retourné qu'une seule fois, en entendant Marty hurler de douleur.

La serveuse lui avait renversé tout le plat de pâtes sur les cuisses et le ventre.

— Oh, zut! Je suis navrée, dit-elle. Voulez-vous du parmesan avec vos pâtes?

Mes parents ramenèrent Pat à la maison. Ma mère s'occupa d'allumer toutes les lampes tandis que mon père me demandait comment marchait mon travail. Je lui affirmai que tout allait très bien.

Ils restèrent avec Pat pendant que j'allais faire les courses au supermarché du quartier. Ce n'était qu'à cinq minutes de voiture mais cela fut plus long que d'habitude; je pris le temps d'observer discrètement toutes les femmes qui me paraissaient être des mères seules. Je n'avais encore jamais réfléchi à leur situation mais je me rendais compte, à présent, que ces femmes étaient des héroïnes. D'authentiques héroïnes.

Elles s'occupaient de tout elles-mêmes, des courses, de la cuisine, des loisirs, de tout. Elles élevaient leurs enfants seules.

Et moi, je n'étais même pas capable de laver les cheveux de mon fils.

— Il a les cheveux sales, dit ma mère au moment de partir. Il a besoin d'un bon shampooing.

Je le savais, mais Pat refusait que je lui lave la tête. Il me l'avait dit quand j'y avais fait allusion en revenant de chez Glenn. Pat voulait que ce soit sa mère qui lui lave les cheveux, que ce soit fait comme elle le faisait.

Malheureusement, je ne pouvais plus reculer. En peu de temps, il se retrouva en slip au milieu d'une salle de bains inondée, ses mèches sales lui dégoulinant sur la figure et les yeux rouges autant de ses larmes que du shampooing pour bébé que Gina utilisait encore.

Je n'y arrivais pas. Où était l'erreur?

Je m'agenouillai pour être à sa hauteur. Il refusa de me regarder.

— Qu'est-ce qu'il y a, Pat?

— Rien.

Nous savions tous les deux que ce n'était pas vrai.

— Maman est en voyage pour un petit moment. Tu veux bien que papa te lave les cheveux?

Quelle question stupide! Il fit non avec la tête.

— Que ferait un Jedi dans une situation de ce genre?

Il ne daigna pas répondre. Cela arrive parfois avec les garçons de quatre ans...

— Écoute, lui dis-je en refrénant mon envie de hurler. Crois-tu que Luke Skywalker pleure quand on lui lave les cheveux?

— Sais pas. M'en fiche.

J'avais essayé de le shampooiner en lui faisant pencher la tête par-dessus le bord de la baignoire mais cela n'avait pas marché. Je lui ôtai son slip, le soulevai et l'assis dans la baignoire. Il essuya la morve au bas de son nez d'un revers de main, tandis que je faisais couler l'eau en attendant qu'elle soit à la bonne température.

— On s'amuse bien, tu ne trouves pas ? lui dis-je. On devrait faire ça plus souvent.

Il me jeta un regard noir. Mais il se pencha en arrière et me laissa lui mouiller les cheveux. Malheureusement, quand il sentit mes mains pleines de shampooing sur sa tête, il craqua. Il se dressa d'un seul coup et passa l'une de ses jambes par-dessus le bord de la baignoire dans une pitoyable tentative pour m'échapper.

— Pat ! Assieds-toi, s'il te plaît.

— Je veux maman pour mon shampooing !

— Maman n'est pas là ! Assieds-toi !

— Où elle est ? Où elle est ?

— Je ne sais pas !

Il essaya de sortir de la baignoire alors qu'il n'y voyait rien, hurlant parce que la mousse lui coulait dans les yeux. Je le repoussai et le maintins assis. Je rinçai rapidement en essayant d'ignorer ses cris stridents.

— Un Jedi ne se conduit pas comme ça, lui dis-je. Ce sont les bébés qui font ça.

— Je suis pas un bébé ! Toi, t'es un bébé !

Je l'enroulai dans une grande serviette, le pris par la main et le ramenai dans sa chambre. Il devait presque courir pour rester à ma hauteur. Nous échangeâmes des regards furieux tandis que je lui mettais son pyjama.

— Comment peux-tu faire autant d'histoires ! J'ai vraiment honte de toi.

— Je veux ma maman !

— Maman n'est pas là.

— Quand est-ce que je vais la voir ? dit-il d'une voix soudain plaintive. Je veux savoir.

— Je ne sais pas. Je ne sais pas, mon chéri.

— Pourquoi? Qu'est-ce que j'ai fait? J'ai pas fait exprès, j'ai pas fait exprès.

J'en fus bouleversé.

— Tu n'as rien fait, lui dis-je. Maman t'aime très fort. Tu la verras bientôt. C'est promis.

Je le pris dans mes bras. Il sentait le shampooing mal rincé. Je le tins serré contre moi pendant un long moment. Comment deux adultes aussi stupides que nous avaient-ils pu réussir une pareille merveille?

Je lui lus une histoire jusqu'à ce qu'il s'endorme. Après quoi je pus écouter les messages sur mon répondeur. Il y en avait trois, tous de Gina.

Tu ne sauras jamais à quel point tu m'as fait mal. Jamais. En principe, c'était pour la vie, Harry. Pas seulement jusqu'à ce que l'un de nous s'ennuie un peu. Pour toujours! Pas seulement jusqu'à ce que l'un de nous trouve que la routine s'était installée dans le lit conjugal. Ça ne marche pas comme ça. Ça ne peut pas marcher de cette façon. Crois-tu vraiment que je pourrais te laisser me toucher sachant que tu as caressé quelqu'un d'autre? Tes mains, ta bouche... Je ne peux pas supporter tout cela, je veux dire les mensonges, les petites ruses, quelqu'un qui s'endort tous les soirs à force de pleurer. J'ai largement eu ma dose quand j'étais petite. Si tu crois...

La machine l'avait interrompue. On dispose d'un laps de temps déterminé pour laisser un message, après quoi la bande se rembobine. Il y eut un bip puis son deuxième message. Entre-temps, elle s'était calmée, ou tentait de le faire croire.

Je viens de parler à Glenn. Il m'a dit que tu as emmené Pat. Ce n'était pas nécessaire. Il était parfaitement heureux, ici. Et je sais à quel point ton travail t'accapare. Mais si tu veux t'occuper de lui jusqu'à mon retour, tu dois savoir que je lui lave les cheveux tous les dimanches. Et ne le laisse pas mettre du sucre sur ses céréales au chocolat. Il va aux toilettes tout seul — tu le sais, bien sûr — mais parfois il oublie de soulever le couvercle. Assure-toi bien qu'il se brosse les dents. Ne le laisse pas regarder La Guerre des Étoiles *toute la journée. S'il ne fait pas la sieste l'après-midi, empêche-le de se coucher plus tard que...*

Un autre bip, puis le dernier message, moins calme. Gina trébuchait sur les mots.

Dis à Pat que je l'aime, d'accord? Dis-lui que je le verrai bientôt. Occupe-toi bien de lui, d'ici là. Et évite de t'attendrir sur toi, Harry. Tu n'es pas Superman. Dans le monde entier, il y a des femmes qui s'occupent seules de leurs enfants. Des millions de femmes font ça. Des millions, au sens strict du terme. Alors, ne te prends pas pour un héros.

Longtemps après avoir tout éteint dans la maison, je restai à côté de Pat, le regardant dormir. Je me rendais compte que j'avais trahi tout le monde.

Gina. Mes parents. Marty lui-même. Je n'avais pas été assez fort, je ne les avais pas assez aimés, je n'avais pas été l'homme qu'ils voulaient que je sois, ni l'homme que je voulais être. De différentes façons, je les avais tous trahis.

Je remontai sur les épaules de Pat la couverture qu'il avait repoussée au bout du lit à coups de pied, tout en faisant une dernière promesse que, cette fois, je ne romprais pas. Je me jurai de ne jamais trahir mon fils.

Il y avait pourtant une voix lointaine, comme si quelqu'un appelait du bout du monde sur une mauvaise ligne. Cette voix n'arrêtait pas de dire : *tu l'as trahi, tu l'as trahi, tu l'as déjà trahi.*

11

Les enfants vivent dans l'instant présent. L'avantage, quand on se dispute avec eux, c'est qu'ils ont tout oublié dès le lendemain. Du moins était-ce ainsi avec Pat quand il avait quatre ans.

— Que veux-tu pour ton petit déjeuner? lui demandai-je.

Il me regarda en réfléchissant.

— Des spaghettis verts.

— Tu veux des spaghettis? Pour ton petit déjeuner?

— Des spaghettis verts, oui, s'il te plaît.

— Mais... je ne sais pas comment on fait les spaghettis verts. Tu en as déjà mangé?

Il hocha vigoureusement la tête.

— Dans le petit restaurant de l'autre côté de la grand-route, dit-il. Avec maman.

Nous habitions du mauvais côté de Highbury Corner, du côté où il y avait des magasins d'occasions plutôt que des antiquaires, des cafés plutôt que des bars et des petits bistrots plutôt que des restaurants à la mode. Certains de ces bistrots étaient d'un calme sinistre mais, au bout de la rue, il y en avait un extraordinaire. Il s'appelait Trevi. Au comptoir, on parlait anglais et, dans la cuisine, italien.

Les hommes corpulents et joyeux qui se trouvaient derrière le comptoir saluèrent Pat par son nom.

— C'est ici, dit-il en s'installant à une table près de la vitre.

La serveuse sortit de la cuisine pour prendre la commande. C'était elle et elle avait toujours l'air fatiguée.

— Qu'est-ce que je vous sers, les garçons? demanda-t-elle en souriant à Pat.

Il y avait dans sa voix une pointe d'accent du Sud que je n'avais pas remarquée quand j'étais avec Marty.

— Faites-vous quelque chose qui ressemble à des spaghettis verts?

— Vous voulez dire des spaghettis *al pesto*? Bien sûr!

— Ce n'est pas trop fort pour toi? demandai-je à Pat.

— C'est vert?

— Oui, c'est vert, répondis-je en soulignant ma réponse d'un mouvement de tête.

— Alors, c'est ça que je veux.

— Et vous? me demanda-t-elle.

— La même chose, s'il vous plaît.

— Rien d'autre?

— Eh bien, je me demandais dans combien de restaurants vous travaillez.

Elle me regarda vraiment pour la première fois.

— Ah, oui! Je me souviens de vous. C'est vous qui étiez avec Marty Mann. Vous lui avez dit de me laisser tranquille.

— Je croyais que vous ne l'aviez pas reconnu.

— Je suis ici depuis presque un an. Bien sûr, j'avais reconnu ce sale enf... Oh! Excuse-moi, dit-elle à Pat.

Il lui fit un grand sourire.

— Je ne regarde pas souvent la télé, on n'en a pas le temps dans ce boulot, mais sa sale bobine s'étale dans tous les journaux. C'est drôle, vous avez été mes derniers clients. Paul n'aimait pas mon style.

— Eh bien, si ça peut vous consoler, j'ai perdu mon travail à peu près au même moment que vous.

— C'est vrai? Et vous n'avez même pas fait tomber un plat de pâtes brûlantes sur sa pauvre petite... euh...

Elle jeta un regard rapide vers Pat avant de terminer sa phrase.

— ... sur la tête de Marty. Enfin, il l'avait bien mérité.

— Je suis tout à fait d'accord avec vous ! Mais je suis désolé que vous ayez perdu votre place.

— Ce n'est pas un problème. Une femme trouve toujours une place de serveuse, non ?

Elle me regardait par-dessus son carnet de commandes. Elle avait les yeux si écartés que j'avais presque du mal à les regarder tous les deux en même temps. Ils étaient bruns, immenses. Elle les tourna vers Pat.

— Tu déjeunes avec ton papa ? Où est ta maman aujourd'hui ?

Pat me jeta un regard angoissé.

— Sa mère est à Tokyo, dis-je.

— C'est au Japon, précisa Pat. Ils conduisent du même côté de la route que nous. Mais quand il fait nuit chez eux, il fait clair chez nous.

Elle me regarda de nouveau de ses grands yeux bruns. Je me dis que, d'une façon ou d'une autre, elle avait compris que notre famille s'était défaite. C'était absurde. Comment aurait-elle pu le savoir ?

— Elle reviendra bientôt, ajouta Pat.

Je lui mis mon bras sur les épaules.

— Exactement, dis-je. Mais pendant ce temps, on est tous les deux.

— C'est peu courant, non ? dit-elle. Je veux dire : que vous vous occupiez de votre enfant. Peu d'hommes le font.

— Cela doit bien arriver, dis-je.

— Oui, cela doit arriver, conclut-elle.

Visiblement, elle appréciait que je m'occupe de Pat mais elle ne me connaissait pas. Elle ne me connaissait pas du tout et elle devait complètement se tromper.

Elle voyait un homme seul avec son enfant et pensait que

cela faisait de moi un homme meilleur que les autres, plus tendre, plus soucieux de l'autre, moins susceptible de laisser tomber une femme. Le nouveau mâle de l'espèce, amélioré, biologiquement programmé pour assumer ses devoirs envers ses enfants. Comme si j'avais prévu que ma vie tournerait de cette façon!

— Et vous? lui demandai-je. Qu'est-ce qui vous a amenée à Londres... d'où, à propos?

— Houston, au Texas. Je suis venue à cause de mon compagnon. Mon ex-compagnon. C'est un Londonien.

— Vous êtes venue d'aussi loin pour un homme? C'est beaucoup, non?

Elle parut sincèrement étonnée.

— Vous trouvez? J'ai toujours pensé que, si vous aimez vraiment quelqu'un, vous pouvez le suivre au bout du monde.

C'était une romantique.

Sous ses apparences coriaces de femme apte à se défendre contre un Marty Mann se cachait une de ces femmes capables de bouleverser leur vie pour un homme qui ne le mérite sans doute pas.

Peut-être ma femme avait-elle raison. Il n'y a rien de pire que les romantiques.

Le lendemain, Gina arriva dans la soirée.

J'étais assis par terre avec Pat, en train de jouer. Aucun de nous deux n'avait réagi au bruit du diesel d'un taxi qui s'arrêtait devant notre porte. En revanche, nous nous étions brusquement regardés en entendant le grincement du petit portail rouillé. Ensuite, il y eut le bruit de la clef dans la serrure et enfin des pas dans l'entrée. Pat se tourna vers la porte du salon.

— Maman?

— Pat?

D'un seul coup, elle était là et elle souriait à notre fils. Elle avait les traits tirés après ses douze heures de vol depuis Narita et traînait une vieille valise. Une étiquette à moitié déchirée y était encore collée, qui datait de nos lointaines vacances à Antigua.

Pat se jeta dans ses bras et elle le serra si fort qu'il disparut dans les plis de son manteau d'été. On ne voyait plus qu'une touffe de cheveux, exactement du même blond que ceux de sa mère. Leurs visages se fondaient l'un dans l'autre.

À ce spectacle, j'éprouvai plus que du bonheur. Quelque chose s'était mis à briller au fond de moi ; je croyais que mon univers s'était reconstruit. Hélas, elle me regarda, sans froideur ni colère, mais de très loin, comme si elle était encore à l'autre bout du monde et allait y rester pour toujours. Ma joie disparut.

Elle n'était pas revenue pour moi.

Elle était revenue pour Pat.

— Tu vas bien ? questionnai-je.

— Un peu fatiguée, dit-elle. Le vol est très long et tu arrives le même jour que celui où tu es parti. Tu as l'impression que la journée n'en finit pas.

— Tu aurais dû nous prévenir que tu arrivais. On serait allés te chercher à l'aéroport.

— Ce n'est pas grave, dit-elle.

Elle écarta Pat pour mieux le regarder.

Je compris qu'elle était revenue parce qu'elle me croyait incapable de me débrouiller. Elle pensait que je n'étais pas de taille à m'occuper de notre enfant pendant son absence. Elle pensait que je n'étais pas un parent digne de ce nom, en tout cas pas comme elle l'était.

Sans lâcher Pat, elle évalua l'état catastrophique du salon, qui semblait confirmer que même son lamentable père valait mieux que moi.

Il y avait des jouets partout et une cassette du *Roi lion* qui passait sans que personne la regarde. Par terre gisaient deux boîtes vides de pizzas à emporter — une grande, une petite. Et sur la table basse, comme un napperon d'un nouveau style, traînait le slip de Pat, de la veille.

— Mon Dieu! s'exclama gaiement Gina. Tu as vu comme tes cheveux sont sales! Si on leur faisait un bon shampooing?

— Chouette! cria Pat, comme s'il s'agissait d'une invitation à Disneyland.

Ils allèrent dans la salle de bains et j'entrepris de faire un peu de ménage tout en écoutant le bruit de l'eau mêlé à leurs rires.

— On m'a proposé un travail, dit-elle.

Nous étions dans le parc.

— Un poste important de traductrice dans une banque américaine. En réalité, plutôt d'interprète. Mon japonais écrit est trop rouillé pour que je traduise des documents mais je parle assez bien pour pouvoir faire l'interprète. Je devrai assister à des réunions et servir d'intermédiaire pour que tout le monde se comprenne. La femme qui occupait le poste — je l'ai rencontrée, une Américano-Japonaise très sympathique — va avoir un bébé. La place est à moi si je veux. Le problème, c'est qu'ils ont besoin de ma réponse tout de suite.

— Attends une minute, coupai-je. Cette place, c'est à Tokyo?

Elle détourna le regard des prudentes évolutions de Pat sur les plus bas échelons du portique.

— Bien sûr, c'est à Tokyo, répondit-elle d'un ton sec.

Et elle reporta les yeux sur Pat.

— Que crois-tu que je sois allée y faire? acheva-t-elle.

À dire vrai, j'avais imaginé qu'elle s'offrait quelques jours de vacances pour voir des gens qu'elle avait connus pendant son année à l'étranger, japonais ou autres; pour voyager à bord du train à très grande vitesse et visiter quelques temples à Kyoto. Je croyais qu'elle voulait seulement prendre un peu de recul.

J'avais oublié qu'elle voulait reconstruire sa vie.

Elle s'en était occupée dès qu'elle s'était installée chez son père. Elle avait passé quelques coups de téléphone à l'étranger, renoué des contacts, cherché si son option sur tout ce qu'elle avait abandonné pour moi était encore valable.

Je la connaissais assez pour savoir qu'elle était très sérieuse en parlant de prendre ce travail mais je n'arrivais pas à y croire.

— Tu vas vraiment partir travailler au Japon, Gina?

— Il y a longtemps que j'aurais dû le faire.

— Pour longtemps? Pour toujours?

— Le contrat est d'un an. Après, je verrai.

— Et Pat?

— Pat vient avec moi, bien sûr!

— Pat irait avec toi? À Tokyo?

— Bien sûr! Je ne vais pas le laisser ici, que crois-tu?

— Mais tu n'as pas le droit de le déraciner, dis-je en essayant de cacher ma panique. Où vas-tu habiter?

— La banque me trouvera quelque chose.

— Qu'est-ce qu'il va manger?

— Les mêmes choses qu'ici. Personne ne le forcera à manger de la soupe au *miso* pour son petit déjeuner. Tu sais, on trouve des céréales au chocolat au Japon. Tu n'as pas à t'inquiéter pour nous, Harry.

— Si, je m'inquiète. C'est sérieux, Gina. Qui s'occupera de lui pendant que tu travailleras? Et ses affaires?

— Ses affaires?

— Oui! Son vélo, ses jouets, ses cassettes. Ses affaires!

— On les expédiera par bateau. Cela ne doit pas être si difficile de mettre en container les affaires d'un petit garçon de quatre ans?

— Et ses grands-parents? Tu vas aussi les mettre dans un container et les expédier par bateau? Et ses copains de la maternelle? Et moi?

— Tu ne supportes pas l'idée que je puisse vivre sans toi, hein? Ça, c'est vraiment insupportable pour toi!

— Ce n'est pas de cela qu'il s'agit. Si c'est vraiment ce que tu veux, j'espère sincèrement que ça marchera bien. Je sais que tu en es capable. Mais la vie de Pat est ici.

— La vie de Pat est avec moi, dit-elle.

Il y avait une note glaciale dans sa voix mais je savais que je l'avais touchée.

— Laisse-le-moi, lui dis-je d'un ton pressant. Le temps que tu sois installée, tu veux bien? Quelques semaines, un ou deux mois, le temps qu'il faudra. Le temps de maîtriser ton travail et de trouver un logement. Laisse-le ici jusque-là.

Elle me dévisagea longuement, comme si elle se rendait compte que j'avais raison mais craignait de me faire confiance.

— Je ne cherche pas à te le prendre, Gina. Je sais que je ne pourrais pas le faire. Mais je ne peux pas supporter l'idée qu'une étrangère s'occupe de lui dans un minuscule appartement pendant que tu es à ton bureau et que tu fais tout pour réussir dans ton travail. Je sais que, toi non plus, tu ne le supporterais pas.

Elle regarda Pat, qui grimpait lentement tout en haut du portique. Il se retourna prudemment pour nous sourire.

— Je ne peux pas laisser passer cette chance, dit-elle. J'ai besoin de savoir si j'en suis capable. C'est maintenant ou jamais.

— Je comprends.

— Évidemment, je l'appellerai tous les jours. Et je le ferai venir dès que possible. Tu pourrais peut-être l'amener.

— Cela me paraît une bonne idée.

— J'adore Pat. C'est mon fils et je l'aime.

— Je le sais.

— Tu es sûr de pouvoir t'occuper de lui tout seul pendant quelque temps? Tu es sûr?

— Mais oui, je peux le faire. Oui.

Nous échangeâmes un long regard.

— Le temps que tu sois installée.

Une fois rentrés à la maison, il était l'heure de coucher Pat. Heureux et fatigué, il s'endormit rapidement, perdu dans des rêves qu'il aurait oubliés au réveil. Gina se mordait la lèvre.

— Ne t'inquiète pas, lui dis-je. Je prendrai soin de lui.

— Le temps que je m'installe.

— Le temps que tu t'installes.

— Je reviendrai pour lui, dit Gina, plus pour elle-même que pour moi.

En effet, elle revint le chercher mais la situation avait changé.

Ce jour-là, il n'y avait plus de petite culotte de la veille sur la table du salon ni de boîtes à pizza par terre. Le jour où Gina voulut retrouver Pat, j'étais devenu un parent digne de ce nom, moi aussi.

C'est en cela que Gina s'est trompée. Elle se croyait capable de changer en pensant que, moi, je resterais toujours le même.

Mes parents réagirent au départ de Gina en essayant de transformer la vie de Pat en une fête permanente.

Du jour au lendemain, leur « un Coca par jour, pas plus » fut aboli. Quand nous allions chez eux, Pat et moi, il y avait toujours des cadeaux pour lui, par exemple une édition spéciale du *Retour du Jedi* (« Des scènes inédites, une nouvelle bande-son, de nouveaux effets spéciaux ! »). Ils voulaient de plus en plus souvent qu'il reste avec eux, dans l'espoir tenace de remplacer ma mine lugubre et mes silences cafardeux par leurs rires forcés. C'était si peu naturel que cela me donnait envie de pleurer.

Au bout d'un certain temps, ils s'arrangèrent pour que l'un d'eux nous accompagne systématiquement à la maternelle. Cela représentait une distance non négligeable pour eux. Pour venir chez nous, il leur fallait au moins une heure de route à contre-courant du périphérique aux heures de pointe. Ils le faisaient quand même tous les jours.

— C'est une faveur spéciale! grognait mon père en pliant ses longues jambes dans ma voiture surbaissée.

Je savais ce qu'ils essayaient de faire et je les en aimais d'autant plus. Ils essayaient d'empêcher leur petit-fils de pleurer. Ils avaient très peur à l'idée que, s'il commençait à pleurer, il ne puisse plus s'arrêter.

Malheureusement, le départ de sa mère ne permettait pas à Pat de se sentir à la fête; ni leurs cadeaux de *La Guerre des Étoiles* ni leurs bonnes intentions ne pouvaient transformer cette réalité.

— Que vas-tu faire aujourd'hui, Pat? demanda mon père qui, assis sur le siège passager de la MGF, tenait mon fils sur ses genoux. Des vers en pâte à modeler? Étudier la vie des Schtroumpfs? C'est formidable!

Pat ne répondit pas. Pâle et beau, il regardait d'un air vague les embouteillages du matin. Mon père pouvait s'échiner à faire le clown, Pat ne se déridait pas. Il ne parla qu'en arrivant devant la porte de la maternelle.

— Veux pas y aller, murmura-t-il. Veux rester à la maison.

— Mais ce n'est pas possible, mon bébé, lui dis-je.

Pour un peu, je lui aurais sorti la grande excuse parentale de papa qui doit aller travailler. Mais papa n'avait plus de travail. Papa pouvait rester au lit toute la journée sans être en retard au bureau.

Une des institutrices vint le chercher. Elle me lança un regard significatif en le prenant gentiment par la main. Ce n'était pas la première fois qu'il y allait à contrecœur. Depuis une semaine que durait l'absence de Gina, il rechignait de plus en plus à me perdre de vue.

Nous le regardâmes s'éloigner, accroché à la main de l'institutrice. Mon père continuait à lui promettre des amusements et des jeux extraordinaires pour la fin de la journée. Les yeux bleus de mon fils étaient pleins de larmes et sa bouche tremblait.

J'étais sûr qu'il craquerait avant d'arriver à la porte de la salle de classe. Peut-être se laisserait-il encore enlever son manteau mais, le temps qu'on leur distribue la pâte à modeler, il s'écroulerait, inconsolable, et sangloterait sous les regards curieux des autres enfants, du moins de ceux qui ne se détourneraient pas pour s'adonner à leurs occupations d'enfants.

— Je me souviens de toi, à cet âge, dit mon père tandis que nous regagnions la voiture. Je t'avais emmené au parc entre Noël et le nouvel an. Il faisait un froid glacial. Tu avais pris ta luge et j'ai dû te tirer depuis la maison jusqu'au parc. Le lac était gelé et on a vu les canards qui essayaient de se poser. Ils arrivaient, et boum ! ils glissaient sur le derrière ! Mon Dieu ! Comme tu as ri ! Tu n'arrêtais pas de rire, à t'en étouffer. On a dû rester des heures à les regarder. Tu t'en souviens ?

— Papa ?

— Oui ?

— Je ne suis pas sûr d'y arriver.

— D'arriver à quoi ?

— Je ne sais pas si j'arriverai à élever Pat tout seul. J'ignore si j'en suis capable. J'ai dit à Gina que je pouvais le faire mais je n'en suis pas sûr.

Il tourna vers moi un regard furieux. Pendant quelques instants, je crus qu'il allait me frapper. Il n'avait jamais levé un doigt contre moi mais il y a un commencement à tout.

— Tu ne sais pas si tu peux le faire ? Tu ne sais pas si tu peux le faire ? Mais tu n'as pas le choix : tu dois le faire !

C'était facile à dire pour lui. Sa jeunesse avait peut-être été gâchée par les efforts de l'armée allemande pour le tuer mais au moins, à son époque, le rôle des pères ne souffrait pas de discussion. Il n'avait pas à se poser de question sur ce que l'on attendait de lui.

Mon père avait été un père extraordinaire et — c'est le plus ahurissant — il n'avait même pas besoin d'être physiquement présent pour cela. Pour m'obliger à être sage, il suffisait à ma mère de dire : « Attends que ton père soit rentré ! » Elle n'avait qu'à l'évoquer et je comprenais aussitôt! « Attends que ton père soit rentré! » disait-elle, et le monde marchait droit.

On ne l'entend plus dire très souvent, à présent. Combien de femmes disent encore : « Attends que ton père soit rentré! » Pas beaucoup car, aujourd'hui, certains pères ne rentrent jamais à la maison. Et d'autres y sont en permanence.

Je compris que mon père avait raison. Je ne réussirais peut-être pas aussi bien que lui — je ne pouvais imaginer Pat me voyant un jour comme je voyais mon père — mais je devais remplir mon rôle de père aussi bien que possible.

Par ailleurs, je me souvenais des canards qui essayaient de se poser sur le lac gelé. Bien sûr, je m'en souvenais! Et même très bien.

En dehors de la médiocrité du salaire, des horaires qui interdisent toute vie sociale, de l'absence d'une couverture sociale de base, le pire dans le métier de serveuse est d'avoir affaire à des tarés.

Comme le petit tablier et le carnet de commandes, les tarés font partie du métier. Il y a les hommes qui ont envie de parler avec elle, ceux qui lui demandent son téléphone, ceux qui refusent de la laisser seule. De vrais tarés.

Les tarés des chantiers de construction, ceux des immeubles de bureaux, les tarés du monde des affaires en costume trois pièces, les tarés avec le jean qui tombe et laisse voir la raie des fesses, les tarés de toutes sortes — ceux qui se croient drôles, ceux qui se prennent pour un cadeau du ciel, ceux qui pensent avoir une chance avec la serveuse simplement parce qu'elle leur apporte le plat du jour.

Quand je m'assis à une table du fond, elle servait une table de tarés. L'un d'eux, plutôt de l'espèce « taré du monde des affaires » que « taré de chantier », la déshabillait des yeux tandis que ses copains tarés — costumes rayés, cheveux impeccables et téléphones portables — béaient avec admiration devant son ignoble culot.

— C'est quoi, votre petit nom ?

Elle hocha la tête.

— Et pourquoi voulez-vous le savoir ?

— Je suis sûr que c'est un nom typique du Vieux Sud, pas vrai ? Peggy Sue ? Becky Lou ?

— Pas du tout.

— Billie Joe ? Mary Beth ?

— Écoutez, vous voulez passer commande ou quoi ?

— À quelle heure vous terminez ?

— Vous n'êtes jamais sorti avec une serveuse ?

— Non.

— Les serveuses terminent très tard.

— Et ça vous plaît d'être une serveuse ? Ça vous plaît d'être agent de service dans l'industrie alimentaire ?

Cela lui valut un grand éclat de rire de tous ces salauds qui se croyaient supérieurs, à parler de rien sur leur portable au milieu d'un restaurant bondé.

— Je vous prie de ne pas vous moquer de moi.

— Mais je ne me moque pas de vous !

— Beaucoup d'heures, paye minable. C'est ça, être serveuse. Et plein d'enfoirés. Mais j'ai perdu assez de temps avec vous.

Elle jeta le menu sur la table.

— Je vous laisse réfléchir.

Le « taré homme d'affaires » rougit et sourit dans un effort pour sauver la face tandis qu'elle s'éloignait. Les autres tarés riaient mais de façon un peu forcée.

Elle se dirigea vers moi. Et je ne connaissais toujours pas son nom.

— Votre fils n'est pas là, aujourd'hui ?

— Il est à la maternelle.

Je lui tendis la main pour me présenter.

111

— Harry Silver.

Elle me considéra pendant un moment puis me sourit. Je n'avais jamais vu un sourire comme le sien. Toute la salle en fut illuminée. Elle avait un sourire resplendissant.

— Cyd Mason, dit-elle en me serrant la main.

Elle avait une poignée de main très douce. Il n'y a que les hommes pour essayer de vous broyer les os. Des tarés !

— Ravie de faire votre connaissance, Harry.

— Comme Sid Vicious ?

— Comme Cyd Charisse. Mais vous ne savez sans doute pas de qui il s'agit ?

— Elle danse avec Fred Astaire dans *La Belle de Moscou*, répondis-je. Elle avait une coupe de cheveux comme la vôtre. Comment cela s'appelle-t-il ?

— Une coupe à la chinoise.

— Ah ! une coupe à la chinoise ? Oui, Cyd Charisse, je sais de qui il s'agit. Elle a sans doute été la plus belle femme du monde.

— Absolument.

Visiblement, elle était impressionnée.

— Ma mère adorait tous ces vieux films de la MGM, reprit-elle.

Je l'imaginais à dix ans, assise devant la télévision dans un petit appartement, le climatiseur à fond, regardant avec sa mère Fred Astaire en train de faire danser Cyd Charisse sur les quais de Paris, rive gauche. Rien d'étonnant qu'elle ait eu une vision romanesque de l'amour. Rien d'étonnant qu'elle soit venue à Londres pour un taré.

— Je peux vous recommander le plat du jour ? dit-elle.

Elle était sympathique et j'avais envie de parler avec elle de Houston, Texas, des comédies musicales de la MGM et de ce qui était arrivé entre elle et l'homme qui l'avait amenée ici. Mais je me suis contenté de manger mes pâtes en silence.

Je ne voulais surtout pas que l'un de nous deux puisse penser que je n'étais qu'un taré parmi d'autres.

Gina n'était plus là mais elle était partout. La maison était pleine de disques compacts que je n'écouterais jamais (de la musique soul sentimentale, pleine d'histoires d'amour perdu et retrouvé), de livres que je ne lirais jamais (des femmes luttant pour trouver leur vrai moi dans un monde peuplé d'hommes pourris) et de vêtements que je ne porterais jamais (en particulier les sous-vêtements).

Et le Japon. Des tonnes de bouquins sur le Japon. Tous les classiques qu'elle m'avait tant recommandés — *Pluie noire, Le Samouraï rose, Mémoires de paille et de soie* — et un vieil exemplaire usé de *Pays de neige*. Celui-là, je l'avais lu, cette histoire d'amour dont elle disait que je devais la lire si je voulais la comprendre. Les affaires de Gina... Je les voyais partout, tous les jours, et cela me démolissait.

Je devais m'en débarrasser.

J'avais mauvaise conscience à l'idée de tout jeter mais, si quelqu'un vous quitte, le quelqu'un en question devrait emporter toutes ses affaires. Car il me suffisait d'apercevoir un de ses disques de Luther Vandross, un de ses romans de Margaret Atwood ou un de ses livres sur Hiroshima, j'en avais des nausées de chagrin. C'était plus que je ne pouvais en supporter.

Gina, avec ses rêves d'amour éternel et d'indépendance durement gagnée, Gina qui faisait joyeusement cohabiter les intransigeantes positions postféministes de Naomi Wolf et les tendres futilités de Whitney Houston...

Telle était ma Gina.

Je me mis donc au travail, entassant dans des sacs-poubelle tout ce qui lui appartenait. Le premier se remplit très vite — les femmes ne jettent donc jamais rien ? J'allai chercher le rouleau de sacs grande contenance qui se trouvait à la cuisine.

Quand tous ses livres de poche furent empilés dans des sacs, il restait dans la bibliothèque de longues rangées vides. On aurait dit une bouche pleine de dents cassées. Jeter ses vêtements fut plus facile car il n'y avait pas à trier. Son côté de notre penderie fut bientôt vide lui aussi, à l'exception des boules anti-mites et des portemanteaux.

Je me sentais déjà mieux.

Je commençais à transpirer mais je fis le tour de la maison, à l'affût de tout ce qui rappelait sa présence. Toutes les estampes japonaises qui dataient de son célibat. Une peinture qu'elle avait achetée pendant nos vacances à Antigua quand Pat était encore bébé. Un rasoir rose au bord de la baignoire. Deux vidéos de Gong Li. Et une photo de notre mariage ; c'était la plus belle femme du monde et je souriais aux anges comme un pauvre imbécile qui n'arrive pas à croire à sa chance.

À présent, tout cela était bon pour la poubelle.

Je terminai par le panier de linge sale. Au milieu des pyjamas *Guerre des Étoiles* de Pat et de mes sous-vêtements, il y avait le vieux T-shirt avec lequel elle aimait dormir. Je m'assis sur la dernière marche de l'escalier avec ce T-shirt. Je me demandais avec quoi elle dormirait ce soir. Finalement, je me décidai à jeter son T-shirt dans le dernier sac-poubelle.

C'est incroyable, la vitesse à laquelle on peut faire disparaître toute trace d'une présence dans une maison. Cela prend si longtemps de mettre son empreinte dans un foyer, et si peu de temps pour tout effacer...

Après cela, je passai quelques heures à tout repêcher dans les sacs-poubelle pour scrupuleusement remettre les vête-ments, les disques, les livres, les estampes — tout ! — à la place où je les avais trouvés.

Elle me manquait tellement, à en perdre la tête.

Je voulais que toutes ses affaires restent comme elle les avait laissées, prêtes à servir, au cas où elle aurait envie de revenir chez nous.

12

Au supermarché, j'ai eu un moment de panique.

Rien de grave, seulement la brusque prise de conscience qu'un homme comme moi, dont la famille s'était brisée, osait faire ses courses chez le pourvoyeur des familles heureuses. Je me sentais dans la peau d'un imposteur.

Au rayon « mode », j'aurais dû me sentir rassuré par le spectacle des échappés d'asile qui m'entouraient — des femmes tatouées, des hommes avec des boucles d'oreilles, des enfants habillés comme des adultes et des adultes comme des adolescents — mais ce n'était pas le cas.

J'arrivai à la caisse tremblant et couvert de sueur. J'aurais voulu que ce soit déjà fini, j'aurais voulu être déjà dehors. Je respirais mal, de façon saccadée et, le temps que le caissier, un adolescent semi-comateux qui grattait paresseusement son anneau de nez, m'ait rendu la monnaie, j'étais à deux doigts de crier ou de pleurer. Ou les deux à la fois.

Je me précipitai vers la sortie et, au moment où je me retrouvai enfin à l'air libre, la poignée du sac contenant le dîner de Pat, celui du chat et le mien cassa. Mes achats se répandirent sur le trottoir.

Avec Gina, les sacs de supermarché ne cassaient jamais. Pendant sept ans, nous avions fait nos courses de la semaine tous les samedis et jamais un des sacs remplis par ses soins n'avait fait mine de vouloir céder. Peut-être Gina n'achetait-elle pas autant de plats à faire réchauffer au micro-ondes que moi. Cela pèse une tonne.

Les boîtes pour chat et les repas minute roulaient partout, sous les roues des chariots, aux pieds du jeune vendeur de *Big Issue*, le journal des SDF, et en direction du caniveau. J'étais à quatre pattes en train de ramasser une boîte qui promettait « Tout le goût de la Toscane » quand ils me reconnurent.

— Harry ?

C'était Marty. Avec une fille. Siobhan. Marty et Siobhan. Ils se tenaient par la main !

Le choc de les voir ensemble l'emporta sur la gêne que je pouvais éprouver à me faire surprendre en train de ramasser mes emplettes sur le trottoir. Mais cela ne dura qu'un instant. Très vite, je sentis mes joues me brûler d'une façon insupportable.

Cela faisait un moment que je ne les avais pas vus, un peu plus d'un mois en fait. Toutefois, mon cerveau de producteur ne pensait pas en termes de semaines et de mois. Cinq émissions. Ils avaient fait cinq émissions sans moi.

Ils avaient l'air en pleine forme. Même cette ordure de Marty. Ils portaient tous les deux des lunettes noires et des pantalons blancs. Siobhan arborait un sac de supermarché avec du pain français et une bouteille d'un liquide sec, blanc et très cher. Je n'aurais pas été étonné d'apprendre qu'il y avait une boîte de foie gras pour aller avec tout ça. En plus, leur sac n'avait pas l'air de vouloir lâcher. Deux professionnels puissants et sûrs d'eux faisant un peu de shopping avant de retourner à leurs brillantes carrières. Ils n'avaient pas l'allure de gens obligés de penser à avoir des réserves de nourriture pour chat.

— Attends, je vais t'aider, dit Siobhan.

Elle se baissa pour ramasser une boîte de « bœuf et cœur » qui roulait vers le caniveau.

Marty eut la décence de laisser paraître un peu de honte mais Siobhan avait l'air contente malgré la surprise de me trouver en train de courir après des boîtes pour chat, des rouleaux de papier toilette et des repas minute, et non pas en train de recevoir un BAFTA[1] pour mon travail.

— Alors, qu'est-ce que tu as fait ces derniers temps ? dit-elle.

— Oh ! ça va, dis-je.

Ça allait. Chaque jour, après avoir conduit Pat à la maternelle, je passais des heures à arpenter mon salon « comme un lion en cage », selon l'expression de ma mère. Je mourais d'angoisse à me demander comment il s'en sortait, à me demander s'il n'avait pas recommencé à pleurer. Oui, ça allait. J'attendais chaque après-midi le coup de téléphone de Gina, à quatre heures tapantes, c'est-à-dire minuit pour elle. J'attendais même si je donnais toujours le combiné directement à Pat car je savais qu'elle n'appelait que pour lui.

Et quoi encore ? Je parlais tout seul. Je buvais trop, je ne mangeais pas assez, je n'arrêtais pas de me demander comment j'avais fait pour transformer ma vie en un tel désastre. Voilà ce que je faisais, ces derniers temps.

— Je continue à réfléchir aux différentes options, dis-je. Et l'émission ? Comment ça se passe ?

— Mieux que jamais, dit Marty, quelque peu sur la défensive.

— Bien, dit Siobhan d'un ton satisfait mais neutre comme si le sort de cette émission ne pouvait pas beaucoup intéresser un caïd comme moi.

— Le taux d'audience est en légère augmentation, ajouta-t-elle.

J'en eus des nausées.

— C'est formidable, dis-je avec un sourire.

— Bon, on doit y aller, dit Marty.

Ce n'était pas seulement à cause de moi. Quelques passants

1. BAFTA : British Academy of Film and Television Arts. Organisme chargé de promouvoir le cinéma et la télévision, et qui attribue des prix. *(N.d.T.)*

avaient commencé à le regarder et à le désigner. Était-ce vraiment lui?

— Oui, moi aussi, dis-je. Il faut que je me dépêche, j'ai à faire.

Siobhan me prit par le bras et me planta un rapide baiser sur la joue. Cela me fit regretter de ne pas m'être rasé ce jour-là. Pas plus que la veille. Ou l'avant-veille.

— À bientôt, Harry, dit Marty.

Il me tendait la main. Sans rancune, hein? Je m'apprêtais à la lui serrer mais, en réalité, il me tendait une boîte pour chat. Je la pris.

— À bientôt, Marty.

Quels pourris!

Bande de sales pourris.

J'étais en train de donner son bain à Pat quand le téléphone sonna. Je le laissai seul dans la baignoire. Il pouvait y passer des heures, heureux comme un poisson dans l'eau. Les mains mouillées, je descendis décrocher. Je pensais que c'était ma mère. J'avais tort. Il y eut le petit bip qui annonce les communications intercontinentales et, soudain, la voix de Gina me parvint.

— C'est moi, dit-elle.

Je regardai ma montre. Il n'était que quatre heures moins vingt. Elle était en avance aujourd'hui.

— Il est dans son bain.

— Ne le dérange pas, je rappellerai à l'heure habituelle. Je m'étais dit qu'il serait peut-être à côté du téléphone. Comment va-t-il?

— Bien, bien, bien, il va bien. Tu es toujours là-bas, n'est-ce pas?

— Oui, je suis toujours ici.

— Comment ça marche?

118

Je l'entendis prendre sa respiration. Ma Gina prenait sa respiration, de l'autre côté du monde.

— C'est bien plus dur que je ne l'avais imaginé, dit-elle. Leur économie est à genoux. Je ne plaisante pas. Ma société est en train de licencier des Japonais. La sécurité de l'emploi est donc très limitée pour une *gaijin* dont le japonais s'est révélé moins bon qu'elle le pensait. Mais je n'ai pas de problème avec mon travail, je m'en sors bien. Les gens sont gentils. C'est tout le reste. En particulier le fait de vivre dans un appartement grand comme notre cuisine.

Elle prit à nouveau une grande respiration.

— Ce n'est pas facile pour moi, Harry. N'imagine pas que je m'amuse comme une folle.

— Alors, quand rentres-tu ?

— Qui a dit que je rentrais ?

— Écoute, Gina. Oublie toutes ces histoires sur le besoin de te trouver. Tu ne fais cela que pour me punir !

— Tu vois, Harry, parfois je me demande si j'ai eu raison de venir ici. Et puis, quelques mots de ta part et, brusquement, je sais que j'avais raison !

— Alors, tu restes là-bas, c'est ça ? Dans ton appartement grand comme la cuisine ?

— Je reviendrai, mais seulement pour prendre Pat. Pour qu'il vienne vivre ici, avec moi. Je veux vraiment réussir ce que j'ai entrepris, Harry. J'espère que tu comprends.

— Ce n'est pas sérieux, Gina ! Pat là-bas ? Je n'arrive même pas à lui faire manger un croque-monsieur ! Je l'imagine devant un plat de poisson cru avec du riz ! Et où vivra-t-il ? Dans ton appartement grand comme la cuisine ?

— Et zut ! Je n'aurais jamais dû te raconter ce fichu appartement. Je ne peux pas te parler plus longtemps.

— Pat reste avec moi, nous sommes d'accord ?

— Pour l'instant, comme convenu.

— Je ne le laisserai pas partir si ce n'est pas la meilleure solution pour lui. Je n'ai pas dit : pour toi. Pour lui. C'est cela qui a été convenu, nous sommes bien d'accord?

Un silence. Elle n'avait plus la même voix quand elle reprit la parole.

— Ce sera au tribunal d'en décider, Harry.

— Eh bien! Tu diras à ton avocat que Pat reste avec moi. C'est toi qui es partie. Tu n'as qu'à le lui dire.

— Et toi, dis au tien que c'est toi qui as couché ailleurs.

— Impossible. Je n'ai pas d'avocat.

— Tu devrais, Harry. Si l'idée de me voler mon fils t'a traversé l'esprit, tu as intérêt à te trouver un très bon avocat. Mais, de toute façon, tu ne parles pas sérieusement. Nous savons très bien, tous les deux, que tu ne peux pas t'occuper de Pat en permanence. Tu n'es même pas capable de t'occuper de toi-même. Tu cherches seulement à me faire du mal. Écoute, tu veux qu'on se parle en adultes ou tu veux qu'on se dispute?

— Je veux qu'on se dispute.

Il y eut un soupir.

— Pat est là?

— Non, il est sorti pour dîner avec quelques copains branchés! Bien sûr qu'il est là. Il a quatre ans! Où veux-tu qu'il soit? En rendez-vous galant avec Naomi Campbell? Je t'ai dit qu'il est dans son bain. Je ne te l'ai pas dit?

— Si, tu me l'as dit. Je peux lui parler?

— Bien sûr.

— Encore une chose, Harry.

— Quoi?

— Bon anniversaire.

— C'est demain, dis-je d'un ton furieux. Demain!

— Là où je suis, c'est déjà demain.

— Mais, moi, je ne suis pas au Japon, Gina. Je vis ici.

— Bon anniversaire quand même. Pour demain.

— Merci.

120

Je fis sortir Pat du bain, je l'essuyai et l'enroulai dans une serviette sèche. Je m'accroupis devant lui.

— Maman veut te parler. Elle est au téléphone.

Il réagissait chaque jour de la même façon. Un éclair de surprise brillait dans ses yeux, puis quelque chose qui pouvait être aussi bien de la joie que du soulagement. Cependant, quand je lui tendis le combiné, il avait l'air moins excité.

— Allô? dit-il d'une petite voix.

Je m'attendais un peu à des larmes, des cris de reproche, tout un déferlement d'émotions, mais il resta calme et posé, répondant par monosyllabes aux questions de Gina jusqu'à ce qu'il me redonne le combiné.

— J'ai fini de parler avec maman, me dit-il d'un ton uni.

Il sortit du salon, toujours drapé dans la serviette comme dans un grand châle. Derrière lui se dessinaient les empreintes de petits pieds encore humides.

— Je le rappellerai demain, dit Gina.

À sa voix, je la sentis plus émue que je ne l'aurais cru. En réalité, elle trahissait un désarroi qui me redonna espoir.

— C'est d'accord, Harry? ajouta-t-elle.

— Appelle quand tu veux.

J'aurais aimé lui demander comment nous en étions arrivés à nous menacer d'avocats, comment deux personnes qui avaient été si intimes pouvaient devenir un banal cas de divorce.

Était-ce vraiment ma faute? Ou était-ce une simple question de malchance, comme de se faire renverser par une voiture ou d'avoir un cancer? Si nous nous aimions tant, pourquoi cela n'avait-il pas duré? Était-il impossible de rester ensemble dans ce monde moderne? Et comment notre fils supporterait-il tout cela?

J'aurais voulu le savoir mais je ne pouvais pas en parler à Gina. Nous étions aux antipodes l'un de l'autre.

13

Nous étions à mi-chemin de la maison de mes parents quand mon portable sonna. C'était ma mère. Naturellement calme et flegmatique, elle représentait le centre inébranlable de notre famille. Mais pas aujourd'hui.

— Harry !

— Qu'est-ce qui se passe ?

— C'est ton père.

Mon Dieu ! pensai-je. Il est mort. Le jour de mes trente ans. Même ce jour-là, il faut qu'il reste le centre d'attraction.

— Que lui est-il arrivé ?

— On nous a cambriolés.

Impensable ! Même là-bas. Même dans une banlieue aussi éloignée. On n'était plus en sécurité nulle part.

— Il n'a rien ? Et toi ?

— S'il te plaît, Harry... Viens vite... La police est en route... S'il te plaît... Il ne veut rien entendre...

— Tiens bon, maman, d'accord ? Tiens bon. J'arrive aussi vite que possible.

Je coupai la communication et passai aussitôt dans la file rapide, accélérateur au plancher. La MGF bondit comme si elle n'avait été construite que pour répondre à cette situation précise.

Sur le siège du passager, à côté de moi, Pat éclata de rire.

— Le pied ! s'exclama-t-il.

Qui lui avait appris à parler de cette façon?

Ma mère nous ouvrit. Elle portait sa plus belle robe. Elle s'était pomponnée pour l'anniversaire de son fils mais son visage livide, bouleversé, gâchait l'impression de fête.

— C'est affreux, Harry. On a été cambriolés. Dans le salon. Va voir.

Elle emmena Pat dans la cuisine, évitant de répondre à ses questions sur son grand-père. Je me rendis dans le salon, me raidissant à l'idée de trouver mon père agonisant dans une mare de sang. Or il se tenait devant la cheminée, son visage bronzé plein d'une expression joyeuse. Je ne l'avais jamais vu aussi heureux.

— Salut, Harry! Bon anniversaire, mon fils. Tu connais nos invités?

À ses pieds, deux adolescents gisaient sur le ventre, les mains attachées dans le dos.

Au début, je crus les avoir déjà rencontrés. Ils avaient exactement la même expression de menace larvée que j'avais vue sur le visage du copain de Sally, chez Glenn. Il faut reconnaître qu'ils n'avaient plus l'air très menaçants, mais c'était le même style. Des baskets coûteuses, des jeans de marque et une telle couche de gel sur les cheveux qu'ils donnaient l'impression d'être caramélisés. Mon père les avait ligotés avec les deux cravates de soie que je lui avais offertes à Noël.

— Je les avais repérés dans la rue un peu plus tôt. Ils faisaient les galopins dans le coin. Mais on a fait un petit peu plus que les galopins!

Mon père me donnait parfois l'impression d'être le conservateur de la langue anglaise. En plus de son amour pour le jargon des années cinquante, il émaillait ses phrases d'expressions de sa jeunesse, des expressions que tout le monde avait oubliées en même temps que les tickets de rationnement.

Il utilisait sans arrêt des formules comme « faire les galopins » — son maître mot pour désigner les farceurs, les gens peu sérieux et, d'une façon générale, ceux qui traînent sans rien faire. Des mots passés de mode à peu près à la même époque que l'Empire britannique.

— Ils sont entrés par les portes-fenêtres, les effrontés ! Ils ont cru qu'il n'y avait personne. Ta mère faisait les courses pour ton anniversaire — elle a un rôti superbe ! — et, moi, j'étais en haut à me mettre sur mon trente et un.

Se mettre sur son trente et un ! Encore une à garder pour les archives.

— Ils essayaient de débrancher le magnétoscope quand je suis arrivé. Il y en a un qui a eu le toupet de me sauter dessus.

Il secoua légèrement du bout de sa pantoufle le plus maigre et le plus minable des deux garçons.

— Pas vrai, mon vieux ?

— Mon frère va te faire la peau, grogna l'intéressé.

Dans cette pièce où j'avais passé mon enfance, sa voix me parut aussi déplacée qu'un rot dans une église. Une ecchymose jaune et violet commençait à apparaître sur sa pommette boutonneuse.

— Il te tuera, vieux débris. C'est un caïd, mon frère.

Mon père en gloussa d'amusement.

— J'ai dû lui en coller un, m'expliqua-t-il en donnant dans le vide un grand coup de poing. Je ne l'ai pas loupé, je l'ai mis KO. L'autre a essayé de s'enfuir mais je l'ai rattrapé par la peau du cou.

Les muscles de ses bras tatoués roulaient sous les manches courtes de sa chemise tandis qu'il me montrait sa technique pour attraper un jeune cambrioleur par la peau du cou... Sur un de ses bras, il avait fait tatouer le nom de ma mère dans un cœur. Sur l'autre, il avait la dague ailée des commandos. Les deux tatouages avaient pâli au fil des ans.

— Je l'ai jeté par terre. Par chance, j'étais en train de choisir ma cravate quand ils sont entrés. Elles sont pratiques, les cravates que tu m'as achetées.

J'éclatai.

— Mais, bon Dieu, papa, ils auraient pu avoir des couteaux ! Les journaux sont pleins d'histoires de héros qui se font tuer pour avoir voulu arrêter des criminels. Pourquoi ne t'es-tu pas contenté d'appeler la police ?

Mon père rit avec bonne humeur. Cette fois, on ne se disputerait pas. Il s'amusait trop pour cela.

— Je n'ai pas eu le temps, Harry. Je suis descendu et je les ai trouvés là. En chair et en os, chez moi ! Ce n'est pas très correct, tu sais.

J'étais en colère contre lui. S'attaquer à ces deux petits voyous ! Je le savais pourtant plus que capable de les maîtriser. J'éprouvais aussi ce violent soulagement qui vous submerge quand on retrouve un enfant porté manquant. En réalité, il y avait autre chose. J'étais jaloux.

Qu'aurais-je fait si j'avais trouvé chez moi ces deux-là, ou n'importe lequel de leurs millions de semblables ? Aurais-je eu le courage et le bête sang-froid de les attaquer ? Ou bien aurais-je pris mes jambes à mon cou ?

En tout cas, je suis certain d'une chose : il m'aurait manqué l'assurance virile de mon père. Je n'aurais jamais pu protéger ma maison et ma famille comme il l'avait fait. Je n'étais pas comme lui. Pourtant, de toutes mes forces, je voulais lui ressembler.

Les policiers finirent par arriver, la sirène à fond et le gyrophare lançant des éclairs bleus. Pat courut à leur rencontre, très excité, les yeux écarquillés.

Ils étaient deux. Le plus jeune, à peu près mon âge, avec le physique de l'emploi, considérait les hauts faits de mon père avec un air d'exaspération froide. L'autre, un gradé plus âgé et mieux en chair, établit aussitôt une relation chaleureuse avec mon père.

En réalité, mon père n'avait jamais été un ardent défenseur de la police. Je me souviens très bien de plusieurs occasions, dans mon enfance, où il s'était fait siffler pour excès de vitesse et où il s'était systématiquement montré ironique, aussi peu respectueux que possible, et surtout pas prêt à leur faire des courbettes pour avoir la paix. S'il voyait une voiture de police foncer en faisant hurler sa sirène, il faisait toujours la même remarque pleine de mépris :

— Ils sont seulement pressés de rentrer déjeuner !

Or, cette fois, il buvait du petit-lait. Lui et le plus âgé des deux policiers se découvraient les mêmes idées : deux hommes flegmatiques qui, tout en surveillant les deux voyous à leurs pieds, se demandaient où allait le monde.

— On imagine aisément de quel genre de milieu ils viennent, disait mon père.

— La mère est au chômage, reprenait le policier. Le père a probablement disparu depuis des années. S'il a jamais été là ! C'est donc à l'État de payer pour élever ces deux mignons. Autrement dit, vous et moi.

— Exactement ! Et je pense qu'ils ne sont même pas reconnaissants au contribuable de les entretenir. On n'a plus que des droits, de nos jours, n'est-ce pas ? Seulement des droits et pas de responsabilités.

— Les cités en sont pleines, de ces femmes avec une ribambelle d'enfants qui hurlent, mais pas d'alliance au doigt.

— C'est déconcertant, non ? Vous avez besoin d'un permis pour conduire une voiture ou posséder un chien. Mais n'importe qui peut mettre un enfant au monde sans qu'on lui demande rien !

Je rejoignis ma mère et Pat dans la cuisine. Pourquoi tous les gens bien en ont-ils tellement après les mères seules ? Après tout, si elle est seule pour élever ses enfants, c'est qu'elle est restée pour s'en occuper, elle !

En dépit de sa capacité à dévorer deux cambrioleurs au petit déjeuner, mon père n'était pas un homme violent. Ce n'était pas le mythique vétéran endurci au combat dont le cinéma se repaît. C'était l'homme le plus gentil que j'aie jamais rencontré.

Il est vrai que je l'ai vu exploser deux ou trois fois. Quand j'avais environ l'âge de Pat, ma mère travaillait à temps partiel dans un magasin de bonbons. Le propriétaire était un sale type qui refusa de la laisser prendre un appel de l'hôpital où son père, mon propre grand-père, était en train de mourir d'un cancer. Ce jour-là, j'ai vu mon père saisir le propriétaire du magasin par le cou — par la peau du cou, selon son expression — et le soulever à bout de bras. Le type a cru que mon père allait le tuer. Moi aussi.

Ce ne fut pas la seule occasion. Il y eut cet imbécile de surveillant de piscine qui eut le malheur de dire ce qu'il ne fallait pas un jour où j'exhibais des bouées de bras particulièrement hideuses. Ou encore ce motard qui lui coupa la route alors que nous allions sur la côte un jour d'été torride. Il régla le problème, à chaque fois, comme il avait réglé celui des cambrioleurs. Mais jamais mon père n'a levé le petit doigt sur ma mère ou sur moi.

La guerre était toujours là, aussi indéniable que les fragments d'obus qui migrèrent dans son vieux corps blindé jusqu'à la fin de sa vie. Cependant, la tragédie qui avait marqué son existence — les amis morts avant d'avoir l'âge de voter, les hommes qu'il avait tués, les choses impensables qu'ils avaient vues ou faites —, tout cela appartenait déjà au passé le jour de ses vingt ans. Je pensais toujours à lui comme à un soldat, un homme des commandos de marine avec une médaille d'argent sur la poitrine, mais, en réalité, pendant cinquante ans, mon père avait été un autre homme.

Après la guerre, il avait travaillé pendant cinq ans comme vendeur de fruits et légumes. Quand il épousa ma mère, il prit la direction d'une épicerie. Ils habitaient l'appartement juste au-dessus et y vécurent seuls pendant dix ans, désespérant d'avoir un enfant.

Je naquis enfin, alors qu'ils n'y croyaient plus. Ensuite, du jour où nous quittâmes notre petit logement au-dessus de l'épicerie jusqu'au jour où il prit sa retraite, mon père avait été chef de produit pour une chaîne de supermarchés. Il visitait les succursales de l'est et du sud-est de l'Angleterre, vérifiant que la qualité des fruits et des légumes s'accordait à ses critères draconiens.

Aux yeux du monde, mon père n'était pas un guerrier. Pour moi, si.

Il n'aurait pas fait de mal à une mouche, au sens strict du terme. Il avait sans doute vu assez de sang et d'horreurs pour le restant de sa vie. Si un insecte, volant, courant ou rampant, s'échappait de son jardin bien entretenu pour entrer dans la maison, il nous interdisait de le toucher.

Je l'ai vu se baisser pour ramasser un papillon blessé ou une fourmi perdue — une mouche, une souris, peu importe, aucune créature ne lui paraissait trop petite ou trop répugnante pour être sauvée. Il recueillait la bestiole dans ses mains en coupe, dans une boîte d'allumettes ou dans un bocal, et la ramenait dehors. Il la relâchait doucement dans la nature pendant que maman et moi nous nous moquions de lui en chantant le thème de *Born Free*[1].

Pourtant, nous pouvions bien nous moquer de lui, mon cœur d'enfant débordait d'admiration.

Mon père était un homme plein de force qui avait appris la douceur, un homme qui avait vu la mort d'assez près pour aimer la vie. Et moi, je ne pouvais pas rivaliser avec lui. Je ne pouvais pas.

Pat refusait de manger son dîner, peut-être à cause du coup de téléphone de sa mère ou de la tentative de cambriolage. Mais je ne le pense pas. Je crois plutôt que je cuisinais très mal.

1. *Born Free* : film sur la vie des animaux sauvages d'Afrique. *(N.d.T.)*

J'avais commencé à me soucier de la qualité de son alimentation. Quelle valeur nutritive possédaient les pizzas et les plats à réchauffer dont je le gavais? Pas grand-chose, je le crains. Ses repas ne ressemblaient à ce que l'on appelle une nourriture saine que les jours où nous mangions chez mes parents ou dehors. Un soir, j'ai donc essayé de faire bouillir quelques légumes et de les ajouter aux pâtes décongelées au micro-ondes.

— Beurk! dit-il en découvrant un morceau orange dans sa cuillère. C'est quoi, *ça*?

— C'est de la carotte, Pat. Retiens bien ce mot. Carotte! C'est très bon pour toi. Allons, mange vite!

Il repoussa son assiette d'un air dégoûté.

— Pas faim, dit-il en s'apprêtant à descendre de sa chaise.

— Reste ici! Tu ne vas nulle part tant que tu n'as pas mangé.

— Je ne veux pas manger! dit-il en regardant la chose orange qui nageait dans la sauce. C'est pas bon!

— Mange ton dîner.

— Non.

— Mange ton dîner, s'il te plaît.

— Non.

— Vas-tu manger, oui ou non?

— *Non!*

— Alors, tu vas au lit.

— C'est pas l'heure!

— Exactement. C'est l'heure du dîner. Mais si tu ne veux pas ton dîner, tu vas au lit.

— C'est pas juste!

— La vie est une grande injustice. Va te coucher.

— Je te déteste, papa!

— Tu ne me détestes pas, tu détestes ma cuisine! Dépêche-toi d'aller mettre ton pyjama.

Il sortit de la cuisine en tapant des pieds. Je pris son assiette de cochonnerie « micro-ondée » avec des légumes réduits en bouillie et la vidai dans la poubelle. Ensuite, je rinçai l'assiette sous le robinet d'eau chaude jusqu'à m'en brûler les mains. En réalité, je ne lui reprochais pas de ne pas avoir mangé. Je crois que ce n'était pas comestible.

Quand je le rejoignis dans sa chambre, il était sur son lit, tout habillé, et pleurait à petit bruit. Je l'assis, lui séchai les yeux et l'aidai à mettre son pyjama. Il était épuisé. Ses yeux se fermaient tout seuls. Il avait la bouche gonflée de sommeil et il n'arrivait plus à garder la tête droite. Cela ne lui ferait pas de mal de se coucher plus tôt que d'habitude mais je ne voulais pas qu'il s'endorme en me détestant.

— Je sais que je cuisine mal, Pat. Pas comme mamie ou maman. Mais je vais essayer de m'améliorer, d'accord?

— Les papas savent pas faire à manger.

— Ce n'est pas vrai.

— Toi, tu sais pas.

— D'accord, c'est vrai. Ce papa-là ne sait pas faire à manger. Mais il y a plein d'hommes qui sont de grands cuisiniers, des chefs célèbres dans des restaurants très chics. Et même des hommes comme moi. Des hommes qui vivent seuls ou des papas avec leur petit garçon ou leur petite fille. Je vais essayer de leur ressembler, d'accord? Je vais essayer de te faire des bonnes choses que tu aimes. D'accord, mon chéri?

Il détourna la tête, reniflant avec incrédulité devant des déclarations aussi peu vraisemblables. Je savais ce qu'il pensait : moi-même, je n'y croyais pas. Nous étions sans doute condamnés à nous prendre de passion pour les sandwiches...

Je l'emmenai à la salle de bains se brosser les dents. En le remettant au lit, je réussis à lui arracher un baiser hésitant. Mais il n'avait pas envie de faire semblant. Me disant qu'à son réveil il aurait oublié mes carottes pourries, je le bordai et éteignis la lumière.

De retour dans le salon, je me laissai tomber sur le canapé. J'avais d'autres soucis. Je devais retrouver du travail. Mon relevé de banque était arrivé le matin et je n'avais pas le courage de l'ouvrir.

J'avais été viré à la mode d'aujourd'hui. Ils avaient attendu que mon contrat arrive à expiration. J'avais eu droit à un mois de salaire, qui était déjà dépensé. L'argent manquait. Je devais donc à tout prix retrouver du travail. Je devais aussi en retrouver parce que c'était la seule chose à quoi j'étais bon.

Je pris un journal de petites annonces et l'ouvris à la page des offres d'emploi. J'entourai d'un cercle au stylo les postes de producteur radio ou TV qui paraissaient intéressants. Je réussis à me forcer pendant quelques minutes puis je renonçai en me frottant les yeux. J'étais trop fatigué pour y penser maintenant.

Pat n'avait pas arrêté la cassette de *L'Empire contre-attaque*. Les images d'une bataille dans la neige entre les forces du bien et celles du mal, sur une lointaine planète, défilaient sur l'écran. Il y avait des moments où la présence continuelle de ce bruit de fond et de ces images me rendait fou, mais j'étais trop fatigué pour me lever et l'éteindre.

On passa du désert glacé à un marécage sombre à la surface duquel de grosses bulles venaient crever. Le vieux maître plein de sagesse instruisait Luke de sa destinée. Je compris soudain le nombre de figures paternelles qui entourent Luke, comme pour couvrir tout le champ des possibilités de choix parentaux.

Il y a Yoda, le vieux maître dont la sagesse et les bons conseils pointent au bout de ses oreilles vertes. Obi-Wan Kenobi, qui conjugue les sermons faits maison avec une forme d'amour rude à l'ancienne.

Et enfin, Darth Vader, le Seigneur Noir des Sith, qui est sans doute plus représentatif de notre époque. C'est un père absent, qui néglige son enfant, un vieil homme égocentrique qui fait passer ses désirs — dans le cas de M. Vader, une forte envie de conquérir le monde — avant ses responsabilités parentales.

Mon père appartenait indubitablement à la catégorie

131

Obi-Wan Kenobi. Et moi, je voulais être un père du même genre.

Hélas, je m'endormis sur le canapé au milieu des offres d'emploi, craignant d'être toute ma vie beaucoup plus dans la catégorie de l'homme au casque noir, un père qui n'a pas assez de patience, pas assez de temps. Perdu pour toujours au service des forces du mal.

14

— Je sais que vous avez eu quelques problèmes familiaux, me dit l'institutrice.

Elle avait employé le même ton que s'il s'était agi d'un problème de lave-vaisselle que je résoudrais en consultant les pages jaunes de l'annuaire.

— Et, ajouta-t-elle, je peux vous assurer de la sympathie de toute notre équipe.

C'était vrai. Les institutrices se dépensaient toujours en sourires et en paroles aimables quand j'amenais Pat le matin. Elles n'auraient pas pu être plus gentilles mais il blêmissait, sa bouche se mettait à trembler et ses yeux se remplissaient de larmes à l'idée de me quitter encore une fois.

Cependant, au bout du compte, ce n'était pas leur problème. Malgré toute leur gentillesse, elles ne pouvaient réparer les fêlures qui apparaissaient dans sa vie.

Pat n'aimait pas que nous soyons séparés, sauf si c'était pour rester avec mes parents, qui ne savaient jamais quoi inventer pour l'amuser. Chaque matin, quand nous nous quittions à la porte de la maternelle, c'était un drame. Et moi, de retour à la maison, je faisais les cent pas pendant des heures en me demandant ce qu'il devenait. Pendant ce temps, mon pauvre Pat n'arrêtait pas de demander à son institutrice s'il pourrait bientôt rentrer chez lui. Et il pleurait toutes les larmes de son corps sur ses peintures à doigts.

La maternelle était donc un échec et, tandis qu'elles parlaient de la possibilité de se faire aider par un psychologue pour enfants et du temps qui guérit tout, Pat abandonna ses études.

Alors que les autres enfants s'attaquaient à leur pâte à modeler, je le pris par la main et nous quittâmes pour la dernière fois le bâtiment peint aux couleurs de l'arc-en-ciel. Il retrouva aussitôt le sourire, bien trop heureux et trop soulagé pour éprouver la moindre impression d'échec. Les institutrices lui adressèrent un joyeux au revoir de la main. Les autres enfants levèrent un instant les yeux de leurs occupations avant d'y retourner.

J'imaginai mon fils — le raté de la maternelle — revenant devant la porte de l'école dans dix ans, l'air moqueur et sournois, pour vendre aux enfants leur dose de crack.

Le poste semblait idéal.

La chaîne voulait construire une émission autour d'un jeune comique irlandais qui commençait à être trop connu pour présenter son numéro dans les petites boîtes mais pas assez pour tourner des publicités pour de la bière.

Il ne s'agissait pas d'un de ces numéros démodés où l'on raconte des histoires drôles. Au contraire, il avait remporté un beau succès au festival d'Édimbourg en imaginant un spectacle autour de sa relation avec le public.

Au lieu de débiter des blagues, il s'adressait aux gens, se fiant à son sens de la provocation intelligente et à son charme celtique pour s'en sortir. Il avait l'étoffe d'un animateur-né. Contrairement à Marty et aux autres présentateurs, avec lui la qualité de l'émission ne dépendrait pas de célébrités désirant se mettre en valeur ou de membres du public prêts à se ridiculiser. De plus, il pouvait écrire ses scénarios lui-même. Du moins en théorie. Il ne lui manquait qu'un producteur expérimenté.

— Nous sommes très heureux de faire votre connaissance, dit la femme assise en face de moi.

C'était la productrice déléguée de la chaîne, une petite femme d'environ trente-cinq ans qui détenait le pouvoir de changer ma vie. Les deux hommes à lunettes assis à côté d'elle, le producteur de la série et son régisseur de plateau, sourirent en acquiesçant. Je leur rendis leur sourire. Moi aussi, j'étais très heureux.

Cette émission était exactement ce dont j'avais besoin pour inverser le cours des choses. Le salaire dépassait de loin tout ce que j'avais pu obtenir avec Marty car, à présent, je venais d'une autre émission et non pas d'une petite radio presque inconnue. Toutefois, même si je me sentais soulagé de pouvoir continuer à payer la maison et la voiture, ce n'était pas l'argent qui m'excitait le plus.

J'avais compris à quel point il me manquait d'aller travailler tous les jours. Les incessantes sonneries de téléphone me manquaient, les réunions, toutes les petites habitudes si rassurantes de la semaine de travail. J'avais envie de retrouver un bureau couvert de dossiers. Même l'employée qui passait avec les sandwiches et le café me manquait. J'en avais assez de rester à la maison à cuisiner pour mon fils des plats immangeables. J'en avais plus qu'assez de me sentir oublié par la vraie vie. Je voulais recommencer à travailler.

— Votre travail avec Marty Mann parle de lui-même, me dit la productrice déléguée. Peu d'émissions de radio ont été transposées à la télévision avec succès.

— En fait, Marty est un remarquable homme de médias, dis-je. Il m'a facilité la tâche.

L'ingrat petit salopard ! Qu'il rôtisse en enfer !

— Vous êtes très généreux avec lui, remarqua le réalisateur.

— Marty est un type formidable, renchéris-je. J'ai beaucoup d'amitié pour lui.

Le sale traître ! Attends de voir ma nouvelle émission, Marty !

Je vais te rayer des programmes ! Oublie ton régime chic, oublie tes cours particuliers de gymnastique. Tu seras bon pour retourner à ta petite radio locale !

— Nous espérons que vous pourrez établir le même genre de relation avec le présentateur de notre émission, dit la productrice déléguée. Eamon est un jeune homme très doué mais il est incapable de tenir pendant neuf semaines sans quelqu'un de votre expérience à ses côtés. C'est pour cela que nous aimerions vous voir rejoindre notre équipe.

Je voyais déjà les merveilleuses semaines surchargées de travail pour moi.

Je me voyais déjà aux réunions de préparation en début de semaine, les petits succès et échecs selon les acceptations ou les désistements des invités, le découpage de l'émission enfin prêt, l'énervement et les bourdes pendant les répétitions en studio, les projecteurs, les caméras, les montées d'adrénaline et, enfin, l'indescriptible soulagement après chaque émission, à l'idée d'avoir sept jours de répit avant de se retrouver sur le plateau. Et, de nouveau, l'excuse idéale pour ne pas faire ce que je n'avais pas envie de faire — trop de travail, pas le temps...

Tout le monde se leva et on se serra la main. Ils me raccompagnèrent dans le grand bureau où Pat attendait. Il était assis sur un bureau et deux documentalistes le chouchoutaient, lui caressaient les cheveux et les joues, s'émerveillaient de la couleur de ses yeux, émues et charmées par son éclatante fraîcheur. Les petits garçons de quatre ans fréquentent rarement ce genre d'endroit.

J'avais hésité à l'emmener avec moi. En dehors du risque qu'il refuse de rester seul pendant l'entretien, je n'avais pas envie de les confronter directement à ma situation de parent isolé. Comment pourraient-ils embaucher un homme incapable de se déplacer sans sa petite famille ? Comment confier un poste de producteur à un homme incapable de trouver une baby-sitter ?

Je m'étais inquiété à tort. Ils parurent surpris mais touchés de me voir amener mon fils. Quant à Pat, il fit son grand numéro de charme, parlant à tout le monde, donnant joyeusement aux deux assistantes des détails horribles sur la séparation de ses parents.

— Oui, ma maman est très loin, au Japon. Ils conduisent à gauche, comme nous ! Elle va venir me chercher, oui. Et je vis avec mon papa mais parfois, le week-end, je vais chez ma mamie et mon papy. Ma maman m'aime toujours mais elle n'est plus amoureuse de mon papa. Elle l'aime bien, c'est tout.

Son visage s'illumina quand il m'aperçut. Il sauta à bas du bureau, se jeta dans mes bras et m'embrassa avec cette ardeur qu'il tenait de Gina.

Comme je le serrais contre moi au milieu des sourires, j'eus une vision de ce que serait en réalité ma nouvelle et brillante carrière — les week-ends passés à travailler sur un scénario, les réunions qui commençaient tôt et finissaient tard, les heures sans fin dans un studio qu'on maintenait à une température glaciale pour empêcher les gouttes de sueur de se former sur le front de l'animateur... Je sus que je ne pouvais accepter ce travail.

L'histoire du père seul avec son fils les attendrirait tant que cela resterait dans des limites strictes.

Ils apprécieraient certainement moins de me voir filer à six heures tous les soirs pour préparer les carrés de poisson pané de Pat.

Ils n'apprécieraient même pas du tout.

15

Quand Pat restait dormir chez mes parents, j'appelais Gina. J'avais compris que j'avais besoin de lui parler. De lui parler vraiment, pas de crier, de gémir et de menacer. J'avais besoin de partager mes réflexions avec elle. Je voulais qu'elle sache ce que je pensais.

— Reviens, lui dis-je. Je t'aime.

— Comment peux-tu aimer quelqu'un, vraiment aimer, et dormir avec quelqu'un d'autre ?

— Je n'ai pas d'explication. C'était facile, voilà tout.

— Alors, disons que ce n'est pas aussi facile de pardonner.

— Tu veux me voir ramper, c'est ça ?

— Ce n'est pas toi qui es en cause, Harry, c'est moi.

— Et que fais-tu de toutes ces années passées ensemble ? Nous vivions ensemble. Ensemble ! Tu ne peux pas effacer cela pour une seule bêtise ?

— Je ne l'ai pas effacé. C'est toi qui l'as effacé.

— Tu ne m'aimes plus ?

— Bien sûr que si, pauvre idiot ! Mais je ne suis plus amoureuse de toi.

— Attends, je ne comprends pas. Tu m'aimes mais tu n'es pas amoureuse de moi ?

— Tu m'as fait trop mal, et tu recommenceras. Et la prochaine fois, tu ne te sentiras plus aussi coupable. La fois d'après, tu arriveras même à te justifier. Et, un beau jour, tu rencontreras quelqu'un que tu aimeras vraiment. Ce jour-là, tu me quitteras.

— Jamais.

— C'est comme ça que ça se passe, Harry. Je l'ai bien vu avec mes parents.

— Tu m'aimes mais tu n'es pas amoureuse de moi ? Ça veut dire quoi ?

— L'amour, c'est ce qui reste quand on n'est plus amoureux. Tu te soucies de quelqu'un et tu espères que ce quelqu'un est heureux, mais tu ne te fais pas d'illusions à son sujet. Peut-être cette sorte d'amour manque-t-elle de piment, de passion, de toutes ces choses qui s'affadissent avec le temps. Toutes ces choses qui t'intéressent tellement. Mais, au bout du compte, c'est cet amour-là le plus important.

— Je ne vois pas de quoi tu parles.

— C'est bien le problème, répondit-elle.

— Oublie le Japon, reviens. Tu es toujours ma femme, Gina.

— Je vois quelqu'un, dit-elle.

Cela me fit l'effet de l'annonce d'une condamnation à mort. Je n'étais pas étonné, pourtant. Il y avait si longtemps que je tremblais à cette idée que de voir mes pires craintes réalisées m'apportait une sorte de triste soulagement.

Je m'y étais attendu depuis qu'elle avait claqué la porte. D'une certaine façon, j'étais heureux que ce soit arrivé car cela me libérait d'une angoisse. Par ailleurs, je n'étais pas assez idiot pour me sentir en droit d'être choqué. Mais cela ne me disait toujours pas quoi faire avec nos photos de mariage. Que fait-on des photos de mariage quand on se sépare ?

— C'est drôle, cette vieille expression, non ? lui dis-je. Je parle de « voir quelqu'un ». Cela donne l'impression que tu commences par faire les vérifications, que tu mets les gens en observation, juste pour voir. Alors que c'est exactement le contraire. On ne se contente pas de regarder. Quand on voit quelqu'un, c'est pour aller plus loin que les yeux, non ? C'est sérieux ?

— Je ne sais pas. Comment pourrais-je le savoir? Il est marié.

— Zut alors!

— Mais ce n'est pas... En fait, il semblerait que ça ne marche plus depuis longtemps. Ils sont à demi séparés.

— C'est ce qu'il t'a dit? À demi séparés? Et tu l'as cru? À demi séparés! C'est une façon aussi élégante que vague de dire les choses. Je ne l'avais jamais entendue, celle-là! À demi séparés! Excellent! Cela couvre toutes les possibilités. Cela devrait lui permettre de vous faire marcher toutes les deux comme il en a envie. Il garde sa petite femme à la maison pour lui faire des sushis pendant qu'il t'emmène en douce à l'hôtel de rendez-vous le plus proche!

— Oh, Harry! Tu pourrais au moins me souhaiter bonne chance.

— Qui est-ce? Un de ces petits salariés japonais qui prend son pied à l'idée de dormir avec une Occidentale? On ne peut pas faire confiance aux Japonais, Gina. Tu crois que tu les connais bien, mais tu ne les connais pas tous. Ils n'ont pas le même système de valeurs que nous. C'est une race rusée, spécialiste du double jeu.

— Il est américain.

— Et tu ne me le disais pas? C'est encore pire!

— De toute façon, aucun homme susceptible de me plaire ne trouvera grâce à tes yeux! Si c'était un Esquimau, tu me dirais : « Oh, oh! Les Esquimaux, Gina! Mais ils ont les mains aussi froides que le cœur! Fuis les Esquimaux, Gina! »

— Je ne comprends pas cette attirance que tu as pour les étrangers.

— Peut-être parce que j'ai essayé d'aimer quelqu'un de mon pays et qu'il m'a brisé le cœur.

Il me fallut un moment pour me rendre compte qu'elle parlait de moi.

— Il sait que tu as un enfant?

— Bien sûr. Crois-tu que je pourrais le dissimuler à qui que ce soit ?

— Et qu'en pense-t-il ?

— Que veux-tu dire ?

— Il s'intéresse à Pat ? Il s'inquiète pour lui ? Il se soucie de son bien-être ? Ou bien a-t-il seulement envie de s'envoyer sa mère ?

— Si tu commences à parler de cette façon, Harry, je vais raccrocher.

— Comment devrais-je le dire ?

— Nous n'avons pas encore parlé de l'avenir. Nous n'en sommes pas là.

— Préviens-moi quand vous en serez là.

— Je n'y manquerai pas mais je te serais reconnaissante de ne pas utiliser Pat contre moi.

L'avais-je fait ? Il m'était difficile de mesurer la part de mon réel attachement à son bien-être et de ma jalousie...

Pat était l'une des raisons pour lesquelles j'avais envie que le petit ami de Gina disparaisse dans un accident de voiture, mais ce n'était pas la seule. Peut-être n'était-ce même pas la raison principale.

— N'essaye pas de dresser mon fils contre moi, dis-je.

— Que veux-tu dire, Harry ?

— Pat raconte à tout le monde que tu lui as dit que tu l'aimes mais que moi, tu m'aimes bien, sans plus.

Elle soupira.

— Ce n'est pas ce que j'ai dit. Je lui ai dit exactement ce que je t'ai expliqué tout à l'heure. Je vous aime toujours tous les deux mais malheureusement, et à mon grand regret, je ne suis plus amoureuse de toi.

— Je ne comprends toujours pas ce que ça veut dire.

— Ça veut dire que je suis heureuse des années que nous avons passées ensemble, mais tu m'as fait trop mal pour que je puisse te pardonner ou te faire confiance à nouveau. Cela veut dire aussi, je crois, que tu as cessé d'être l'homme avec lequel je voulais passer le reste de ma vie. Tu ressembles trop aux autres hommes. Tu es trop comme mon père.

— Ce n'est pas ma faute si ton père vous a abandonnées, toi et ta mère.

— Non, mais tu étais ma chance de l'oublier et tu as tout gâché. Tu m'as quittée, toi aussi.

— Allons, ce n'était qu'une fois, Gina. Combien de fois reviendras-tu là-dessus ?

— Jusqu'à ce que tu comprennes ce que je ressens. Si tu as pu le faire une fois, tu peux le faire mille fois. C'est la première règle de l'adultère. La théorie unifiée de l'adultère établit clairement que si on peut le faire une fois on pourra le refaire encore et encore. Tu as brisé ma confiance en toi et je ne sais pas comment réparer cela. Cela, aussi, me fait souffrir, Harry. Je ne cherchais pas à dresser Pat contre toi. J'essayais seulement de lui expliquer la situation. Comment l'expliques-tu, toi-même ?

— J'en suis incapable, même pour moi.

— Tu devrais essayer car, si tu ne comprends pas ce qui nous est arrivé, tu ne pourras jamais être heureux avec quelqu'un d'autre.

— Alors, explique-moi.

Elle soupira. Son soupir avait franchi toute la distance depuis Tokyo.

— Je pensais que notre couple marchait bien, mais toi, tu pensais que nous tombions dans la routine. Tu es un romantique, Harry. Qu'une relation ne corresponde pas à tes pauvres petits fantasmes irréalistes, et tu la brises. Tu détruis tout. Et après ça, tu as le culot de te conduire comme si tu étais la victime !

— Qui a fourni le divan de psychanalyse ? Ton petit copain américain ?

— J'ai parlé avec Richard de ce qui est arrivé.

— Richard? Parce qu'il s'appelle Richard? Ah ah! C'est la meilleure!

— Richard est un nom parfaitement normal, certainement pas plus bizarre que Harry.

— Richard! Riri! Riton Cœur de Lion!

— Parfois, quand je pense à toi et à Pat, je me demande lequel de vous deux a quatre ans...

— C'est facile. Moi, c'est celui des deux qui peut faire pipi sans rien mettre à côté!

— Tu ne peux t'en prendre qu'à toi-même de ce qui est arrivé, dit-elle juste avant de raccrocher. C'est arrivé parce que tu n'as pas su apprécier ce que tu avais.

Ce n'était pas vrai. J'étais assez sensé pour savoir ce que j'avais mais trop bête pour savoir comment le garder.

Comme n'importe quel couple vivant sous le même toit, nous eûmes très vite nos petites habitudes.

Au lever du jour, Pat venait dans ma chambre en titubant, les yeux bouffis de sommeil, et me demandait s'il était l'heure de se lever. Je lui répondais qu'on était encore au milieu de la nuit et il grimpait dans mon lit. Il se rendormait aussitôt, là où Gina avait dormi pendant si longtemps et, replongeant en plein rêve, commençait à donner des coups de pied ou à jeter les bras dans tous les sens. Je finissais par renoncer à me rendormir et je me levais.

Quand Pat descendait, j'étais en train de lire les journaux dans la cuisine. Je l'entendais se rendre directement dans le salon et allumer le magnétoscope.

À présent qu'il avait laissé tomber la maternelle et que j'étais au chômage, nous avions tout le temps pour nous préparer. Je n'avais quand même pas envie de le laisser faire uniquement ce qu'il voulait, c'est-à-dire regarder des cassettes toute la journée. J'allais donc éteindre la télévision pour le ramener dans la cuisine, où il jouait avec son bol de céréales au chocolat jusqu'à ce que je lui rende sa liberté.

Une fois lavés et habillés, je l'emmenais faire du vélo dans le parc. Il avait toujours les petites roues de stabilisation à l'arrière. Parfois, nous discutions de la possibilité de les enlever pour essayer de rouler sur deux roues mais, apparemment, nous n'étions prêts, ni l'un ni l'autre, à faire le grand saut. Quand était-ce le bon moment d'enlever les petites roues ? C'était Gina qui savait ce genre de chose.

L'après-midi, en général, ma mère venait chercher Pat. Cela me donnait le temps de faire les courses et le ménage, de m'inquiéter de notre situation financière et de tourner en rond en imaginant Gina gémissant de plaisir dans le lit d'un autre.

Mais le matin, nous allions au parc.

16

Pat aimait faire de la bicyclette du côté de la piscine en plein air installée au fond du parc.

Assez petite, elle restait vide toute l'année, à l'exception de quelques semaines en été. Le conseil municipal la faisait alors parcimonieusement remplir d'une eau fortement javellisée. À l'odeur des enfants, on aurait pu croire qu'ils avaient été trempés dans un bassin de déchets industriels.

Bien avant la fin de l'été, on vidait à nouveau le bassin et on y repêchait éventuellement un ou deux chariots de supermarché. Nous n'étions qu'à la mi-août, mais il avait déjà été rendu à sa solitude pour une nouvelle année. Seuls Pat et sa bicyclette allaient encore s'y promener.

Cette piscine presque toujours vide avait quelque chose de déprimant. Elle se trouvait dans une partie déserte du parc, loin du terrain de jeux plein des cris de joie des enfants ou de la buvette où des pères et des mères — essentiellement des mères — avalaient d'interminables tasses de thé.

Le petit chemin asphalté qui faisait le tour de la piscine offrait à Pat un endroit où pédaler sans avoir à éviter les restes de brochettes, les préservatifs jetés n'importe où, et les crottes de chien qui ornaient presque tout le parc. De plus, pour dire la vérité, j'appréciais de me trouver ainsi éloigné du groupe des mères.

Je lisais sur leurs visages ce qu'elles pensaient en me voyant arriver tous les matins.

145

Où est la mère ?

Pourquoi n'est-il pas au travail ?

Est-ce vraiment son enfant ?

Bien sûr, je comprenais leurs interrogations, la majorité des pervers de ce monde appartenant à l'espèce mâle. Je n'en étais pas moins fatigué d'avoir l'impression de devoir m'excuser d'emmener mon fils au parc. J'en avais assez de sentir qu'on me regardait comme un spécimen bizarre. La piscine vide me convenait donc très bien.

— Papa ! Regarde !

Pat était de l'autre côté du bassin, tout essoufflé. Il s'était arrêté à côté du petit plongeoir qui surplombait le grand bain.

Je lui souris depuis le banc où je lisais mon journal. Dès qu'il fut sûr d'avoir capté mon attention, il repartit à toute vitesse, les yeux brillants, cheveux au vent, appuyant sur les pédales de toute la force de ses petites jambes.

— Ne t'approche pas du bord, surtout !

— Oui, promis !

Pour la cinquième fois en cinq minutes, je relus la première phrase d'un article sur l'effondrement de l'économie japonaise.

Depuis quelque temps, le sujet m'intéressait beaucoup. Je me sentais navré pour les Japonais à l'idée que leur système, apparemment, ait échoué. En toute honnêteté, à ma compassion se mêlait une certaine satisfaction. Je voulais qu'on me parle de banques obligées de fermer, de directeurs faisant des courbettes et pleurant à des conférences de presse, d'expatriés fraîchement licenciés en route pour le premier vol de retour. Surtout cela. Néanmoins, j'étais incapable de me concentrer.

Je ne pouvais me débarrasser de l'image de Gina et de Richard ensemble, bien qu'elle restât très floue. L'image de Gina commençait à perdre de sa netteté dans mon esprit.

Ce n'était plus ma Gina. Je ne pouvais pas imaginer l'endroit où elle vivait, le bureau où elle travaillait, le petit restaurant où elle allait prendre son bol de nouilles à midi. Je n'avais pas la moindre image de tout cela. Il n'y avait pas que sa nouvelle vie qui m'échappait. J'avais aussi du mal à me représenter son visage. Gina devenait floue et Richard était, encore pire, une zone d'ombre.

Était-il plus jeune que moi ? Plus riche que moi ? Meilleur au lit que moi ? J'aurais préféré que Gina sorte avec un vieillard impuissant et en faillite, prêt à basculer dans une totale sénilité. J'étais quand même conscient de prendre mes désirs pour la réalité...

Ce que je savais de lui se résumait à une chose : il était marié, et cette unique information était elle-même suspecte. Que voulait bien dire cette « demi-séparation » ? Vivait-il toujours avec sa femme ? Était-ce une Américaine ou une Japonaise ? Couchaient-ils toujours ensemble ? Avaient-ils des enfants ? Ses intentions à l'égard de Gina étaient-elles sérieuses ou bien voulait-il seulement s'amuser avec elle ? Préférerais-je qu'il la considère comme une passade ou comme l'amour de sa vie ? De quoi souffrirais-je le plus ?

— Regarde maintenant !

Je regardai et ce que je vis me terrifia.

Pat avait très soigneusement amené sa bicyclette sur le plongeoir. Il se tenait en équilibre au-dessus du vide. Trois mètres plus bas, au fond de la piscine, c'était le béton. Il avait les jambes tendues de chaque côté de sa bicyclette, bien planté sur la pointe de ses baskets sales. Il n'avait pas eu l'air aussi heureux depuis des semaines.

— Reste où tu es, criai-je. Ne bouge surtout pas !

Son sourire s'effaça quand il me vit courir. J'aurais dû marcher normalement. J'aurais dû faire comme si tout allait bien. Car, en voyant mon expression, il voulut faire marche arrière.

Malheureusement, c'était plus facile d'aller en avant qu'en arrière. Le temps me parut ralentir tandis que je voyais une des petites roues de stabilisation quitter la planche du plongeoir.

Elle tourna dans le vide pendant quelques secondes. L'instant d'après, les pieds de Pat dérapaient, il perdait l'équilibre et ses jambes battaient l'air à la recherche d'un sol qui se dérobait... Mon fils et sa bicyclette basculèrent, tête la première, dans le bassin vide.

Il était étendu sous le plongeoir, sa bicyclette sur lui, et le sang commençait à couler, rouge sur ses cheveux blonds.

Je pensais qu'il allait se mettre à crier, comme l'année précédente. Il sautait sur notre lit comme sur un trampoline. Il avait mal rebondi et s'était cogné la tête contre la commode. Ou encore l'année d'avant quand il s'était mis debout dans sa poussette pour se retourner et nous sourire et qu'il était tombé. Je pensais qu'il allait crier comme toutes ces fois où il s'était cogné la tête, était tombé de tout son long ou s'était écorché les genoux.

Je voulais l'entendre crier car cela aurait voulu dire qu'il n'avait rien de plus grave que d'habitude, que c'était un de ces accidents comme en ont tous les enfants. Mais Pat restait muet et ce silence me terrifia.

Il avait les yeux fermés et le visage blanc, pincé comme s'il faisait un cauchemar. Le halo sombre autour de sa tête ne cessait de grandir.

— Oh! Pat, dis-je en soulevant la bicyclette.

Je le serrai bien plus fort que je n'aurais dû.

— Oh! mon Dieu, dis-je encore en prenant mon portable dans ma poche.

J'avais les doigts pleins de sang. Je commençai à taper frénétiquement sur les touches mais seul résonna le signal indiquant que ma batterie était à plat.

Je soulevai mon fils.

Et je me mis à courir.

17

On ne peut pas courir longtemps avec un enfant de quatre ans dans les bras. Ils sont déjà trop grands, trop lourds, trop encombrants.

Je voulais courir jusqu'à la maison pour prendre la voiture mais, quand j'arrivai en titubant à la sortie du parc, je compris que je n'irais pas assez vite.

J'ouvris à toute volée la porte du petit restaurant où nous avions mangé des spaghettis verts. Pat était dans mes bras, toujours muet, blanc et couvert de sang. C'était l'heure du déjeuner et la salle était pleine de cadres en train de s'empiffrer. Ils nous regardèrent, bouche bée, leurs fourchettes chargées de pâtes suspendues à mi-chemin.

— Appelez une ambulance, vite!

Aucune réaction.

La porte battante de la cuisine s'ouvrit à ce moment et Cyd apparut, un plateau plein d'assiettes fumantes dans une main et son carnet de commandes dans l'autre. Elle nous vit, sursauta en découvrant le corps inanimé de Pat, le sang sur mes mains et ma chemise, et mon expression de panique.

Dans le même mouvement, elle fit adroitement glisser son plateau sur la table la plus proche et se dirigea vers nous.

— C'est mon fils! Appelez une ambulance!

— On ira plus vite avec ma voiture, dit-elle.

Il y avait des lignes blanches sur le sol des couloirs de l'hôpital pour guider les gens vers les urgences mais, à peine entrés, nous fûmes environnés d'une nuée d'infirmières et de brancardiers qui me prirent Pat et l'allongèrent sur une civière. C'était une civière pour adulte qui le faisait paraître tout petit, tellement petit...

À ce moment, je sentis que j'allais pleurer et je clignai des yeux pour arrêter les larmes. Je n'osais pas le regarder. En même temps, je ne pouvais détacher mes yeux de sa petite silhouette. Voir son enfant à l'hôpital... Il n'y a rien de pire au monde.

Tandis qu'on l'emportait le long de couloirs bondés et bruyants, éclairés de néons jaunes maladifs, on me posait mille questions : sa date de naissance, son passé médical, la cause de sa blessure à la tête.

J'essayai de leur expliquer la bicyclette en équilibre sur le plongeoir au-dessus de la piscine vide mais je crains d'avoir été quelque peu incohérent. Moi-même, je ne comprenais pas ce qui arrivait.

— Ne vous inquiétez pas, on s'occupe de lui, me dit une infirmière.

Et la civière disparut derrière des portes battantes vertes.

Je voulus les suivre mais j'aperçus des hommes et des femmes en blouse verte avec des masques, le métal chromé des équipements médicaux, et cette espèce de planche rembourrée où on le transférait, une planche aussi étroite et sinistre que celle du plongeoir. Cyd me prit doucement par le bras.

— Venez, ils vont s'occuper de lui, dit-elle.

Elle m'entraîna dans une petite salle d'attente aux murs blêmes. Il y avait un distributeur de boissons chaudes. Elle mit des pièces pour deux cafés, dont un sucré pour moi. Elle me tendit le gobelet en polystyrène. Elle ne m'avait pas demandé si j'aimais le café sucré.

— Ça va ? demanda-t-elle.

— Je m'en veux tellement, répondis-je en secouant la tête.

— Ce sont des choses qui arrivent. Vous savez ce qui m'est arrivé quand j'avais à peu près l'âge de Pat ?

Elle attendit que je le lui demande.

— Non ? dis-je en scrutant ses grands yeux écartés.

— Je regardais des garçons qui jouaient au base-ball. Je me suis approchée et je me suis mise juste derrière celui qui tenait la batte. Juste derrière lui.

Elle me sourit.

— Et quand il a levé sa batte pour frapper la balle, il m'a à moitié arraché la tête. C'était une batte en plastique mais j'ai quand même été assommée. J'ai vraiment vu des étoiles. Regardez.

Elle repoussa la lourde frange noire qui lui cachait le front. Juste au-dessus du sourcil, elle avait une fine cicatrice blanche, à peu près de la longueur de l'ongle du pouce.

— Je comprends que vous vous sentiez très mal, me dit-elle. Mais les gosses sont résistants. Ils se sortent des pires situations.

— C'était tellement haut et il est tombé si brutalement ! Le sang... il y en avait partout.

J'étais reconnaissant à Cyd de sa petite cicatrice blanche. J'appréciais à sa juste valeur qu'elle se soit fait assommer dans son enfance. C'était vraiment chic de sa part.

Une jeune femme médecin s'approcha de nous. Elle avait environ vingt-cinq ans et l'air de ne pas avoir fait une seule nuit complète depuis la fin de ses études. Elle se montra vaguement compatissante mais un peu brusque, presque le ton d'une femme d'affaires, et d'une honnêteté brutale.

— Patrick est dans un état stable mais avec un choc aussi violent nous devons le passer aux rayons X et au scanner. Je ne peux écarter le risque d'une fracture interne du crâne. Dans ce type de fracture, des fragments d'os pénètrent à l'intérieur et augmentent la pression du cerveau. Je ne dis pas que c'est le cas. Je dis seulement que c'est une éventualité.

— Mon Dieu !

Cyd me prit la main et la pressa.

— Cela va demander un moment, dit la praticienne. Si vous et votre épouse, vous voulez rester avec votre fils cette nuit, vous avez le temps d'aller chercher vos affaires chez vous.

— Oh ! dit Cyd. Nous ne sommes pas mariés.

La femme médecin me regarda et vérifia son dossier.

— Vous êtes le père de Patrick, monsieur Silver ?

— Oui.

— Je suis seulement une amie, dit Cyd. Je vais vous laisser, ajouta-t-elle en se levant.

Je compris qu'elle craignait d'être une gêne. Mais elle se trompait. Sans elle, je me serais écroulé.

— Et la mère de l'enfant ? demanda la femme.

— Elle est à l'étranger, lui dis-je. Momentanément à l'étranger.

— Vous devriez peut-être l'appeler.

Ma mère avait pleuré mais elle ne se laissait pas aller en public. Elle gardait toujours ses larmes pour l'intimité, une fois la porte de la maison fermée.

À l'hôpital, elle témoigna d'un courageux optimisme et se montra pleine de bon sens. Elle posa aux infirmières les questions concrètes qu'il fallait. Quels étaient les risques de séquelles ? Dans combien de temps le saurions-nous ? Les grands-parents pouvaient-ils rester pour la nuit ? Je me sentis mieux de la voir à côté de moi. Mon père réagit différemment.

Le vieux soldat paraissait perdu dans la cafétéria de l'hôpital. Il n'avait pas l'habitude de s'asseoir et d'attendre. Il n'avait pas l'habitude des situations qui échappaient à son contrôle. Ses solides bras tatoués, ses larges épaules, son vieux cœur ignorant de la peur, tout cela ne lui servait à rien dans cet endroit.

Je savais qu'il aurait fait n'importe quoi pour Pat, qu'il l'aimait de cet amour inconditionnel que l'on ne peut éprouver sans doute que pour un enfant, un amour bien plus difficile à ressentir quand votre merveilleux enfant est devenu un adulte imparfait. Mon père aimait Pat de la façon dont il m'aimait autrefois. Pat me représentait avant que j'aie tout gâché. Cela rongeait mon père de ne rien pouvoir faire d'autre que rester assis et attendre.

— Est-ce que quelqu'un veut une autre tasse de thé? proposa-t-il, cherchant à tout prix quelque chose à faire pour améliorer notre sort, si peu que ce soit.

— Nous avons déjà bu des litres de thé, dit ma mère. Assieds-toi et détends-toi.

— Me détendre? répéta-t-il avec un grognement.

Il lui jeta un regard noir et renonça.

Il se laissa tomber sur une chaise de plastique orange craquelé et se mit à fixer le mur. Il avait sous les yeux des cernes couleur de fruit tapé. Au bout de cinq minutes, il n'y tint plus et partit nous chercher du thé. Je le regardais attendre des nouvelles sur l'état de santé de son petit-fils en sirotant un thé dont il n'avait pas envie et, soudain, il me parut vieux.

— Pourquoi n'essayerais-tu pas encore d'avoir Gina? demanda ma mère.

Je ne sais pas ce qu'elle espérait. Peut-être que Gina sauterait dans le premier avion et que notre petite famille serait de nouveau réunie, pour toujours? Peut-être l'espérais-je, moi aussi.

Inutile! J'allai refaire le numéro de Gina mais je n'obtins que ce curieux ronronnement qu'émettent les téléphones japonais quand personne ne répond.

Il était minuit à Londres, c'est-à-dire huit heures du matin à Tokyo. Elle aurait dû être là. À moins qu'elle ne soit déjà partie travailler. À moins qu'elle ne soit pas rentrée. Son téléphone continuait à ronronner.

C'était ainsi que cela se passerait, à présent. Si j'avais parlé à Gina, sa force et son bon sens auraient balayé la plus grande partie de ma peur, et même de ma panique. Elle aurait réagi plutôt comme ma mère que comme mon père. Ou que comme moi. Elle aurait demandé ce qui était arrivé, s'il y avait des risques de séquelles et quand nous le saurions. Elle se serait débrouillée pour savoir l'horaire du premier avion pour Londres et elle l'aurait pris. Mais je n'arrivais pas à la joindre.

Je raccrochai enfin, conscient que les choses se passeraient ainsi désormais entre nous, conscient que nous étions allés trop loin pour que notre vie redevienne comme avant, conscient de nous être trop éloignés l'un de l'autre pour pouvoir revenir en arrière.

18

La praticienne vint me chercher à cinq heures du matin. J'étais dans la cafétéria vide, serrant dans les mains une tasse de thé refroidie depuis des heures. Je me levai en la voyant se diriger vers moi, suspendu à ses lèvres.

— Félicitations, dit-elle. Votre fils a la tête vraiment dure.

— Il n'a rien?

— Il n'y a aucune fracture et le scanner est impeccable. On va le garder en observation pour quelques jours mais c'est la procédure normale quand on a fait douze points de suture à un garçon de quatre ans.

J'aurais aimé qu'elle soit ma meilleure amie! Je l'aurais invitée à dîner toutes les semaines pour lui faire oublier les frustrations dues aux carences du système de santé national! Je l'écouterais et je prendrais soin d'elle! Elle avait sauvé mon fils. Qu'elle était belle!

— Il va vraiment bien?

— Il aura mal à la tête pendant quelques semaines et une cicatrice pour toute la vie. Mais, oui, tout va bien.

— Pas de séquelles?

— Eh bien... Cela l'aidera sans doute à séduire les filles dans une quinzaine d'années. Vous savez qu'elles ne résistent pas aux cicatrices d'un homme?

Je lui pris les mains et les gardai juste un peu trop longtemps entre les miennes.

— Merci.

— On est là pour ça, répondit-elle avec un sourire.

Je me rendais compte que mon comportement la gênait mais je ne pouvais pas m'en empêcher. Je lui lâchai enfin les mains.

— Je peux le voir ?

Il était tout au fond d'une salle pleine d'enfants. Dans le lit voisin du sien, il y avait une ravissante petite fille de cinq ans en pyjama Superwoman. Elle n'avait plus un seul cheveu. Sans doute une chimiothérapie... Ses parents étaient à côté d'elle, son père endormi sur sa chaise et sa mère, au pied du lit, qui la regardait. Je rejoignis le lit de Pat en marchant aussi doucement que possible. J'eus honte de m'être apitoyé si longtemps sur moi. Nous avions de la chance.

Pat était sous perfusion, le visage aussi blanc que son oreiller, la tête entourée de bandages. Je m'assis sur son lit, caressant son bras libre. Il ouvrit les yeux.

— Tu es fâché contre moi ? demanda-t-il.

De la tête, je fis signe que non, effrayé à l'idée de parler.

Il referma les yeux et, soudain, je sus que j'en étais capable.

Jusque-là, mes prestations avaient été peu brillantes. Je manquais de patience. Je passais trop de temps à penser à Gina et même à Cyd. Je n'avais pas surveillé Pat d'assez près dans le parc. C'était indéniable. Pourtant, je pouvais y arriver.

Ce ne serait sans doute jamais parfait. J'échouerais peut-être dans mon rôle de parent comme j'avais échoué dans celui de mari.

Mais, pour la première fois, je compris que le fait d'être un homme n'avait rien à y voir.

Toutes les familles ont leurs traditions et leurs légendes. Chez nous, la première histoire où je figure date de mes cinq ans, quand un chien me fit perdre toutes mes dents de devant.

Je jouais avec le berger allemand d'un voisin, à l'arrière des magasins où nous avions notre logement. Le chien était en train de me lécher la figure et j'adorais ça, jusqu'au moment où, pour mieux me lécher, il voulut poser ses pattes de devant sur ma poitrine et me renversa. Je tombai en plein sur la bouche. Il y avait du sang et des dents partout. Ma mère se mit à hurler.

Je me souviens de la vitesse à laquelle mes parents m'ont emmené à l'hôpital, de l'infirmière qui m'a tenu au-dessus d'une cuvette émaillée blanche tandis qu'on récupérait les fragments de dents cassées, et de tout ce sang dans la cuvette. Mais, plus que tout, je me souviens de l'insistance de mon père à rester avec moi tandis qu'on m'anesthésiait.

Dans ma famille, quand quelqu'un racontait cette histoire, la chute était toujours la même : ce que j'avais fait en rentrant de l'hôpital avec ma bouche vide de dents. Je me l'étais littéralement remplie de chips.

Mon geste avait beaucoup plu à mon père, cette idée que son fils, à peine de retour de l'hôpital avec huit trous ensanglantés là où il y avait des dents peu auparavant, son fils était assez dur à cuire pour ouvrir un paquet de chips sans attendre. En réalité, je n'étais pas du tout un dur à cuire. J'aimais les chips, c'est tout ! Même si je devais les faire fondre dans ma bouche plutôt que de les croquer.

Et, à présent, je savais que mon père n'était pas aussi dur qu'il aurait voulu l'être. Car aucune écorce, même la plus rude, ne résiste quand vous voyez votre enfant à l'hôpital. La vraie morale de cette histoire, c'est que mon père avait refusé de me laisser seul.

À présent, je savais ce qu'il avait dû éprouver en voyant son fils de cinq ans anesthésié pour qu'on puisse ôter les morceaux de dents cassées incrustés dans ses gencives et dans sa langue.

Il avait dû ressentir cette terreur incontrôlable que seul le parent d'un enfant malade ou blessé peut comprendre. Je savais exactement ce qu'il avait dû ressentir — l'impression d'être pris en otage par la vie. Étais-je en train de commencer à voir le monde comme lui?

Il attendait dehors, devant l'entrée principale de l'hôpital, et fumait une de ses cigarettes roulées main. Mon père devait être le dernier client de papier Rizla à en acheter pour fumer du tabac et non pas de l'herbe!

Il me regarda et retint sa respiration.

— Tout va bien, lui dis-je.

Il expira lentement un nuage de fumée.

— Il n'a pas de — comment ils appellent ça? — fracture interne?

— Il n'a même pas de fracture! On lui a fait douze points de suture. Il aura une belle cicatrice, c'est tout.

— C'est tout?

— Oui, c'est tout.

— Tu peux remercier le ciel! dit-il avant d'inspirer une longue bouffée de cigarette. Et toi? ajouta-t-il.

— Moi? Ça va, papa.

— Tu n'as besoin de rien?

— Une bonne nuit au schloff ne me ferait pas de mal.

Quand j'étais avec mon père, je me surprenais parfois à parler comme lui. Il était certainement la dernière personne de tout le pays à parler d'aller au « schloff »!

— Je veux dire : est-ce que tu te débrouilles, pour l'argent? Ta mère m'a dit que tu as décidé de ne pas accepter ce travail.

— Je ne peux pas. Les horaires sont trop lourds. Je ne serais jamais à la maison.

Au bout du parking vide, le ciel nocturne s'éclairait de lueurs annonciatrices de l'aube. Des oiseaux chantaient. La nuit se terminait. L'aube était proche.

— Oh! je trouverai bien autre chose...

Il sortit son portefeuille, y prit quelques billets et me les tendit.

— C'est pour quoi? dis-je.

158

— Jusqu'à ce que tu trouves quelque chose.

— Ce n'est pas nécessaire. Je te remercie de ton geste, papa, mais je vais réellement trouver quelque chose.

— Je n'en doute pas. Les gens n'ont pas perdu l'envie de regarder la télévision, n'est-ce pas? Je suis certain qu'on va bientôt te proposer du travail. En attendant, prends ça pour toi et Pat.

Mon père, expert en médias! Tout ce qu'il savait de la télévision, c'est que, de nos jours, il n'y a plus d'émissions aussi drôles que *Fawlty Towers*, *Benny Hill* ou *Morecambe and Wise.* Je pris quand même les billets qu'il m'offrait.

Il y eut une époque où le fait d'accepter de l'argent de mon père m'aurait mis en colère, en colère contre moi-même pour avoir encore besoin de lui et de son aide à mon âge, et encore plus en colère contre lui d'aimer toujours autant jouer au sauveur avec moi.

À présent, je comprenais qu'il essayait seulement de me montrer qu'il était à mon côté.

— Je te rembourserai, lui dis-je.

— Il n'y a pas d'urgence, répondit-il.

Gina voulait prendre le premier avion pour Londres mais je l'en dissuadai. Je n'avais réussi à la joindre que tard, le lendemain. Cela n'avait plus beaucoup de sens de sauter dans un avion.

Elle n'avait pas connu ces minutes abominables où nous avions emmené Pat aux urgences. Elle n'avait pas connu ces heures interminables à boire du thé dont nous n'avions pas envie en attendant de connaître le résultat des examens. Et elle avait raté le jour où il s'assit pour la première fois dans son lit, la tête toujours bandée et brandissant son sabre laser. Dans le lit voisin, il y avait la petite fille rendue chauve par son traitement.

Gina avait raté tout cela, elle l'avait raté sans qu'il y ait faute de sa part. Personnellement, j'en rendais responsable ce sale Richard.

Mais quand j'eus Gina au téléphone, nous savions que Pat était sain et sauf. À ce moment-là, je n'avais plus envie qu'elle rentre.

C'était, me disais-je, parce que je ne voulais pas qu'elle prenne Pat dans ses bras en lui répétant que tout irait bien, uniquement pour repartir peu après. Je savais pourtant que mes motifs n'étaient pas aussi nobles que cela. Où était Gina quand nous avions besoin d'elle?

— Je peux être là demain, dit-elle. Le travail peut attendre.

— Ce n'est pas nécessaire, répondis-je très calmement. Il s'est cogné la tête, c'est tout. Il s'est cogné très fort, c'est vrai, mais tout va bien.

— De toute façon, je viendrai bientôt. Je ne sais pas quand exactement, mais bientôt.

— Ne change rien à tes projets.

Il fallait nous entendre! Aussi guindés que deux voisins de table essayant de tuer le temps pendant un dîner ennuyeux. Avant, nous pouvions parler toute la nuit, avant nous pouvions parler de n'importe quoi sans nous lasser. À présent, nous nous comportions comme deux étrangers qui n'ont pas été présentés selon les formes. Écoute comment nous nous parlons, Gina!

Cyd se tenait sur le seuil, un carton de repas tout prêt à la main.

— J'arrive à un mauvais moment?

— Non, pas du tout. Entrez.

Elle entra et me tendit le carton.

— Pour Pat, des spaghettis *al pesto*.

— Des spaghettis verts! Ses préférés. Merci.

— Vous avez juste à les réchauffer au micro-ondes. Vous savez comment faire?

160

— Vous vous moquez de moi? Même moi, je sais me servir d'un micro-ondes. Une minute ou deux?

— Une minute devrait suffire. Il dort?

— Non, il regarde une cassette. Pour changer!

Pat était étalé de tout son long sur le canapé, toujours en robe de chambre et pyjama de *La Guerre des Étoiles*. Il regardait *Le Retour du Jedi*. Toutes les interdictions avaient été levées depuis son retour de l'hôpital.

— Salut, Pat, dit Cyd.

Elle s'accroupit à côté de lui et lui caressa les cheveux, évitant soigneusement le grand pansement qui couvrait une partie de son front.

— Comment va cette pauvre petite tête?

— Ça va. Il y a juste les points de suture qui tirent un peu.

— Je veux bien te croire!

— Mais devine? On n'a pas besoin de les enlever, mes points de suture.

— Non?

— Non, ils s'en vont tout seuls, expliqua Pat en cherchant mon regard pour confirmation.

— C'est exact, dis-je. Le fil se dissout peu à peu. C'est la nouvelle technique.

— La nouvelle technique, répéta Pat en approuvant de la tête.

Après quoi il reporta son attention sur la princesse Leia en léger costume de concubine à la cour de Jabba le Hutt.

— Ça, c'est une robe! dit Cyd.

— Oui, répondit Pat. C'est parce qu'elle est une esclave.

— Oh, la la!

Ils regardèrent pendant un moment la princesse Leia se tortiller au bout de sa chaîne.

— Bon, maintenant je te laisse. Tu dois te soigner, dit Cyd.

— D'accord, répondit Pat.

— Cyd t'a apporté à manger, dis-je alors. Des spaghettis verts. Qu'est-ce que tu dis?

— Merci, dit-il avec son sourire le plus séducteur.

— Je t'en prie, répondit-elle.

Je la raccompagnai tout en comprenant qu'une partie de moi s'était en quelque sorte mise à chanter. Je n'avais pas envie qu'elle s'en aille.

— Merci de votre visite, lui dis-je. Vous avez illuminé ma journée.

Elle pivota sur ses talons et me dévisagea de ses grands yeux écartés.

— Je suis sincère, repris-je. C'est la meilleure chose qui me soit arrivée de la journée. Réellement.

— Je ne comprends pas, dit-elle.

— Qu'est-ce que vous ne comprenez pas?

— Que pouvez-vous bien me trouver? Vous ne me connaissez pas!

— Vous voulez vraiment le savoir?

— Oui.

Je le lui ai donc dit.

— J'aime vous voir parce que vous êtes forte sans être dure. J'aime que vous ne laissiez pas les hommes vous traiter n'importe comment. J'aime aussi que cela ne vous ait pas empêchée de quitter votre pays pour un homme parce que vous le considériez comme l'homme de votre vie.

— La plus grande bêtise de toute ma vie!

— Peut-être, mais j'aime que vous soyez devenue si romantique en regardant les vieilles comédies musicales de la MGM quand vous étiez petite fille.

Elle éclata de rire.

— Vous ne vous faites pas d'illusions sur les hommes mais vous cherchez quand même un homme pour partager votre vie, continuai-je.

— Ah oui?

— Et j'aime la façon dont tout votre visage s'éclaire quand vous souriez. J'aime vos yeux. J'aime vos jambes. J'aime votre façon de savoir parler à un gosse de quatre ans. J'aime la façon dont vous avez été présente au moment où j'avais besoin de quelqu'un. Tous les autres sont restés assis à me regarder, sans bouger. Vous avez été adorable alors que vous n'étiez pas obligée de l'être.

— Autre chose ?

— Vous êtes belle.

— Je ne suis pas belle.

— Vous êtes belle et courageuse et je suis jaloux des hommes avec qui vous êtes sortie ! Je n'arrête pas de passer devant votre restaurant dans l'espoir de vous rencontrer.

— Votre femme vous manque, dit-elle. Elle vous manque beaucoup.

— C'est vrai, lui concédai-je, mais c'est aussi vrai que vous m'attirez énormément.

— Eh bien ! s'exclama-t-elle en hochant la tête. Et vous ne me connaissez même pas...

Elle ne l'avait pas dit sur le même ton que la première fois. Elle l'avait dit gentiment, comme si ce n'était pas ma faute si je ne la connaissais pas.

Tout en parlant, elle s'était approchée de moi, me dévisageant de ses grands yeux jusqu'au moment où elle les ferma pour poser ses lèvres sur les miennes. Je lui rendis son baiser.

— Je vous connais un peu, dis-je.

— Oui, me concéda-t-elle. Vous me connaissez un peu.

DEUXIÈME PARTIE

Monsieur Ding-Dong

19

Pat entra à l'école.

L'uniforme obligatoire aurait dû le faire paraître déjà adulte. Le pull-over gris à col en V, la chemise blanche et la cravate jaune auraient dû lui donner l'air d'un petit homme. Ce n'était vraiment pas le cas.

Le côté compassé de cet uniforme renforçait son incroyable fraîcheur. À l'approche de ses cinq ans, on ne pouvait même pas le qualifier de jeune. En réalité, Pat était encore tout neuf, même s'il était habillé en adulte, plus que moi.

Tandis que je l'aidais à se préparer pour sa première journée d'école, je compris brusquement à quel point j'aimais son visage. Quand il était encore bébé, je n'aurais pas pu dire s'il était réellement beau ou si c'était seulement mon instinct paternel qui s'exprimait. À présent, la vérité s'imposait.

Avec ses yeux bleu clair, ses longs cheveux blonds et la façon dont son sourire, hésitant, timide, éclairait peu à peu son visage à l'invraisemblable douceur, Pat était un très beau petit garçon.

Et maintenant, je devais laisser mon beau petit garçon affronter le monde extérieur. Du moins jusqu'à quinze heures trente. Cela promettait de paraître terriblement long pour lui comme pour moi.

Il ne souriait plus. Pendant le petit déjeuner, il était resté pâle et silencieux dans son imitation de costume d'adulte, luttant pour empêcher son menton de trembler tandis que, par-dessus son bol de céréales au chocolat, je dissertais sur les meilleurs moments de la vie.

Un appel de Gina nous interrompit. Cela ne devait pas être facile pour elle de téléphoner à cette heure-ci — la journée de travail battait son plein, là où elle se trouvait — mais elle n'aurait pas manqué le grand jour. Je regardai Pat parler à sa mère, mal à l'aise avec sa chemise et sa cravate, un bébé brutalement obligé de jouer les hommes.

Et ce fut l'heure de partir.

En approchant de l'école, je sentis la panique m'envahir. Il y avait des enfants partout, des hordes d'enfants portant exactement la même tenue que Pat, tous allant dans la même direction que nous. Je risquais de le perdre là-dedans, je risquais de le perdre pour toujours.

Je me garai à quelque distance du portail de l'école. Il y avait partout des voitures en double et triple file. De minuscules fillettes portant des boîtes à sandwiches décorées du portrait de Leonardo Di Caprio s'extirpaient de 4 × 4 de la taille d'un char d'assaut. Des garçons plus âgés descendaient de vieux tacots, portant des sacs de sport à l'effigie des joueurs de l'Arsenal et Manchester United. Ce petit peuple dont les plus grands n'atteignaient pas un mètre produisait un bruit hallucinant.

Je pris la main moite de Pat et nous entrâmes dans la cohue. Dans la cour de récréation, je repérai un groupe de nouveaux, des enfants tout petits, l'air affolés, et leurs parents très nerveux. Nous passions le portail pour les rejoindre quand je m'aperçus qu'un des lacets de chaussures de cuir noir toutes neuves de Pat était défait.

— Attends, Pat, je vais rattacher ton lacet, dis-je en me baissant.

En même temps, je me rendis compte que c'était la première fois de sa vie qu'il portait autre chose que des chaussures de sport.

Deux garçons plus grands nous dépassèrent, bras dessus

bras dessous. Ils nous jetèrent un regard moqueur. Pat leur sourit timidement.

— Il n'est même pas capable de nouer ses lacets tout seul! dit l'un d'eux avec mépris.

— Non, répondit Pat, mais je sais dire l'heure.

Ils se mirent à rire de toutes leurs forces, se tenant l'un à l'autre pour ne pas tomber. Ensuite, ils s'éloignèrent en répétant les paroles de Pat d'un ton incrédule.

— Mais je sais dire l'heure, c'est vrai, papa? dit Pat.

Il ne comprenait pas qu'on puisse mettre sa parole en doute et clignait rageusement des yeux, sur le point de fondre en larmes.

— Tu sais très bien dire l'heure, le rassurai-je.

Je n'arrivais pas à croire que j'allais réellement lâcher mon fils au milieu de ce monde moderne, cynique et malveillant. Nous entrâmes dans la cour de récréation.

Nombre des enfants qui commençaient l'école étaient accompagnés de leurs deux parents. Je n'étais pourtant pas le seul parent isolé. Je n'étais même pas le seul homme.

Il y avait un autre père célibataire, un homme d'une dizaine d'années de plus que moi qui avait l'apparence d'un homme d'affaires exténué. Il accompagnait une petite fille maniérée avec un sac à dos décoré des têtes souriantes d'un boys band dont je n'avais jamais entendu parler. Nos yeux se croisèrent rapidement puis il évita mon regard, comme si je risquais d'être contagieux. Je suppose que sa femme était peut-être au travail. Elle pouvait être n'importe où.

Le professeur principal arriva. Très aimable, elle nous guida jusqu'à la grande salle de réunion. Elle nous adressa quelques mots d'encouragement, puis indiqua le numéro de sa salle de classe à chaque enfant.

Pat hérita d'une miss Waterhouse. Avec une poignée de parents de petits nouveaux, nous suivîmes l'un des élèves plus âgés qui servaient de guides. Le nôtre était un garçon d'environ huit ans. Pat ne le quittait pas des yeux, béat d'admiration.

Dans la salle de classe de miss Waterhouse, un groupe d'enfants de cinq ans étaient assis par terre en tailleur, attendant avec patience que leur institutrice leur raconte l'histoire promise. C'était une jeune femme à la bonne humeur hystérique d'un animateur de télévision.

— Bienvenue à tous! dit miss Waterhouse. Vous arrivez à temps pour l'histoire du matin. Mais, avant cela, vous allez dire au revoir à vos mamans.

Elle se retourna vers moi avec un grand sourire.

— Et à votre papa, ajouta-t-elle.

L'heure était venue de le quitter. Nous avions eu quelques séparations difficiles avant qu'il abandonne la maternelle mais, cette fois, c'était différent. Je me sentais abandonné.

Mon fils entrait à l'école et, quand il en sortirait, il serait devenu un jeune homme et moi un homme entre deux âges. Les jours entiers passés à l'écart du monde à regarder *La Guerre des Étoiles*, ces jours-là étaient terminés. Je les avais vécus avec frustration, comme une perte de temps, mais je les regrettais déjà. Mon bébé entrait dans le monde.

Miss Waterhouse demanda des volontaires pour s'occuper des nouveaux. Toutes les mains jaillirent et l'institutrice désigna ceux qui serviraient de chaperons. L'instant d'après, une petite fille à l'air très sérieux et d'une beauté exceptionnelle se trouvait à nos côtés.

— Je m'appelle Peggy, dit-elle à Pat. Je m'occuperai de toi.

La petite fille lui prit la main et l'emmena.

Il ne remarqua même pas que je m'en allais.

Je me souviens de l'époque où je dormais sur la banquette arrière dans la voiture de mon père. Cela m'arrivait les soirs où nous rentrions de Londres après la séance annuelle au London

Palladium pour voir un mime ou après la visite hebdomadaire à ma grand-mère. À moitié endormi, je regardais défiler les ampoules jaunes des lampadaires.

Je m'étendais sur la banquette — « Tu n'as pas besoin de dormir, disait ma mère, repose-toi les yeux » — et bientôt, bercé par le mouvement de la voiture et les murmures de mes parents, je m'endormais.

Ensuite, je me retrouvais dans les bras de mon père. La voiture était dans l'allée de la maison, le moteur tournant toujours. Mon père me soulevait après m'avoir enveloppé dans le plaid qu'il gardait dans la voiture pour nos excursions au bord de la mer, chez des parents ou au London Palladium.

Ces jours-ci, un rien suffit à me réveiller. Le bruit d'un ivrogne qui rentre chez lui en titubant, une portière de voiture qu'on claque, une sirène d'alarme dans le lointain, tout cela suffit à me réveiller en sursaut. Ensuite, je passe des heures à contempler le plafond. Quand je dormais dans la voiture de mon père, rien n'aurait pu me réveiller. J'avais à peine conscience d'être arrivé, bien au chaud dans le plaid et dans les bras de mon père qui me montait dans ma chambre.

Je voulais que Pat ait ce genre de souvenirs. Je voulais qu'il connaisse la même sensation de sécurité. Malheureusement, Gina était partie et j'avais dû vendre notre vieux break pour payer les mensualités de la maison. Pat voyageait donc à côté de moi, dans le siège passager de la MGF, et luttait de toutes ses forces contre le sommeil, même quand nous avions plus d'une heure d'autoroute maussade pour revenir de chez mes parents.

Je voulais que mon fils connaisse les trajets en voiture que j'avais connus à son âge mais nous étions des voyageurs sans bagages.

À la fin de cette interminable première matinée d'école, Cyd m'appela.

— Comment cela s'est-il passé? demanda-t-elle.

Son intérêt paraissait sincère. Je ne l'en aimais que mieux.

— Un peu tendu, dis-je. Petit menton qui tremble au moment de dire au revoir. Quelques larmes, aussi. Mais de mon côté, bien sûr! Pour Pat, ça s'est très bien passé.

Elle éclata de rire et je voyais en imagination son sourire illuminer le restaurant. Cela en faisait un lieu exceptionnel.

— Vous voyez, je vous fais rire, dis-je.

— C'est vrai mais, maintenant, je dois retourner au travail. Ce n'est pas vous qui paierez mes factures!

Ce qui n'était pas faux. Je ne pouvais même plus payer les miennes.

Mon père vint avec moi chercher Pat à la sortie de sa première journée d'école.

— Traitement de faveur! dit mon père en garant sa Toyota juste devant le portail de l'école.

Il ne précisa toutefois pas si c'était une faveur pour Pat ou pour moi.

À quinze heures trente, comme les enfants se précipitaient vers la sortie, je compris que je ne perdrais jamais mon fils même dans la pire des cohues. Même au milieu de centaines d'enfants habillés de la même façon, vous reconnaissez votre enfant.

Il était avec Peggy, la petite fille qui lui servait de mentor. Elle me regarda et ses yeux me parurent curieusement familiers.

— Tu t'es bien amusé? demandai-je à Pat, terrifié à l'idée qu'il menace de retenir sa respiration à l'idée de devoir y retourner.

— Tu ne devineras jamais, papa! dit-il. Les institutrices ont toutes le même nom. Elles s'appellent Miss.

Mon père le souleva et l'embrassa. Je me demandai quand Pat commencerait à s'impatienter de nos embrassades. En attendant, il embrassa mon père en plein visage, un de ces baisers fougueux qu'il avait appris à donner avec Gina. Apparemment, il n'était pas près de s'en lasser.

— Ta bicyclette est dans le coffre de la voiture de papy, dit mon père. On peut s'arrêter au parc avant de rentrer.

— Peggy peut venir avec nous ?

Je me penchai sur la petite fille au regard sérieux.

— Bien sûr, dis-je, mais nous devons d'abord demander à la maman ou au papa de Peggy.

— Ma maman est au travail, dit Peggy. Mon papa aussi.

— Qui vient te chercher ?

— Bianca, ma baby-sitter. Pourtant je ne suis plus un bébé.

Peggy regarda autour d'elle, cherchant sa baby-sitter dans la horde des adultes venus attendre les enfants. Une adolescente, plus proche de vingt ans que de quinze, essayait de se frayer un chemin à la recherche de sa « cliente » tout en tirant sur sa cigarette.

— Voilà Bianca, dit Peggy.

— Viens, Peggy, dit la jeune fille en lui tendant la main. On y va.

Pat et Peggy ne se lâchaient pas des yeux.

— On va au parc pour une heure, dis-je à Bianca. Nous serons ravis si Peggy veut nous accompagner, et vous aussi bien entendu.

Elle refusa d'un bref mouvement de tête.

— On doit y aller, dit-elle.

— Alors, je te vois demain, dit Peggy à Pat.

— Oui, répondit-il.

Peggy lui sourit encore tandis que Bianca l'entraînait dans la foule qui commençait à se disperser.

— Je la verrai demain, dit Pat. À mon école.

Il avait de la terre sur les mains, de la peinture sur la figure et un reste d'œuf dur collé au coin de la bouche. Mais il était en pleine forme. Il n'y aurait pas de problème avec l'école.

Encore une différence entre mon père et moi. Après la chute de Pat dans la piscine vide, j'aurais volontiers oublié l'existence des bicyclettes pour le reste de notre vie. Or, pendant que nous passions ces heures interminables à l'hôpital, mon père avait pris le temps d'aller au parc chercher celle de Pat.

Il la trouva à l'endroit même où je l'avais laissée, renversée dans le fond du grand bassin. Elle n'avait rien, à part le guidon un peu faussé. Personnellement, je l'aurais volontiers jetée dans la benne à ordures la plus proche ! Mon père, quant à lui, voulait que Pat remonte dessus. Je ne discutai pas, pensant qu'il valait mieux laisser mon fils s'en charger.

Or, quand mon père sortit la bicyclette de son coffre, Pat parut très heureux de la voir.

— J'ai redressé le guidon, nous dit mon père. Elle a juste besoin d'un petit coup de peinture, maintenant. Il y en a pour une minute. Je le ferai, si tu veux.

Mon père savait que je n'avais pas touché un pinceau depuis que j'avais abandonné les cours d'arts plastiques niveau débutant...

— Je peux m'en charger, dis-je d'un ton maussade. Mets ton manteau, Pat.

On était en septembre et le rafraîchissement du début d'automne se faisait déjà sentir. J'aidai Pat à mettre son anorak en fermant bien le capuchon. Je ne pouvais éviter de voir son sourire qui s'épanouissait à la vue de sa bicyclette.

— Encore une chose, dit mon père en sortant une petite clef argentée de la poche de son manteau trois-quarts. Je crois qu'il est temps pour un grand garçon comme Pat de rouler sans ses petites roues !

Tel était mon père à soixante-dix ans — solide, gentil, sûr de lui, et souriant à son petit-fils avec une inépuisable tendresse. Et moi, je râlais quand même contre ses talents manuels, sa virile efficacité, son absolue certitude de pouvoir plier le monde à sa volonté. Et je ne supportais pas de revoir cette bicyclette.

— Papa! Tu n'y penses pas, dis-je. Il est à peine remis de sa chute et tu veux qu'il fasse des acrobaties!

— Tu exagères toujours. Exactement comme ta mère. Je ne veux pas que ce garçon fasse des acrobaties — d'ailleurs, je ne vois pas ce que tu veux dire. Je veux juste qu'il essaye de pédaler sans stabilisateurs. Ça lui fera du bien.

Mon père s'accroupit et commença à démonter les petites roues. En le voyant manier sa clef avec tant de dextérité, j'eus soudain l'impression d'avoir passé ma vie à le regarder bricoler, d'abord chez lui, ensuite chez moi. Que ce soit un problème d'électricité ou de toit qui fuyait, nous n'ouvrions pas les pages jaunes de l'annuaire téléphonique, Gina et moi. Nous appelions mon père.

La chaudière en panne, les gouttières cassées, le trou dans le toit, rien n'était trop difficile ou trop important pour sa boîte à outils impeccablement entretenue. Il adorait que Gina admire son travail — elle était toujours très généreuse en compliments — mais, même sans cela, il aurait fait la réparation. Ma mère aurait dit qu'il se débrouillait bien dans une maison. J'étais exactement l'inverse. J'étais dans une maison ce qui s'appelle un lamentable bon à rien.

Dans l'immédiat, j'étais là à regarder Pat blêmir de peur tandis que mon père finissait de démonter les petites roues. Pendant un instant, je fus tenté de me fâcher mais j'y renonçai.

Je savais en effet que, si je commençais, trente ans de disputes reviendraient à la surface — ma paresse face au volontarisme de mon père, ma timidité face à son machisme, mon envie d'une vie tranquille face à sa détermination à vivre comme il le voulait.

Je ne désirais pas que cela arrive en présence de Pat. Pas aujourd'hui. Ni un autre jour. Je regardai donc en silence mon père aider Pat à se mettre en selle.

— On fait juste un petit essai, dit mon père d'un ton rassurant. Si ça ne te plaît pas, on arrête. D'accord, mon bébé?

— D'accord, papy.

Mon père prit le guidon d'une main et l'arrière de la selle de l'autre. Pat s'accrocha aux poignées de toutes ses forces, pédalant avec hésitation. Ses chaussures neuves étaient déjà égratignées. Les roues de la bicyclette se mirent à tourner de plus en plus vite. Je les suivis, portant les petites roues. Après les tournants du chemin, nous arrivâmes devant une pelouse déserte.

— Tu me tiens? demandait Pat.

— Bien sûr, je te tiens, répondait mon père.

— Toi et maman, vous pourriez vous occuper de Pat, samedi soir? dis-je.

— Samedi soir? répéta-t-il comme s'il s'agissait d'une requête incongrue, comme si je savais très bien que c'était précisément le samedi soir qu'ils avaient l'habitude de sortir pour s'offrir leur dose d'ecstasy.

— Oui, je voudrais sortir.

— Bien sûr, dit-il. On s'arrangera toujours pour s'occuper de lui. C'est pour ton travail?

— Non, papa. Je n'ai pas de travail en ce moment, tu sais bien. Je voudrais sortir avec une fille.

Cela ne sonnait pas juste. Je me repris.

— Avec une femme.

Cela ne sonnait pas plus juste.

Je pensais que cela aurait pu le stopper mais il resta dans sa position penchée, continuant de pousser Pat au milieu des pâquerettes et des crottes de chien.

— Qui est-ce? dit-il.

— Juste une amie. On ira peut-être au cinéma.

Il s'arrêta enfin. Se frottant le dos, il se redressa pour me regarder.

— Tu crois que c'est ce qu'il y a de mieux à faire dans ta situation?

— Aller au cinéma? Pourquoi pas?

— Je ne parle pas de ça. Je parle de sortir avec une femme

bizarre juste après... Tu sais ce que je veux dire, ajouta-t-il après un signe de tête en direction de Pat.

— Elle n'a rien de bizarre, dis-je, et nous allons seulement au cinéma. Nous ne sommes pas en train de préparer notre fuite !

Il secoua la tête, perplexe. Où allait le monde ?

— Je me moque de ce que vous faites, dit-il avant de désigner de nouveau mon fils. C'est de lui que je m'inquiète. Cette fille, c'est sérieux ?

— Je ne sais pas ! Est-ce qu'on peut se voir une première fois en tête à tête avant de commencer à choisir les rideaux ?

Je feignais l'innocence insultée mais je savais que, si je sortais avec une femme, il en éprouverait de l'angoisse. Je n'avais pas l'intention de le blesser. Je voulais seulement lui faire comprendre que j'avais trente ans et qu'il ne pouvait décider à ma place du moment où ôter mes roues de stabilisation.

Nous étions arrivés sur une zone couverte d'un asphalte irrégulier devant une estrade en mauvais état.

— Tu es prêt ? demanda mon père à Pat.

— Prêt ! répondit Pat d'une voix qui démentait son affirmation.

— Je te tiens, d'accord ? dit mon père en accélérant l'allure. Je continue à te tenir. Garde le dos bien droit et pédale !

— D'accord.

— Tu continues ?

— Je continue !

Ils traversèrent l'asphalte, le visage de Pat dissimulé par son capuchon et mon père plié en deux à côté de lui. On aurait dit un petit elfe poursuivi par un bossu. Et mon père lâcha la bicyclette.

— Tu continues, papy ?

— Je continue ! cria-t-il tandis que Pat s'éloignait. Pédale ! Je t'ai eu !

Il pédalait avec énergie. Il fit une dangereuse embardée en

traversant une flaque mais la bicyclette parut se redresser d'elle-même et prit de la vitesse.

— Tu as réussi ! criait mon père. Tu y es arrivé, Pat !

Il se tourna pour me regarder et nous éclatâmes de rire ensemble. Je courus pour le rejoindre et, tandis que je me tenais debout à côté de lui, il me prit par les épaules. Il sentait l'eau de toilette et le tabac à rouler.

— Regarde comme il se débrouille bien, dit-il fièrement.

La bicyclette arriva au bord de la zone asphaltée, cahota et poursuivit sur l'herbe. Pat roulait un peu moins vite à présent mais il pédalait toujours aussi fort. Il allait droit vers les arbres.

— Ne va pas trop loin ! criai-je.

Il ne pouvait pas m'entendre. Il disparut dans l'ombre des vieux chênes qui se dressaient là, comme une créature encapuchonnée de la forêt regagnant son repaire.

Nous nous regardâmes encore, mon père et moi. Nous avions perdu l'envie de rire. Nous nous mîmes à courir à sa poursuite en l'appelant. Nos chaussures glissaient sur l'herbe mouillée.

Il ressortit de l'ombre des arbres, roulant vers nous sans se presser, le capuchon sur les épaules, les cheveux au vent. Il souriait d'une oreille à l'autre.

— Regarde ce que je sais faire, dit-il en se dressant rapidement sur ses pédales avant de s'arrêter.

— C'est formidable, Pat, lui dis-je. Mais ne recommence pas à t'éloigner comme ça, tu veux bien ? Reste toujours là où on peut te voir.

— Qu'est-ce qu'il a, papy ?

Mon père s'était appuyé contre un arbre, une main crispée sur la poitrine. Il suffoquait. Tout le sang s'était retiré de son visage et je découvris dans ses yeux quelque chose que je n'y avais jamais vu. Cela ressemblait à de la peur.

— Ça va aller, dit-il.

— Papy ?

— Papy va bien, dit-il.

Au bout d'une minute pénible, il retrouva son souffle. Il se moqua en riant de l'inquiétude de son fils et de son petit-fils mais il avait encore du mal à respirer.

— Je vieillis, voilà tout! Je deviens trop vieux pour courir dans les bois!

C'était la vérité, pensai-je : le temps rattrapait un homme dont le corps avait beaucoup souffert dans sa jeunesse. Depuis l'enfance, j'avais vécu avec l'idée de ces fragments de shrapnel, tordus et noirs, qui se frayaient un chemin dans son corps. Chaque été, nous pouvions voir son énorme cicatrice en forme d'étoile sur le côté. Toute cette souffrance devait le rattraper tôt ou tard.

Cependant, j'avais tort. Ce n'était pas le passé qui l'appelait à lui mais le futur.

— Ne vous inquiétez pas pour moi, nous dit-il. C'est fini. On rentre à la maison?

Nous regagnâmes sa voiture. Les ombres s'allongeaient déjà en cet après-midi de septembre. Pat pédalait à côté de nous. Mon père chantait à bouche fermée *You Make Me Feel So Young*, rassuré et réconforté par son Dean Martin personnel, son Sinatra privé.

20

Quand vous vivez une relation si intense qu'elle vous paraît devoir durer toujours, il ne vous vient pas à l'idée qu'un jour vous prendrez votre troisième douche de la journée parce que vous avez un rendez-vous en tête à tête.

Vous croyez que, comme le fait de demander à votre maman de faire votre lessive ou à votre père de vous prêter un peu d'argent, tous ces préparatifs angoissés devant le miroir de la salle de bains sont loin derrière vous.

Vous n'imaginez pas de redevenir un jour aussi maniaque dans votre hygiène intime qu'un adolescent de quinze ans en état d'excitation permanente. Ou de passer à nouveau des éternités devant votre miroir à essayer de faire quelque chose de vos cheveux. Ou encore de vous brosser les dents pour une énième fois alors qu'elles sont déjà impeccables. Vous n'imaginez pas que vous ferez tout cela pour rester assis dans le noir pendant deux heures avec une personne du sexe opposé que vous connaissez à peine.

C'est terrifiant. Sortir avec quelqu'un est un sport de jeunes! On perd l'habitude. On risque de ne plus savoir comment faire.

Pour sortir avec quelqu'un que vous venez de rencontrer, vous n'utilisez pas la même zone de votre cerveau que pour sortir avec votre conjoint ou votre conjointe. Vous ne vous servez pas des mêmes muscles. Peut-être est-il donc naturel, quand vous recommencez à vous servir de ces muscles, que vous vous sentiez un peu raide.

Que deux adultes se livrent à ces préparatifs adolescents de rendez-vous amoureux — essayer de paraître à son avantage, arriver à l'heure, savoir le bon moment pour faire telle chose, pour attendre un peu ou renoncer... cela doit être difficile de repasser par là après avoir vécu avec quelqu'un pendant des années. Avec Cyd, cela ne me parut pas du tout difficile.

Elle rendit les choses faciles.

— Il est très important de bien choisir le premier film que nous verrons ensemble, dit Cyd. Je sais que nous sommes seulement des amis mais c'est très important de bien choisir ce soir.

Je feignis de savoir de quoi elle parlait.

— Pour leur première sortie ensemble, beaucoup de gens préfèrent jouer la sécurité, dit-elle. Ils vont voir une superproduction d'été. Vous savez, un de ces films où New York est détruite par des extraterrestres, un raz-de-marée, un singe géant ou je ne sais quoi. Ils croient que ce genre de film est la garantie de passer un bon moment. Mais ils ont tort.

— Ah bon ?

Elle dit non avec la tête.

— Personne ne s'amuse vraiment avec ces films, sauf les gosses de treize ans au fin fond des campagnes ! C'est la loi des rendements décroissants ! Si tu as vu une fois s'écrouler l'Empire State Building, tu n'as pas besoin de le revoir.

Je commençais à comprendre.

— Tu penses t'offrir le grand frisson, dis-je, et tu te retrouves en train de bâiller devant les extraterrestres qui zappent la Maison-Blanche.

— On choisit une superproduction d'été quand on n'espère pas grand-chose, conclut-elle en me jetant un rapide regard.

J'étais en train de me faufiler comme je pouvais dans les embouteillages de la fin d'après-midi.

— Pas grand-chose dans quelque domaine que ce soit, précisa-t-elle. Ça veut dire que, pour toi, la vie n'est qu'un sachet de pop-corn avec un Coca Light éventé. Et qu'on ne peut pas en attendre plus.

J'essayai de me souvenir du premier film que j'avais vu avec Gina. Un truc japonais dans un cinéma d'art et d'essai. Une histoire de gens déprimés.

— Les films d'art et d'essai ne valent pas mieux, dit Cyd comme si elle avait lu dans mes pensées. Cela veut dire qu'on prétend tous les deux être quelqu'un qu'on n'est probablement pas.

— Et pense à tous ces couples dans le monde entier dont le premier film fut *Titanic* ! dis-je. Toutes ces amours naissantes condamnées avant d'avoir seulement commencé ! Avant même d'avoir quitté le port !

Elle me donna une tape sur le bras.

— Je suis sérieuse ! Une de mes amies, aux États-Unis, s'est mariée avec un type qui l'avait emmenée voir *La Mouche* pour leur première sortie.

— Et il s'est transformé en insecte ?

— Ça ne vaut pas mieux, dit-elle. Il a changé du tout au tout. Pour le pire.

— Alors, que veux-tu voir ?

— Tu me fais confiance ? demanda-t-elle.

— Je te fais confiance.

Elle voulait voir un de ces films qui repassent à la télévision chaque année au moment de Noël. Un de ces films que je pensais avoir déjà vus une douzaine de fois. Pourtant, je crois qu'en réalité je ne l'avais jamais vu.

Je ne sais pas pourquoi *La vie est belle* avait été programmée à cette époque de l'année. Peut-être était-ce dans le cadre d'une rétrospective Frank Capra ou James Stewart. Peut-être venait-on de recevoir une copie restaurée avec son numérique. Je ne sais plus et cela n'a aucune importance. C'est le film que nous avons vu le soir où nous sommes sortis ensemble pour la première fois. Je dois avouer qu'au début je l'ai trouvé plutôt sinistre.

Les effets spéciaux dataient de la préhistoire. Dans un ciel étoilé qui ne pouvait se cacher d'être un simple carton peint éclairé par-derrière, des anges — ou, plutôt, des êtres célestes représentés par piqûres d'épingle dans le carton — discutaient de George Bailey, pilier de sa communauté, et de son rendez-vous avec le destin.

Comme l'action se déplaçait vers une petite ville typiquement américaine préparant son joyeux petit Noël, je me surpris à souhaiter que des extraterrestres, un raz-de-marée ou un singe géant leur tombe dessus et les écrabouille. Si la théorie de Cyd sur les présages de notre première soirée était exacte, nous aurions de la chance si nous arrivions jusqu'au bout !

Ensuite, peu à peu, comme tous les espoirs et les rêves de James Stewart commençaient à s'écrouler, je me trouvai pris par l'histoire de cet homme qui a oublié pourquoi il vit.

Le film m'avait laissé le souvenir assez fade d'images vacillantes en noir et blanc dans un contexte par ailleurs très coloré, des images étouffées entre les émissions de variétés de Noël et les sandwiches à la dinde de ma mère. Je le trouvai à présent nettement moins mièvre.

Alors que son monde commence à lui échapper, James Stewart insulte par téléphone l'une des institutrices de son fils et se fait boxer par son mari dans un bar. Il en veut amèrement à l'épouse aimante pour laquelle il a renoncé à ses rêves d'enfant. Il voulait voyager dans le monde entier pour faire du commerce. Encore plus choquant, il est abominable avec ses enfants, irritable et hargneux. Mais ce n'est pas parce qu'il ne les aime pas. C'est parce qu'il les aime plus que tout.

Dans la salle obscure, Cyd chercha ma main pour la presser.

— Ne t'inquiète pas, dit-elle. À la fin, tout s'arrange !

Il faisait encore jour quand nous sommes sortis du cinéma mais la nuit n'allait pas tarder. Nous avons acheté des parts de pizza au café du NFT[1] et nous les avons mangées dehors, installés à l'une de ces longues tables en bois où tout le monde s'assoit. Cela donne l'impression d'être des étudiants.

Le NFT est une construction très laide dans un très beau quartier. Elle fait partie d'un horrible ensemble en béton des années soixante implanté à l'endroit où la Tamise infléchit son cours vers le sud et passe sous le pont de Waterloo. Si l'on traverse, on voit encore ces horreurs éclairées par les lumières des quais Victoria et St. Paul. C'est là que Cyd me parla de son enfance dans une maison pleine de femmes et de films.

— Le premier film que mes parents ont vu ensemble a été *Autant en emporte le vent*, dit-elle. Quand mon père est mort, ma mère l'a revu seize fois toute seule. Elle aurait volontiers continué mais elle a essayé de se rationner.

Cyd était la dernière de quatre filles. Sa mère était infirmière au Texas Medical Center, « où les pontes vont se faire réparer le cœur ! » commenta-t-elle. Son père était conducteur de poids lourds sur les champs de pétrole.

— Houston est une ville liée au pétrole, expliqua-t-elle. Quand les prix montent, on vit bien. Quand ils tombent, on se serre la ceinture. Mais, pour le meilleur comme pour le pire, dans l'opulence comme dans la pauvreté, Houston reste toujours une ville du pétrole.

À l'écouter, ses parents avaient vécu une lune de miel permanente. Même avec quatre filles adolescentes, ils se tenaient par la main en public, s'offraient une fleur et se laissaient des petits mots dans leurs boîtes à casse-croûte.

— Quand j'avais douze ans, ça me gênait, dit Cyd. Maintenant ça me ravit. Je suis heureuse de savoir qu'ils étaient très amoureux. Je devine ce que tu penses : peut-être qu'ils

1. National Film Theatre : un des plus grands cinémas du monde. *(N.d.T.)*

n'étaient pas du tout comme ça mais que j'ai envie qu'ils l'aient été. Peut-être qu'ils se tapaient sur les nerfs et qu'ils se disputaient. Mais je sais ce que j'ai vu. Ils s'adoraient. Ils avaient bien choisi.

Et puis, un dimanche où elle se promenait dans un centre commercial avec ses amies, sa sœur aînée était venue la chercher. Leur père venait de mourir d'une crise cardiaque.

— Ma mère n'a pas vieilli du jour au lendemain, non. Cela ne s'est passé comme ça. Elle s'est en quelque sorte retirée dans le passé. Peut-être pensait-elle que le meilleur était derrière elle. Elle a continué à travailler. Elle nous faisait toujours à manger. Mais elle passait beaucoup de temps à regarder de vieux films. Une partie de sa collection de cassettes vidéo a dû déteindre sur moi parce que, le jour où j'ai rencontré cet homme que j'ai suivi en Angleterre, j'ai cru que c'était Rhett Butler.

Je me sens toujours mal à l'aise quand la conversation arrive sur les anciens partenaires de quelqu'un. Tous ces espoirs qui n'ont abouti à rien, toutes ces blessures jamais guéries, l'amertume et la déception de voir votre amour jeté à la poubelle. Cela me gâche la soirée. Elle dut avoir la même sensation car elle changea de sujet, oubliant sa triste histoire pour jouer au joyeux guide touristique.

— Sais-tu que le premier mot prononcé sur la Lune a été celui de Houston ? C'est historique. Neil Armstrong a appelé le centre de contrôle en disant : « Houston, ici la base de la Tranquillité. L'Eagle a atterri. »

— Je ne m'étais jamais beaucoup intéressé à Houston avant de te rencontrer, lui dis-je. Ça ne fait pas partie des villes d'Amérique dont on a tous des images en tête.

— Ce n'est pas comme ici. Là-bas, si quelque chose a été repeint, ça devient une antiquité ! On a des abreuvoirs au bord de la route — ce qu'on appelle des bars à bière ! — où toutes les femmes ont l'air de sortir d'une chanson de Hank

Williams[1]. Le samedi soir, les plus jeunes vont boire de la tequila dans des bars pseudo-branchés où toutes les filles veulent ressembler à Pamela Anderson. Les garçons, quant à eux, ne peuvent pas s'empêcher de ressembler à des tas de viande.

— Où as-tu rencontré cet Anglais?

— Dans un bar à tequila, un samedi soir. Il m'a offert un verre et j'ai refusé. Alors, il m'a demandé si je voulais danser et j'ai dit oui. Il travaillait à Houston comme coursier à moto. Une sorte de facteur sexy! Évidemment, j'ai été très impressionnée.

— Et, en définitive, ce n'était pas Rhett Butler?

— Tu le sais bien! Même Clark Gable n'était pas Rhett Butler, n'est-ce pas?

— Mais tu l'as suivi à Londres?

— Oui.

— Pourquoi n'êtes-vous pas restés là-bas? Il a été expulsé?

— Oh, non! Nous étions mariés et il avait obtenu sa carte verte. Tu savais qu'en réalité la carte verte est rose?

Je fis signe que non.

— Ça nous a étonnés, nous aussi. On a eu des entretiens avec des fonctionnaires des services de l'immigration. Ils voulaient être sûrs que nous étions vraiment amoureux. On leur a montré notre album de mariage et il n'y a plus eu de problème. On aurait pu rester aux États-Unis pour toujours.

Elle marqua une petite pause, réfléchissant.

— Il me semble, reprit-elle, qu'il pensait pouvoir faire mieux dans la vie. L'Amérique peut te donner un sentiment d'échec, tu sais. Alors, nous sommes venus ici.

— Qu'est-ce qui n'a pas marché?

— Tout!

Elle me regarda droit dans les yeux.

— Il aimait le bambou. Tu sais ce que ça veut dire?

1. Hank Williams : très célèbre chanteur de musique country and western. *(N.d.T.)*

Je secouai la tête.

— C'est de la drogue ?

— Non. Enfin, si, d'une certaine façon. Ça veut dire qu'il aimait les Asiatiques. Il n'a pas changé. Il ne changera jamais.

— Les Asiatiques ?

— Oui, les Coréennes, les Chinoises, les Japonaises, les Philippines. Il n'était pas très difficile, ce qui est un peu insultant pour les Asiatiques, qui sont aussi différentes les unes des autres qu'une Suédoise d'une Turque. Mais c'est vrai, il s'en fichait, pourvu que ce soit une Asiatique. Le soir où je l'ai rencontré, il était avec une petite Vietnamienne. Il y a beaucoup de Vietnamiens à Houston.

— Des Asiatiques ? Tu veux dire des Orientales.

— On n'a plus le droit de dire « Orientales ». C'est considéré comme une insulte, comme Nègre ou hôtesse de l'air. On doit dire Afro-Américain et personnel de bord. Et Asiatique au lieu d'Oriental.

— Asiatique me fait penser à sciatique.

— Désolée, monsieur. C'est ainsi qu'il faut dire, à présent.

— Qu'est-ce qui l'attirait chez elles ?

— Peut-être la différence ? Le fait qu'elles aient l'air complètement différentes. Je peux le comprendre. L'hétérosexualité, c'est bien le fait d'être attiré par quelqu'un de différent, non ?

— Mais si ce type qui n'était pas Rhett Butler aimait le bambou, comme tu dis, pourquoi t'a-t-il épousée ?

— Mystère ! Je pense que c'était une aberration. Un devoir de vacances ! Je ne sais pas.

Elle repoussa sa lourde frange noire et me fixa de ses yeux bruns écartés. Et je comprenais comment un homme qui faisait une fixation sur le « bambou » avait pu tomber amoureux d'elle.

— On est restés ensemble pendant deux ans, poursuivit-elle. Une année là-bas et une année ici. Un jour, il est revenu à ses premières amours. Et moi, je l'ai découvert. C'était une étudiante malaise qu'il avait rencontrée dans un parc. Il lui montrait Londres et deux ou trois autres choses. Ce n'est pas un méchant garçon. J'ai mal choisi, c'est tout. Et toi?

— Moi?

— Oui, qu'est-ce qui s'est passé avec ta femme?

Je me demandais ce qui s'était passé avec Gina. C'était lié au fait de prendre de l'âge, de croire les choses immuables et de sentir que la vie vous échappe. James Stewart aurait su me l'expliquer.

— Je ne sais pas vraiment ce qui s'est passé. Pendant un moment, j'ai perdu mes points de repère.

— Oh, je vois! dit Cyd. Tu veux dire que tu as eu envie d'une autre fille?

— C'est plus que cela, même si ça en fait partie. Mais je... je ne sais pas comment l'expliquer. C'est comme si j'avais laissé la lumière s'éteindre.

Elle me regarda pendant quelques instants avant d'acquiescer de la tête.

— Et si on allait regarder les lumières? dit-elle.

Il faisait nuit à présent. De l'autre côté de la rivière, les lampadaires formaient une rangée de perles tout le long du quai. Le matin, ce n'étaient qu'immeubles de bureaux sinistres, embouteillages, toute une ville courant après l'argent du loyer. Mais le soir, c'était très beau.

— On se croirait à Noël, dit-elle en me prenant le bras.

C'était vrai. Moi-même, j'avais l'impression d'être à Noël.

— Je vais tenter ma chance avec toi, dit-elle encore.

21

Quand la baby-sitter à la cigarette comprit que nous n'allions pas l'enlever, elle autorisa Peggy à venir jouer à la maison avec Pat pendant une ou deux heures.

— Regarde ce que j'ai eu, dit Peggy en me montrant une figurine masculine en plastique moulé.

L'homme de plastique avait l'air très satisfait de lui-même avec son pantalon de satin blanc, son gilet lamé argent et ce qui ressemblait à une veste de smoking violette.

— Disco Ken, dit Peggy. L'ami de Barbie. Il va au dancing.

C'était étrange de les regarder jouer ensemble. Pat rêvait de faire exploser l'Étoile de la Mort. Peggy voulait mettre des rideaux aux hublots du Millenium Falcon.

Complètement hystérique à l'idée d'être chez lui avec son amie, quoique remarquablement peu impressionné par Disco Ken, Pat sautait sur le canapé en faisant tournoyer son sabre laser au-dessus de sa tête.

— Non! Je n'irai pas avec toi du côté du Mal! hurlait-il.

Peggy le regarda, pensive, de ses yeux sombres si sérieux, et commença à disposer les figurines de *La Guerre des Étoiles* autour du Millenium Falcon. Le fier vaisseau de l'espace était abondamment couvert de ruban adhésif d'un côté en raison d'un atterrissage raté sur un radiateur... Peggy installait les petits personnages comme pour prendre le thé au Ritz.

Était-ce inné ou culturel? Nous n'avions jamais encouragé

Pat à jouer à des jeux violents. Au contraire, les incessants bains de sang qu'il imaginait m'épouvantaient !

À cinq ans, à peine cinq ans, c'était en réalité un gentil petit garçon, affectueux et bien trop tendre pour la brutalité d'une cour de récréation. On l'avait un peu bousculé parce qu'il n'avait pas de mère pour l'attendre à la sortie. Nous n'avions pas encore trouvé le moyen d'affronter la situation.

Peggy était totalement différente. À cinq ans et demi, c'était une petite fille forte et pleine d'assurance que rien ne semblait déconcerter ou effrayer. Je n'ai jamais vu la moindre peur dans ses yeux bruns si sérieux.

Pat n'avait rien d'un chasseur-cueilleur doué pour la vie sauvage. Peggy, de son côté, n'avait pas l'étoffe d'une cuisinière-couturière. Mais il suffisait qu'on leur donne une boîte de jouets *Guerre des Étoiles* et ils répondaient aussitôt aux stéréotypes des sexes. Les jeux de guerre et de destruction n'intéressaient pas Peggy. Pat ne voulait rien d'autre.

Cela ne les empêchait pas d'aimer être ensemble. Cramponné au dossier du canapé, souriant béatement d'amour et d'admiration, Pat regardait Peggy poser la princesse Leia, Luke Skywalker et Han Solo près du vaisseau de l'espace en plastique gris qui venait de franchir d'innombrables kilomètres dans l'hyperespace...

— Où est ta maman ? demanda Peggy.

— Elle est à l'étranger, répondit Pat. Et toi ?

— Elle est au travail. Bianca vient me chercher à l'école mais elle n'a pas le droit de fumer chez nous. Ça la met de mauvaise humeur.

Apparemment, il n'y avait pas d'homme dans l'univers de Peggy mais, de nos jours, cela méritait à peine qu'on s'y arrête. Je me demandais qui pouvait être son père — sans doute quelque minable qui avait pris la fuite au moment où on lui demandait d'aller acheter des couches...

La sonnette retentit. J'allai ouvrir. C'était un de ces jeunes gens qui ont perdu leur travail mais pas l'espoir. Pas encore. J'admire ce courage et j'essaye toujours de les aider en leur achetant une peau de chamois ou des sacs-poubelle. En fait, il manquait à celui-là l'habituel fourre-tout rempli de produits pour la maison.

— Je suis vraiment désolé de vous déranger, dit-il. Je suis Eamon. Eamon Fish.

Je ne réagis pas tout de suite. Quand on vit en ville, on a tellement l'habitude de voir de parfaits étrangers sonner à sa porte qu'on reçoit un choc quand il s'agit de quelqu'un qui a vraiment un rapport avec vous.

En effet, bien sûr! Eamon Fish, le jeune comédien qui, d'ici un an, tournerait probablement les publicités pour les marques de bière et coucherait avec les présentatrices de la météo! À moins que ce ne soit dès le mois suivant. Ou la semaine suivante. Ce même Eamon Fish dont on m'avait demandé de réaliser l'émission, proposition que j'avais refusée pour cause de carrés de poisson pané...

Je ne savais pas quoi faire de lui. J'ignorais la raison de sa présence. J'attendais un jeune homme à la mine piteuse qui essayerait de me vendre une peau de chamois. Or je me retrouvais avec un jeune homme à la mine piteuse qui serait bientôt en train de se saouler à la prochaine cérémonie de la BAFTA.

— Que puis-je pour vous? lui demandai-je.

— Vous dites? demanda-t-il en fronçant les sourcils et en tendant la tête vers moi.

— Que voulez-vous?

— On peut se parler? C'est très important pour moi.

Je le fis entrer dans le salon où Peggy et Pat étaient assis au milieu d'une montagne de jouets. Pat avait toujours son sabre laser à la main.

— Super! dit Eamon. Un sabre laser! L'arme traditionnelle des Jedi! Je peux regarder?

Avec un sourire encore un peu méfiant, Pat se leva et tendit son sabre au jeune homme inconnu.

— Tu es un chic type, lui dit Eamon.

Il commença à faire de grands moulinets avec le sabre, accompagnant ses gestes d'un bourdonnement. Le sourire de Pat s'élargissait.

— Je n'en avais pas touché un depuis des années, dit Eamon. Mais ça ne s'oublie pas, n'est-ce pas ?

Il fit un grand sourire à Pat avant de poursuivre :

— Je suis né dans une petite ville qui s'appelle Kilcarney. En grandissant, j'avais l'impression de ressentir la même chose que Luke Skywalker pendant sa jeunesse sur Tatooine. Tu connais Tatooine ?

— La planète natale de Luke, répondit Pat. Avec les deux Soleils.

— Pardon ? La planète natale de Luke, c'est ce que tu as dit ? Eh bien, c'est exact. Il se sentait coupé du reste du monde, complètement à l'écart de la vie, coincé sous les deux Soleils de la vieille Tatooine. Pendant mon enfance dans la ville moribonde de Kilcarney, j'ai rêvé, moi aussi, de m'enfuir et de vivre beaucoup d'aventures dans des pays lointains que je ne pouvais même pas imaginer. Et c'est exactement ce que j'ai fait, conclut-il en rendant son sabre à Pat.

— Oui, lança Peggy, mais qu'est-ce qui s'est passé entre là-bas et maintenant ?

— Qu'est-ce que vous dites ?

Était-il complètement sourd ?

— Je dis : qu'est-ce qui s'est passé entre le moment où vous avez quitté votre planète natale et maintenant ? répéta Peggy en criant.

— Eh bien ! C'est de ça que je voudrais parler à ton père.

— Ce n'est pas mon père, fit remarquer Peggy. Mon papa a une moto.

— Mais le petit garçon est mon fils, dis-je en désignant Pat qui regardait toujours Eamon avec une expression d'intense admiration pour sa technique au sabre.

— Il vous ressemble, dit Eamon en souriant avec une cha-

192

leur apparemment sincère. Le bas du visage, c'est bien vous. C'est un beau jeune homme.

— Allons dans la cuisine, proposai-je. Je vais nous préparer du café.

— Du café, dites-vous? Je suis votre homme.

Tandis que je branchais la bouilloire, il s'assit à la table de cuisine en fourrageant de l'index dans ses oreilles. En même temps, il grommelait quelque chose que je ne pouvais pas comprendre.

— La journée a été mauvaise?

— Vous dites?

Je posai une tasse de café devant lui et me penchai pour le regarder de près. Il avait une beauté typique d'Irlandais brun, jointe à un aspect négligé qui ne datait pas d'hier, comme un Kennedy qui aurait passé l'été à dormir dehors. Et il paraissait sourd comme un pot.

— Vous avez un problème d'audition?

— Ah! Ça? Je vais vous expliquer. Il y a un endroit très snob où on fait des appareils auditifs. Ils font aussi des oreillettes, les petits écouteurs pour les présentateurs de télé. Ça permet aux réalisateurs et aux producteurs de vous parler pendant que vous êtes sur le plateau. Vous devez connaître cet endroit.

Je le connaissais très bien. J'y étais allé avec Marty quand il avait dû se faire équiper en oreillettes. Nous avions compris que nous quittions la radio pour la télévision à ce moment-là. C'est là que l'aventure avait commencé à devenir réelle.

— J'en viens, reprit Eamon. Je suis parti un peu vite, je crois. Quand le spécialiste prend les mesures de votre oreille, il vous verse dedans quelque chose comme de la cire chaude. On attend quelques minutes pour que ça prenne. Après, vous savez votre taille d'oreille. Je veux dire, pour vos écouteurs.

— Je comprends.

— Sauf qu'avec moi il n'a pas pu aller jusque-là. Il venait de me verser la cire chaude dans les oreilles et nous attendions que ça prenne quand je me suis dit : mais qu'est-ce que je fiche ici?

Eamon secoua la tête de droite à gauche. De minuscules fragments de cire séchée s'envolèrent de tous côtés.

— Qu'est-ce qui peut bien me faire croire que je suis capable de présenter une émission de télévision ? Comment quelqu'un peut-il y croire ? Je suis un comique ! Je fais mon numéro et il y a des gens qui aiment ça. Et alors ? Qu'est-ce que ça veut dire ? Que je suis capable de devenir présentateur ?

— Si je comprends bien, on était en train de vous équiper en écouteurs et vous avez eu une crise de trac ?

— Avant même d'approcher de la scène ! Je ne suis même pas sûr que ça mérite le nom de trac. En réalité, c'est moins digne. Une crise de panique absolue serait une expression plus appropriée. Bref, j'ai pris la fuite avec la cire encore chaude dans les oreilles. On dirait que ça a très bien pris !

Je lui donnai des mouchoirs en papier et des Coton-Tige. Je le regardai ôter la cire durcie. On prend toujours l'empreinte des deux conduits auditifs pour faire un écouteur par oreille, alors que personne n'utilise jamais les deux à la fois. À présent, j'avais compris que c'est en réalité un piège pour vous empêcher de fuir !

— Je voudrais que vous réalisiez l'émission, poursuivit-il. J'ai besoin de — comment dit-on ? — d'un entraîneur. Quelqu'un qui m'explique comment faire. Exactement comme vous avez appris à Marty. J'ai été très déçu quand on m'a dit que vous aviez refusé.

— Cela n'a rien à voir avec vous, lui dis-je. Je m'occupe de mon fils. Seul. Je ne peux pas reprendre un travail à plein temps. J'ai besoin d'être là pour m'occuper de lui.

— Mais j'ai vu qu'il est en uniforme. Ce petit garçon ne va pas à l'école ?

— Si.

— Donc, il est absent pendant la plus grande partie de la journée ?

— En fait... oui.

— Dans ce cas, excusez-moi de vous poser cette question, mais que faites-vous de votre journée, Harry?

Ce que je faisais de ma journée? Je réveillais mon fils, je l'habillais et je l'emmenais à l'école. Je m'occupais des courses et du ménage. L'après-midi, je l'attendais à la sortie de l'école. Ensuite, je préparais le dîner, je lui lisais une histoire et je le mettais au lit. Que faisais-je de ma journée?

— Rien, répondis-je.

— Cela ne vous manque pas? Je veux dire : le travail?

— Bien sûr que si! J'ai toujours gardé quelques moments privilégiés pour être avec mon fils — c'est-à-dire que je le voyais cinq minutes au début de la journée et cinq minutes à la fin. Maintenant, à la place de moments de qualité, j'ai du temps en quantité. Je n'ai pas choisi ce changement. Cela s'est passé comme ça, je n'y peux rien, mais cela m'interdit de produire votre émission.

— Mais vous pourriez être directeur de production, non? Vous pourriez venir de temps en temps dans la semaine pour superviser le travail? Vous pourriez me dire que faire pour arrêter de me ridiculiser? Vous pourriez m'aider à trouver mes marques, non?

— Eh bien, dis-je, peut-être.

Je n'avais jamais envisagé la possibilité d'un compromis entre travailler à plein temps et ne pas travailler du tout. Cela ne m'était jamais venu à l'esprit.

— Écoutez, j'admire vraiment ce que vous faites pour votre fils, dit Eamon. Je vous garantis que toutes les mères de Kilcarney vous feraient un triomphe! Mais j'ai besoin de vous. Je suis venu vous voir par pur égoïsme. Je crève de trouille à l'idée de devenir présentateur. C'est pour ça que je suis en train de semer des morceaux de cire dans votre cuisine. Or je sais que vous êtes capable de m'aider à m'en tirer sans mourir d'humiliation. Avec vous, j'ai même des chances d'être bon.

Je pensais aux longues matinées et aux après-midi interminables quand Pat n'était pas là. Je pensais aussi à mon dernier rendez-vous avec mon banquier. Il avait été très impressionné par mes efforts pour m'occuper de mon fils mais beaucoup moins par l'aggravation de mon découvert.

Par-dessus tout, je pensais à l'attitude d'Eamon avec mon fils — comment il avait admiré son sabre, comment il lui avait parlé de la planète de Luke. Et à moi, il m'avait dit que j'avais un fils étonnant.

Je sais qu'à cette époque de ma vie — en fait, à toutes les époques de ma vie — j'aimais tous les gens qui aimaient mon fils. Quand vous êtes seul avec votre enfant, vous avez envie que des foules de gens le trouvent aussi merveilleux que vous. Ce jeune comique irlandais avec de la cire séchée dans les oreilles semblait être de notre côté. J'étais donc de son côté...

J'étais prêt à travailler avec lui sur la base d'un temps partiel parce que je m'ennuyais autant que j'étais fauché. J'étais encore plus prêt à travailler avec lui parce qu'il estimait que mon fils avait de l'avenir.

— J'ai besoin de vous voir jouer, repris-je. J'ai besoin de voir ce que vous faites sur scène pour pouvoir réfléchir à la façon de l'adapter au petit écran. Vous avez une cassette vidéo de votre numéro ?

— Vous dites ?

22

Si certaines personnes sont indéchiffrables, c'est le contraire pour les enfants.

Dans dix ans, Pat aura peut-être appris à cacher ses sentiments derrière un masque d'adolescent fermé et son père — moi! — ne saura plus rien de ce qu'il pense. Mais à presque cinq ans, il ne pouvait me dissimuler que le dernier coup de téléphone de sa mère lui avait donné le cafard.

— Ça va, Pat?

Il hocha la tête sans enthousiasme et je le suivis dans la salle de bains, où il mit du dentifrice pour enfants sur sa brosse à dents Han Solo.

— Comment va maman?

— Ça va. Elle a un rhume.

Il ne pleurait pas. Il n'en avait même pas envie. Ses yeux restaient secs et sa bouche ne tremblait pas. Mais il était triste.

— Veux-tu regarder une cassette? dis-je en vérifiant ses dents, qui avaient de nouveau l'air toutes neuves.

Il cracha encore une fois dans le lavabo et me jeta un regard méfiant.

— Demain, j'ai école, objecta-t-il.

— Je sais que tu as école demain. Je ne parle pas de regarder un film entier mais seulement, disons, le début du premier film, jusqu'au moment où les deux droïdes sont capturés. Qu'en penses-tu?

Il finit de cracher dans le lavabo et remit sa brosse à dents à sa place.

— Veux aller au lit.

Je le suivis donc dans sa chambre et le bordai. Il n'avait pas non plus envie d'une histoire. Je ne pouvais pas éteindre et le laisser seul, sachant qu'il était triste.

Je savais ce qui lui manquait et qui n'était même pas ce que l'on appelle l'amour d'une mère. C'était l'indulgence d'une mère. Quelqu'un pour lui dire que cela n'a pas d'importance s'il ne sait pas encore attacher ses lacets tout seul. Quelqu'un pour lui dire qu'il était toujours le centre de l'univers alors qu'il venait d'apprendre la leçon que nous apprenons tous à notre premier jour d'école, que nous ne sommes pas le centre de l'univers. Je voulais tellement qu'il réussisse que je ne pouvais relâcher la pression. L'indulgence de Gina. Voilà ce qui lui manquait réellement.

— Elle reviendra, ta maman, lui dis-je. Tu sais qu'elle reviendra pour être avec toi. Tu le sais ?

Il fit oui de la tête.

— Quand elle aura fini son travail, dit-il.

— On n'est pas bien, tous les deux ? Toi et moi, on se débrouille bien, tu ne trouves pas ?

Il me regardait, les paupières tombant de fatigue. Il essayait de comprendre de quoi je parlais.

— On arrive à se débrouiller sans maman, pas vrai, fiston ? Tu me laisses te laver les cheveux, maintenant. Je te fais la cuisine comme tu aimes, des sandwiches au jambon et tout ça. Et ça marche bien à l'école. Tu aimes bien aller à l'école. On n'est pas bien, toi et moi ?

J'avais mauvaise conscience à insister de cette façon mais j'avais besoin de lui dire que nous nous en sortions bien. J'avais besoin de savoir que nous avions la situation en main.

Il me sourit d'un air fatigué.

— Oui, papa, on est bien.

Je l'embrassai pour la nuit, le serrant dans mes bras avec reconnaissance.

C'est ce qu'il y a de pire dans une séparation, pensai-je en éteignant la lumière. Cela oblige les enfants à cacher ce qu'ils ressentent. Cela leur apprend à naviguer entre deux mondes opposés. Cela les transforme en petits diplomates. La vraie tragédie est là. Le divorce transforme les enfants en tricheurs précoces.

— Je viens d'une petite ville qui s'appelle Kilcarney, dit Eamon Fish.

Il ôta le micro de son support et tapota doucement l'écouteur transparent logé dans son oreille gauche.

— Une petite ville bien tranquille qui s'appelle Kilcarney et dont les filles sont célèbres.

Je le regardais sur un moniteur, assis au premier rang des chaises réservées au public dans le petit studio. Devant moi, je voyais le dos de cinq cameramen. Nous étions entourés de tout l'attirail habituel des studios de télévision : des projecteurs brûlant dans les cintres, des câbles serpentant au sol, les zones d'ombre au-delà des caméras grouillant de gens dont le rôle allait de la régie de plateau au contrôle du prompteur en passant par le remplissage des verres d'eau, tous vêtus de ce que nous appelons des « noirs ». Malgré tout cela, le réalisateur filmait la prestation d'Eamon de façon à donner l'impression d'un numéro de comique plutôt que d'une émission de fin de soirée comme il en existait déjà tant. Il y avait déjà trop de ces émissions de société qui font penser à un fourre-tout. Ce qui devait réellement différencier celle-ci des autres était la personnalité de l'animateur.

— Pour ceux d'entre vous qui n'ont jamais visité cette belle région de mon pays, je dois préciser que Kilcarney est encore peu touché par le monde moderne. Par exemple, il n'y a pas de vibromasseurs à Kilcarney.

Il y eut des gloussements dans le public.

— C'est vrai, reprit Eamon. Les curés les ont tous confisqués. Parce que les filles de Kilcarney n'arrêtaient pas de se faire mal aux dents.

Les spectateurs rirent plus franchement mais leur rire devint un peu nerveux quand Eamon descendit lentement de sa petite estrade pour se rapprocher d'eux.

— Qu'on me comprenne bien. Je ne suis pas en train de dire que les filles de Kilcarney sont idiotes, mais pourquoi une fille de Kilcarney se lave-t-elle toujours les cheveux dans l'évier de sa mère ? Parce que c'est là qu'on lave les légumes !

Les rires reprirent de plus belle. Dans le public — la collection habituelle de désœuvrés et de curieux trop contents de profiter de quelques heures de divertissement gratuit —, personne ne connaissait Eamon Fish. Mais à présent, ils voyaient qu'il était inoffensif. C'est alors qu'il passa à l'attaque.

— En réalité, j'invente tout ça, reprit-il. Ce sont des bêtises. Les filles de Kilcarney ont les meilleurs résultats aux examens de toute l'Europe occidentale. En fait, n'importe quelle fille de Kilcarney a plus de diplômes que l'Anglais moyen n'a de tatouages. Ce n'est pas vrai que la seule différence entre une fille de Kilcarney et un moustique, c'est que le moustique arrête de vous pomper si vous lui tapez sur la tête. Ce n'est pas vrai que les filles de Kilcarney n'ont qu'un quart d'heure pour déjeuner parce que, si vous leur donnez plus longtemps, il faut aussi leur redonner une formation professionnelle. Ce n'est pas vrai qu'il n'y a pas de différence entre une bouteille de Guinness et les filles de Kilcarney parce qu'elles sont toutes les deux vides du col jusqu'en haut. Rien de tout cela n'est vrai.

Eamon soupira, se passa la main dans son épaisse chevelure noire et s'assit au bord de l'estrade.

— Ce qui est vrai, c'est que même en cette ère de journaux intellos de gauche, de céréales bio et de politiquement correct, il semblerait que nous ayons besoin d'un bouc émissaire.

Autrefois, c'était l'Irlandais idiot et la belle-mère casse-pieds. Maintenant, c'est les blondes. Les filles de l'Essex. Les filles de Kilcarney.

Il hocha lentement la tête.

— Nous savons tous, au fond de nous, que la situation géographique ou la couleur de cheveux n'a rien à voir avec la morale sexuelle ou l'intelligence. Alors pourquoi avons-nous besoin d'un groupe de gens à dénigrer? Quel besoin fondamental de nos misérables petites âmes cela satisfait-il? Quand nous rions à l'idée que la petite blonde de Kilcarney n'a qu'à fermer la porte de la voiture pour éteindre la lumière après l'amour, qu'est-ce que ça veut dire?

Ce n'était que le pilote mais je savais déjà qu'Eamon ferait un tabac. Après avoir nettoyé ses oreilles des restes de cire séchée, il avait pulvérisé la barrière de la peur et il apprenait à rester lui-même devant cinq caméras. Eamon Fish était parfait. Je m'inquiétais plus du public.

Ils étaient venus dans l'espoir qu'on les fasse rire et, en fait, on leur demandait de réfléchir à leurs préjugés. Ils se sentaient menacés, trompés, peu enclins à jouer le jeu. Nous aurions toujours ce problème avec l'émission d'Eamon. À mon avis, la seule façon de résoudre le dilemme était de les saouler.

Lors de notre première réunion de production après le pilote, je suggérai d'ouvrir quelques bouteilles et boîtes de boissons et de les servir au public pendant qu'ils attendaient d'entrer dans le studio. Tout le monde me dévisagea comme si j'étais un génie.

C'est ce qui me plaît, avec la télévision. Vous conseillez d'ouvrir quelques boîtes de bière et on vous regarde comme si vous veniez de peindre la chapelle Sixtine.

— Donc, ce travail est mieux que le précédent mais on te paye moins, dit mon père. Comment expliques-tu ça?

— C'est parce que je ne travaille pas toute la semaine, lui répétai-je encore une fois.

Nous étions dans le jardin de derrière, en principe pour taper dans un ballon avec Pat. En réalité, mon fils était dans le fond du jardin avec son sabre laser et ses rêves de victoire sur le Mal intergalactique. Je me retrouvai donc avec deux retraités en train de donner des coups de pied dans un ballon en plastique, baignés dans la lumière d'un jour d'automne.

Il commençait à faire froid mais je n'avais pas envie d'aller à l'intérieur. On était dans les derniers jours de septembre. L'année arrivait à sa fin. Il n'y aurait plus beaucoup de samedis après-midi comme celui-ci.

— Si c'est vraiment un meilleur poste, ils devraient lâcher les pépètes, reprit mon père, ce grand homme d'affaires.

Il prit le temps d'envoyer le ballon à sa femme.

— Toutes ces chaînes de télévision sont bourrées d'argent.

— Pas celles pour lesquelles Harry travaille, intervint ma mère, pensant bien faire.

En même temps, elle bloqua le ballon sous la semelle de sa pantoufle.

— Je vais à quelques réunions de production et j'assiste à l'enregistrement des émissions. C'est tout. Je ne vais pas au bureau tous les jours et toute la journée. Je ne leur donne pas toute ma vie. J'y vais deux fois par semaine, je roule les mécaniques, j'enguirlande tout le monde et j'amène des idées géniales. Après ça, je rentre chez moi.

— Pour s'occuper de Pat, dit ma mère en m'envoyant le ballon. Ton petit-fils.

— Je sais qui est mon petit-fils, rétorqua mon père avec irritation.

— Il y a des gens qui produisent plusieurs émissions mais moi, je ne fais que celle-là. J'ai fait mes comptes. Je gagnerai moins d'argent qu'avant mais ça suffira.

— De cette façon, il peut payer ses factures tout en étant là quand Pat rentre de l'école, précisa ma mère.

Mon père n'était toujours pas convaincu.

Il voulait pour moi tout ce que la vie peut offrir — une carrière et des enfants, une famille et un salaire, un foyer heureux et un gros chèque. Il voulait que j'aie tout. Mais, dans la vie, personne ne réussit à tout avoir.

— Vas-y, Kopa! dit-il en tapant dans le ballon, qui atterrit dans ses buissons de roses. Zut, reprit-il. J'ai gagné!

Avec ma mère, nous l'avons regardé partir de son grand pas vers le fond du jardin pour récupérer le ballon. Il en profita pour prendre Pat par les épaules et lui demander ce qu'il était en train de faire. Pat se mit à lui répondre avec animation, son doux visage levé vers son grand-père. Mon père lui rendait son sourire avec une tendresse infinie.

— Il va bien? demandai-je à ma mère. Il a eu un malaise, l'autre jour, au parc.

— Il cherchait sa respiration, c'est ça? dit ma mère sans le quitter des yeux.

Elle n'avait pas l'air étonnée.

— Oui. Il avait du mal à respirer.

— J'essaye de le décider à consulter un médecin, dit-elle. Ou plutôt un morticole, comme il dit.

Nous échangeâmes un sourire dans l'obscurité naissante.

— Il doit être le dernier à les appeler encore morticoles, dis-je.

— *Je n'ai pas besoin de ces fichus morticoles,* lança ma mère en imitant l'intonation de certitude irritée de mon père. *Je n'ai rien à faire avec ces bouchers!*

Elle l'imitait très bien et nous éclatâmes de rire. Nous adorions sa méfiance démodée à l'égard de tout ce qui pouvait représenter l'autorité, du simple agent de la circulation aux membres les plus réputés du corps médical. Nous éprouvions tous les deux un grand réconfort à constater que mon père ne changeait pas, même si nous avions peur que cela ne dure plus très longtemps.

Il revenait avec le ballon et son petit-fils. Il nous demanda ce qui nous faisait rire.

— Toi ! répondit ma mère en le prenant par le bras.

Et nous rentrâmes tous ensemble dans la maison de mon père.

Je ne demandais pas à tout avoir. Je voulais seulement une seconde chance. Une chance de reconstruire ma vie, une vie qui ne soit pas faite de morceaux éclatés et de cassures irréparables. Une chance d'être de nouveau heureux.

Je me moquais du temps pendant lequel Gina resterait à Tokyo. J'étais heureux avec Pat et je ne cherchais pas une carrière brillante. Je n'attendais qu'une chose de mon travail, qu'il me permette de payer mes factures.

En revanche, je n'étais pas prêt à vieillir en rancissant dans la haine des femmes et du monde à cause de ce qui m'était arrivé. Je n'avais pas envie de devenir adipeux, chauve et quadragénaire, harcelant mon fils adolescent avec tous les sacrifices que j'avais faits pour lui. Je voulais vivre. Une nouvelle chance de bien vivre. C'était cela que je voulais. Je n'avais pas la sensation de demander la lune. Une autre chance, rien d'autre.

Or, le lendemain, le père de Gina vint à la maison avec sa fille Sally, l'adolescente maussade que j'avais vue affalée sur le canapé, un des nombreux enfants que Glenn avait semés et abandonnés au profit d'aventures plus excitantes. En le voyant, je me dis que, en réalité, si le monde était devenu un effroyable gâchis, c'était à cause de tous les gens qui avaient souhaité une autre chance.

23

Glenn avait sorti son plumage d'hiver — un manteau afghan râpé, drapé sur un débardeur bleu en tissu brillant qui laissait voir les poils de sa poitrine maigre. Son pantalon taille basse terriblement étroit ne laissait rien ignorer de sa virilité. Il était tellement hors mode qu'il commençait à être dans le coup.

— Salut, Harry, mon pote, dit-il en me tapant dans la main d'une façon mystérieuse qui devait vouloir dire « le pouvoir au peuple ».

Trente ans plus tôt, c'était sans doute une façon de souligner que la révolution était en route.

— Ça gaze ? reprit-il. Le môme est par là ? Ça baigne ? Super, super !

À une époque, j'avais eu envie que mon père ressemble à quelqu'un comme Glenn. Une époque où j'aurais aimé que des magazines à la mode aient publié la photo de mon père dans sa jeunesse. Où j'aurais aimé qu'il soit apparu une ou deux fois au *Top 50*, au début des années soixante-dix. Une époque où j'aurais aimé qu'il s'intéresse à autre chose qu'à ses rosiers. En voyant la bosse des attributs de Glenn dans son pantalon moulant, cette époque me parut bien oubliée.

La cadette de Glenn se cachait derrière lui. Au début, je crus qu'elle était de mauvaise humeur. Elle entra sans quitter son expression boudeuse. Elle évitait de rencontrer mes yeux, feignant un grand intérêt pour la moquette. Ses longs cheveux bruns raides, plus longs que dans mon souvenir, pendaient devant son visage blême comme si elle voulait se dissimuler aux yeux du monde. En réalité, elle n'était pas de mauvaise humeur. Elle avait quinze ans et c'était tout le problème.

Je les reçus dans la cuisine, déprimé à l'idée de voir débarquer deux représentants de la famille de Gina. Je me demandais combien de temps il me faudrait pour arriver à m'en débarrasser. Je m'attendris pourtant en voyant Sally s'illuminer, réellement s'illuminer, quand Pat nous rejoignit avec Peggy. Peut-être était-ce un être humain, après tout.

— Salut, Pat ! s'exclama-t-elle joyeusement. Comment tu vas ?

— Bien, dit-il sans paraître se souvenir de la demi-sœur de sa mère.

À propos, qu'était-elle pour lui ? Une demi-tante ? Une cousine germaine ? De nos jours, il y a des gens avec lesquels nous avons des liens de parenté pour lesquels il n'existe pas de nom.

— Je t'ai fait une cassette, dit-elle en fouillant dans son sac à dos.

Elle finit par retrouver une cassette dépourvue de son boîtier.

— Tu aimes la musique, hein ? dit-elle.

Pat regardait la cassette d'un air impavide. La seule musique qu'il aimait, à ma connaissance, était celle de *La Guerre des Étoiles*.

— Il aime la musique, hein ? répéta-t-elle en me regardant.

— Il adore ça, dis-je. Qu'est-ce qu'on dit, Pat ?

— Merci, répondit-il.

Il prit la cassette et disparut avec Peggy.

— Il adorait le hip-hop quand on était tous chez mon père, dit Sally. Je lui ai enregistré quelques-uns des meilleurs morceaux. Coolio. Ol' Dirty Bastard. Tupac. Doctor Dre. Ce genre de trucs. Les trucs qui peuvent plaire à un gosse.

— C'est vraiment très gentil, lui dis-je.

Ils burent leurs verres en silence, une tisane pour Glenn et un

Coca pour Sally. Je leur en voulus soudain de me rappeler l'existence de Gina. Que faisaient-ils ici? Qu'avaient ces gens à voir avec ma vie? Pourquoi ne partaient-ils pas?

Pat ou Peggy devait avoir mis la cassette car une voix africaine colérique explosa brutalement dans le salon, soutenue par une basse meurtrière.

Les paroles étaient délibérément obscènes.

— C'est très joli, dis-je à Sally. Je suis sûr que ça ira dans sa boîte à trésors. Alors... tu es venue voir ton père?

Elle fit un signe d'acquiescement.

— Je vis chez lui, maintenant, dit-elle en jetant un regard à son père par-dessous sa frange mal soignée.

— Des petits problèmes, précisa Glenn. Avec mon ex. Et son nouveau.

— Des vieux hippies, laissa tomber Sally d'un air méprisant. Des vieux hippies qui ne supportent pas que quelqu'un d'autre s'amuse.

— Une scène terrible avec le nouveau mec, dit Glenn. Il voulait faire de l'autorité.

— Ce débile! ajouta Sally.

— Et comment va ton ami? lui demandai-je en me souvenant du gros mou affalé sur le canapé.

— Steve? dit-elle.

N'était-ce pas une larme que j'avais vue dans ses yeux?

— Il m'a plaquée, ce gros porc. Pour Yasmin McGinty, cette tarée.

— On a eu Gina, l'autre soir, dit alors Glenn, retrouvant soudain dans son cerveau embrumé la raison de sa présence. On lui a promis de passer vous voir tous les deux si on était dans le coin.

Je comprenais à présent ce qu'ils faisaient chez moi. Ils ne seraient pas venus si Gina ne le leur avait pas demandé, cela ne faisait aucun doute. Pourtant, à leur façon maladroite, ils essayaient de nous aider.

— Il paraît que t'as un nouveau boulot, dit Glenn. Je voulais juste te dire que le gosse peut venir si t'as un problème. N'importe quand.

— Merci, Glenn, j'apprécie ton offre.

— Et si vous avez besoin d'une baby-sitter, vous n'avez qu'à m'appeler, ajouta Sally, se cachant derrière ses cheveux, le regard fixé sur un point du mur derrière moi.

C'était gentil de sa part. Je savais que j'aurais besoin d'un peu d'aide supplémentaire maintenant que je travaillais à mi-temps. Mais, bon Dieu, la situation n'était pas désespérée à ce point !

Cyd adorait Londres comme seul un étranger peut l'aimer. Elle voyait au-delà des embouteillages, des pubs désertés, de l'irrémédiable pauvreté des logements sociaux. Elle voyait au-delà des retraités terrorisés, des petites filles qui avaient l'air de femmes, des femmes qui avaient l'air d'hommes et des hommes qui avaient l'air de malades mentaux. Elle voyait ce qu'il y avait au-delà de tout cela. La ville était magnifique, me disait-elle.

— Le soir, et vue d'avion. Et quand on traverse les parcs. C'est tellement vert, la seule ville que j'aie jamais vue qui soit plus verte que Houston.

— Parce que c'est vert, Houston ? dis-je. Je croyais que c'était une ville poussiéreuse des Grandes Plaines.

— Oui, mais c'est parce que tu es un idiot d'Angliche ! Houston est une ville très verte, monsieur. Mais pas autant qu'ici. On peut traverser à pied tout le centre de la ville sans sortir des trois parcs royaux — St. James's, Green Park et Hyde Park. Et tu ne marches que sur de l'herbe verte, incroyablement verte. Sais-tu quelle distance ça représente ?

— Entre un et deux kilomètres, tentai-je.

— Quatre kilomètres. Quatre kilomètres de fleurs, d'arbres

et de pelouses. Et il y a des gens qui font du cheval! En plein centre d'une des plus grandes villes du monde!

— Et le lac, dis-je. N'oublie pas le lac!

Nous étions au café du premier étage d'un immense bâtiment blanc des années trente, sur Portland Place, le Royal Institute of British Architects, en face de l'ambassade de Chine. C'est une monumentale oasis de beauté et de calme dont j'ignorais l'existence jusqu'à ce que Cyd m'y emmène.

— J'adore le lac, dit-elle. J'adore la Serpentine. On peut encore louer une barque à cette époque de l'année? Ce n'est pas trop tard?

C'était la dernière semaine de septembre.

— Je ne sais pas, répondis-je. C'est peut-être encore possible pour quelques jours. Tu en as envie?

Les grands yeux bruns écartés devinrent encore plus grands.

— Tu veux dire maintenant?

— Pourquoi pas?

Elle jeta un coup d'œil à sa montre.

— Parce que je dois aller au travail, dit-elle en souriant. Désolée. J'aurais adoré cela.

— Et demain? Qu'en dis-tu? Le matin, avant qu'il y ait la foule. On ira tôt. Je passe te prendre chez toi après le petit déjeuner.

Je n'étais pas encore allé chez elle.

— À moins que je vienne chez toi ce soir, après mon travail, dit-elle.

— Ce soir?

— Comme ça, on serait sûrs d'y aller tôt.

— Tu veux venir chez moi après ton travail?

— Oui.

Elle baissa les yeux sur sa tasse de café puis les releva sur moi.

— Qu'en dis-tu?

— C'est une bonne idée, lui répondis-je. Une excellente idée.

Peut-être mon intérêt pour Cyd, au début, n'était-il qu'une toquade due au choc du départ de Gina.

Mais après notre première nuit ensemble, ce fut très différent. La bouche de Cyd répondait à la mienne comme aucune autre bouche ne l'avait jamais fait, pas même celle de Gina.

Je ne plaisante pas. La bouche de Cyd était idéale pour la mienne. Pas trop ferme, ni trop molle, ni trop sèche, ni trop humide. Une langue pas trop grosse ni trop peu. Absolument idéale.

Je l'avais déjà embrassée, bien sûr, mais c'était différent. À présent, quand nous nous embrassions, j'avais envie que cela dure toujours. Nos bouches étaient faites l'une pour l'autre. Combien de fois peut-on dire cela dans sa vie? Combien de fois rencontrez-vous quelqu'un dont la bouche est idéale pour la vôtre? Je vais vous le dire précisément : une fois. Pas plus.

Il y a beaucoup de gens bien dans le monde, des millions de gens dont on pourrait tomber amoureux. Mais il n'y a qu'une personne dont la bouche est faite pour la vôtre.

Et malgré tout ce qui est arrivé par la suite, j'en suis toujours convaincu. Vraiment convaincu.

Au petit matin, je la regardais dormir, heureux de la voir à mon côté, heureux qu'elle soit à ma place dans le lit, qu'elle sache peu de chose de mon passé et n'ait pas automatiquement choisi le côté du lit où dormait Gina.

Je me laissais gagner par le sommeil, pensant que nous en étions au début et que c'était à nous de choisir de quel côté du lit nous avions envie de dormir.

C'est alors qu'elle se réveilla en criant.

C'était seulement Pat.

Sans doute dérangé par des ivrognes qui rentraient chez eux après un samedi soir très agité, il s'était levé pour venir dans mon lit. Mais il dormait à moitié et ne s'était rendu compte de rien quand il avait mis une de ses jambes autour de la taille de Cyd. C'était cela qui l'avait réveillée en sursaut.

Elle se tourna vers moi, se cachant le visage dans les mains.

— Oh! mon Dieu, je... j'ai cru... je ne sais pas. Je te voyais mais je sentais quelqu'un d'autre.

Je la pris dans mes bras pour la consoler. Pat dormait, la bouche ouverte, les bras lancés au-dessus de sa tête, qu'il tenait tournée vers l'extérieur du lit. Il avait toujours une jambe contre Cyd.

— Ça va, ça va, dit-elle en soulevant doucement la jambe de Pat.

Ensuite, elle se glissa par-dessus moi pour se lever. Mais sa voix démentait ce qu'elle disait.

Je crus qu'elle allait dans la salle de bains mais, quand je ne la vis pas revenir au bout de cinq minutes, je me levai à mon tour. Je la trouvai assise à la table de la cuisine. Elle avait mis une de mes chemises, qu'elle avait dû trouver dans le panier à linge sale.

Je m'assis à côté d'elle et pris ses mains dans les miennes. Je l'embrassai sur la bouche, doucement, à lèvres fermées. J'aimais l'embrasser de toutes les façons possibles.

— Je suis désolé qu'il t'ait fait peur, dis-je. Cela lui arrive de temps en temps de venir dans mon lit. J'aurais dû te prévenir.

— Ne t'en fais pas, ça va.

— Tu es sûre?

Elle eut un mouvement de tête.

— Pas vraiment.

— Écoute, je suis vraiment désolé qu'il t'ait fait aussi peur. J'essayerai de faire en sorte que ça n'arrive plus. Je vais mettre un verrou à la porte de ma chambre. Ou bien je l'attacherai! Ou bien...

— Ce n'est pas lui le problème, m'interrompit-elle. C'est nous.

— Que veux-tu dire?

— Nous n'avons pas vraiment parlé.

— Bien sûr que si! Je t'ai parlé de Gina. Tu m'as parlé du type qui aime le bambou. Celui qui n'était pas Rhett Butler. Nous avons beaucoup parlé. Nous avons évacué toutes les histoires tristes.

— Cela concerne le passé. Ce que je veux dire, c'est que nous n'avons pas parlé du présent. Nous ne savons pas ce que veut chacun d'entre nous. Je t'aime bien, Harry. Tu es drôle et tu es tendre. Tu es formidable avec ton fils. Mais j'ignore ce que tu attends de moi.

— Je n'attends rien de toi.

— Ce n'est pas vrai. Tu attends forcément quelque chose de moi. De la même façon que j'attends quelque chose de toi. C'est comme ça quand on commence à coucher ensemble, à se tenir la main dans des lieux superbes et à rêver au-dessus d'une tasse de café. Tout le monde attend quelque chose de quelqu'un. Mais je ne suis pas sûre que ce soient les mêmes choses.

— Comment cela?

— Par exemple, est-ce que tu veux d'autres enfants?

— Voyons, Cyd! C'est seulement notre première nuit ensemble!

— Je t'en prie, Harry. Tu sais très bien au fond de toi si tu veux d'autres enfants ou pas. Je ne veux pas dire avec moi spécialement mais en général.

Je la regardai. En fait, j'y avais déjà beaucoup réfléchi.

— Je veux d'autres enfants si la femme avec laquelle je les fais passe le reste de sa vie avec moi. Ça te va?

— Mais on ne peut jamais être sûr de rester avec quelqu'un pour toujours.

— Mais moi, c'est ce que je veux. Je ne veux pas revivre ce que je viens de vivre. Je ne veux plus voir infliger tant de chagrin et de déception à un enfant innocent qui ne l'a pas demandé et ne le mérite pas. J'ai trouvé très dur de voir Pat subir tout ça et je ne recommencerai à aucun prix. Et cela vaut pour tout enfant que j'ai ou que j'aurai.

— Cela paraît très noble, dit-elle. Mais ça ne l'est pas du tout. C'est une échappatoire. Tu veux d'autres enfants mais seulement si tu es assuré que cela se termine bien. Harry, il n'y a que chez Walt Disney que ça se termine toujours bien. Tu le sais. Personne ne peut te donner une telle garantie.

Je n'aimais pas la tournure que prenait cette conversation. J'avais envie de l'embrasser. J'avais envie de la regarder dormir. J'avais envie qu'elle me fasse encore découvrir des endroits merveilleux. Et les bateaux — on allait toujours canoter, n'est-ce pas?

— Tu ne peux pas effectuer un simple transfert affectif d'une femme à l'autre, Harry. Tu ne peux pas le faire sans réfléchir un peu à ce que tu veux. À ce que tu espères. Parce que, si tu ne le fais pas, dans sept ans tu te retrouveras exactement au point où tu en es arrivé avec Gina. J'aime être avec toi et tu aimes être avec moi. C'est très bien mais cela ne suffit pas. Nous devons être certains de vouloir la même chose. Nous sommes trop vieux pour nous lancer sans réfléchir.

— Nous ne sommes pas trop vieux, dis-je. Pour quoi que ce soit.

— J'ai dit : trop vieux pour nous lancer sans réfléchir. À partir du moment où on a un enfant, on est trop vieux pour ça.

Que savait-elle de la maternité?

— Je dois rentrer chez moi, dit-elle en se levant.

— On ne va pas canoter?

— Le canotage peut attendre.

24

— C'est monsieur Ding-Dong, dit Peggy.

Assise par terre, elle jouait avec les figurines de *La Guerre des Étoiles*, totalement absorbée dans une histoire de famille heureuse où Darth Vador et la princesse Leia s'installaient sur le Millenium Falcon et passaient leurs soirées à essayer d'envoyer Harrison Ford au lit.

Pat était debout sur le canapé, d'énormes écouteurs sur les oreilles. Il marmonnait, les yeux levés au ciel, et se balançait d'un pied sur l'autre. Il écoutait la cassette de Sally.

— Monsieur Ding-Dong arrive, dit Sally sans s'adresser à personne en particulier.

Pour mieux entendre, elle avait levé la tête, un petit sourire secret sur les lèvres.

Au début, je n'avais pas la moindre idée de ce dont elle voulait parler. Et puis, j'entendis ce que ses oreilles toutes neuves avaient perçu bien avant mes vieux tympans : un lointain tintement de cloches. Cela semblait venir du quartier.

Elles n'avaient pas cette lourde insistance des cloches d'église mais quelque chose de tendre, de sans prétention et d'inattendu. C'était une invitation plutôt qu'un ordre.

Bien sûr, je me souvenais du son de ces cloches. Elles existaient déjà dans mon enfance mais, pour une raison ou pour une autre, j'étais toujours étonné de découvrir qu'elles existaient toujours. Il était toujours là, il faisait toujours ses tournées, demandant aux enfants d'abandonner leurs jeux pour descendre dans la rue et se mettre joyeusement de la crème glacée sur le menton. C'était le marchand de glaces.

— Monsieur Ding-Dong, répéta Peggy.

Je fis comme si je ne l'avais pas entendue et retournai aux feuillets étalés sur la table basse. Peggy n'aurait même pas dû être là. Cela ne faisait pas partie des après-midi où elle venait jouer avec Pat après l'école. On était à la veille de la première émission d'Eamon et je devais vérifier le découpage. C'était plus facile quand Pat et Peggy n'étaient pas là, en train de crier ou d'écouter la cassette de Sally, des chansons pleines de garces, de voyous et de coups de feu. Peggy était une enfant adorable qui ne causait jamais d'ennuis mais, un jour comme celui-là, j'aurais préféré que Pat soit seul à jouer en criant.

Peggy n'était là qu'à cause de sa baby-sitter, aussi peu fiable qu'elle était grosse fumeuse. Elle n'était pas venue la chercher à l'école.

J'étais allé chercher Pat et je les avais trouvés tous les deux, main dans la main, en train de parler avec miss Waterhouse, leurs visages levés avec adoration vers la jeune institutrice.

Miss Waterhouse nous quitta avec un grand sourire. J'ignore à quoi s'occupent les institutrices pendant la deuxième partie de la journée, mais elle devait avoir à faire. Nous attendîmes que Bianca arrive, toussant comme d'habitude, son visage maigre et creux noyé dans un nuage de fumée. Mais Bianca n'était pas venue.

Nous étions donc là, tous les trois, nous tenant par la main à la porte de l'école, au milieu d'un tourbillon de mères qui bavardaient avec entrain dans l'odeur des gaz d'échappement. Et, parmi elles, j'avais l'impression d'être un pestiféré.

Il y avait toutes les variétés de jeunes mères devant cette école. Des mères en Range Rover, vêtues de ces manteaux en ciré vert conçus pour la vie à la campagne. Des mères qui prenaient le bus et portaient des bracelets de cheville. Et, entre ces deux extrêmes, il y avait la foule des mères assez sensées pour ne pas se faire tatouer le nom de leur homme sur l'épaule mais pas assez riches ou assez bêtes pour transporter un gosse de cinq ans dans un énorme 4 × 4 avec des pare-chocs anti-bétail.

Cependant, qu'elles portent des bracelets de cheville ou des bandeaux dans les cheveux, des tenues Prada ou Prisunic, toutes ces jeunes mères avaient une chose en commun. Elles me regardaient comme un ennemi.

Au début, j'avais mis cette impression sur le compte de ma paranoïa. Je n'avais pas besoin d'expliquer que mon couple s'était brisé. Le seul fait d'être là y suffisait, d'être un homme seul, sans femme — sauf ma mère, de temps en temps. Je n'aurais pas été plus clair en l'affichant en toutes lettres à la porte de l'école. Pourtant, ces femmes ne nous connaissaient pas, ni Gina ni moi. Pourquoi me rejetaient-elles donc ? Je préférais penser que, après tous les changements des derniers mois, j'étais surtout hypersensible.

Malheureusement, alors que le trimestre se déroulait et que les jours devenaient plus courts, je dus admettre que je n'étais pas paranoïaque. Les mères ne me parlaient pas. Elles évitaient mon regard. Elles n'avaient pas du tout envie d'en savoir plus. Au début, j'avais essayé d'échanger quelques mots avec certaines d'entre elles mais elles avaient réagi comme si je leur avais fait une proposition obscène. Je finis par renoncer.

Toutes ces mères qui se souriaient avec amabilité auraient infiniment préféré que je ne sois pas là. C'en était venu au point que j'essayais d'arriver à l'instant exact où les enfants sortaient. Je ne supportais plus d'être avec ces femmes, pas plus qu'elles ne supportaient ma présence.

Les institutrices se montraient toujours très gentilles avec moi. Quand je parlais avec miss Waterhouse, je n'avais pas de mal à me convaincre de mon appartenance au monde moderne où les hommes avaient, eux aussi, le droit d'être des parents isolés. Hélas, il me suffisait d'attendre Pat, seul, à la sortie de l'école pour comprendre que c'était une vaste blague.

Qu'elles vivent dans une grande maison blanche ou dans un logement social, les mères m'évitaient systématiquement. Cela avait commencé dès le premier jour et ne s'était pas arrêté.

Les femmes qui portaient un serre-tête avaient plus de choses en commun avec celles qui portaient des bracelets de cheville qu'avec moi. Les femmes qui élevaient seules leurs enfants avaient plus de choses en commun avec les femmes mariées qu'avec moi. Du moins, c'est ce que leur comportement laissait entendre.

Bien sûr, cela se passait toujours de façon très anglaise, très feutrée, mais cela n'empêchait pas le soupçon et la gêne d'être réels. Dans le monde du travail, un père seul avec son enfant pouvait rencontrer de la compréhension mais ici, devant les portes de l'école, dans ce bastion de parents, personne ne voulait rien savoir. À croire que nous leur rappelions, Pat et moi, la fragilité d'une relation, la fragilité de toutes les relations.

Le jour où je me retrouvai à attendre Bianca avec Pat et Peggy, j'eus la sensation que c'était encore pire. Les mères semblaient me regarder comme le symbole de tout ce qui pouvait mal se passer avec un homme.

Debout devant ce portail, j'avais l'impression d'être l'ambassadeur de tous les mâles défectueux de la terre. Les hommes qui ne sont jamais là. Les hommes qui ont tout plaqué. Les hommes qu'on ne peut pas laisser seuls avec des enfants.

Eh bien, qu'elles aillent au diable ! J'en avais assez d'être traité en ennemi.

Cela ne me dérangeait pas d'être considéré comme un drôle d'oiseau. Je m'y attendais. Après tout, je savais que j'étais un cas un peu spécial. Mais j'étais fatigué de payer pour les fautes de tous les autres hommes.

Je maudis la baby-sitter de Peggy, cette fille incapable d'être à l'heure à la sortie d'une école primaire, cette mollassonne qui ne savait que fumer et tousser, incapable de téléphoner à l'école pour nous prévenir qu'elle ne viendrait pas, cette fichue Bianca avec son nom branché et sa certitude branchée que quelqu'un d'autre assumerait ses responsabilités.

Au moins, Peggy n'était pas sa fille. Au-delà de l'amertume que j'éprouvais face au comportement lamentable de sa baby-sitter, je ressentais de la colère à l'égard de ses parents irresponsables.

Il est vrai que j'ignorais tout d'eux, en dehors du fait que son père était parti et que sa mère avait des horaires de travail curieux. Mais pour les questions importantes, j'estimais tout savoir sur eux.

Le père de Peggy attachait visiblement autant d'importance à ses responsabilités paternelles qu'à un voyage organisé de quinze jours en Floride. Quant à la mère de Peggy, qu'elle occupe de hautes fonctions dans la City ou qu'elle complète ses allocations chômage en travaillant au noir, cela ne changeait rien. De toute évidence, elle mettait le bien-être de sa fille au dernier rang de ses priorités.

C'étaient de typiques parents modernes, incapables de s'occuper de leur enfant. Or, s'il y avait une chose que j'avais appris à détester, c'étaient les gens qui mettent un enfant au monde et se figurent ensuite que le plus dur est fait.

Bref, qu'ils aillent au diable aussi, ces deux-là !

La foule commençait à s'amenuiser. Les jeunes mères partaient. Le pire était passé et cela ne me dérangeait plus d'attendre à la porte de l'école. J'allai donc avec les enfants au secrétariat pour signaler que j'emmenais Peggy chez nous.

Ravis de cette occasion inattendue de rester ensemble, Pat et Peggy crièrent de joie en s'entassant sur le siège de la MGF. Quant à moi, je me retenais de pleurer, comme cela m'arrivait régulièrement quand j'attendais Pat devant cette fichue porte d'école. Je me sentais triste pour Peggy comme je l'étais pour Pat. Nous faisons n'importe quoi de nos vies et ce sont les enfants qui payent l'addition.

Je la regardais jouer tranquillement sur le tapis, ignorée même de Pat qui écoutait les chansons violentes de Sally. Les cloches de monsieur Ding-Dong commençaient à s'éloigner. Je sentis les regrets et la honte m'envahir.

— Tu veux une glace? lui demandai-je.

Je me montrais plus maladroit que je ne l'avais jamais été de toute ma vie. Je savais que je lui devais des excuses.

Désolé de l'échec du mariage à la mode d'aujourd'hui, Peggy. Désolé d'être, nous, les adultes actuels, si égoïstes et si aveugles que nous ne sommes pas capables d'élever nos propres enfants. Pardonne-moi pour ce monde si perturbé que nous ne pensons pas plus sérieusement à nos fils et à nos filles qu'un animal de ferme ne pense à ses petits.

Mais que dirais-tu d'une crème glacée?

J'étais en train de payer nos trois 99 au glacier quand Cyd tourna le coin de la rue.

— Veux-tu un 99? lui proposai-je.

— Qu'est-ce que c'est?

— Ça, dis-je en lui montrant les cornets que je tenais. De la glace avec des copeaux de chocolat. C'est très bon!

— Non, merci. Je crois que je vais garder mon appétit pour le dîner. Comment vas-tu?

— Bien, répondis-je en me penchant pour l'embrasser sur la bouche.

Elle n'esquissa pas le moindre geste pour me rendre mon baiser.

— Je croyais que tu travaillais, repris-je.

— On m'a téléphoné pour que j'aille chercher Peggy. Bianca n'a pas pu venir. Désolée.

Je la regardai fixement pendant quelques instants, incapable de comprendre quel lien réunissait tous ces éléments.

— Tu connais Peggy? demandai-je.

Elle acquiesça de la tête. Avais-je bien compris?

— C'est ma fille, Harry.

Nous étions sur le seuil de la maison et elle me regardait de ses grands yeux bruns écartés. Elle attendait.

— Peggy est ta fille?

— Je voulais te le dire. Sincèrement.

Elle eut un petit rire qui signifiait que ce n'était pas drôle et qu'elle le savait.

— J'attendais le bon moment, expliqua-t-elle. C'est tout.

— Le bon moment? Pourquoi ne me l'as-tu pas dit tout de suite? En quoi n'était-ce pas le bon moment?

— Je t'expliquerai plus tard.

— Explique-moi maintenant.

— Bien, dit-elle.

Tout en parlant, elle tira la porte d'entrée de façon qu'elle se trouve presque fermée. Ainsi, les enfants ne pourraient pas nous entendre. Nos enfants.

— Parce que je ne veux pas que ma fille rencontre des étrangers qui sortiront peut-être très vite de ma vie.

— Tu ne veux pas qu'elle rencontre des étrangers? Mais de quoi parles-tu, Cyd? Je ne suis pas un étranger. Elle passe plus de temps chez moi que n'importe où. Peggy me connaît!

— Elle te connaît comme le père de Pat. Elle ne te connaît pas comme mon... D'ailleurs, qu'es-tu pour moi, Harry? Mon ami, je pense? Donc, elle ne te connaît pas comme mon ami. Et je veux pas qu'elle rencontre mon ami avant que nous nous soyons fréquentés pendant un certain temps. Tu comprends?

Non, je ne comprenais pas. Cela n'avait aucun sens pour moi. Une grosse goutte de glace fondue me tomba sur la main.

— Mais elle a dîné ici presque tous les soirs de la semaine!

Elle me voit plus souvent que ce pauvre minable que tu as épousé!

— Tu ne le connais pas.

C'était la meilleure!

— Oh! C'est un chic type, c'est ça?

— Peut-être pas, dit-elle. Mais je ne veux pas que Peggy grandisse en croyant que tous les hommes risquent de disparaître comme son père. Je ne veux pas qu'elle trouve des étrangers dans mon lit. Et toi, tu es un étranger. Du moins en ce sens, Harry. Je ne veux pas qu'il y ait un étranger dans la maison quand elle se réveille. Je ne veux pas qu'elle pense que ça n'a pas d'importance. Je ne veux pas qu'elle s'attache à quelqu'un qui pourrait ne pas rester.

Elle essayait de rester calme mais sa voix tremblait un peu. J'aurais voulu la prendre dans mes bras, ce qui aurait été une catastrophe car je tenais toujours mes trois 99 en train de fondre.

— Parce que, poursuivit-elle, je ne veux pas qu'elle souffre encore. Je ne veux pas qu'elle se mette à aimer quelqu'un qui la fera ensuite pleurer sans même y penser. Tu comprends, Harry? Tu comprends?

— Je comprends, je comprends.

Elle cligna très fort des paupières en se raidissant. De mon côté, j'essuyai la glace qui m'avait coulé sur les mains. Ensuite, nous entrâmes et je découvris qu'il n'y a rien d'extraordinaire pour un enfant.

Peut-être que, dans l'enfance, la vie est tellement pleine de merveilles qu'il ne peut pas y avoir de vraie surprise. Tout est déjà une surprise. À moins que les enfants ne s'adaptent plus vite que les adultes. Quoi qu'il en soit, ni Peggy ni Pat ne s'évanouirent sous le choc en voyant entrer Cyd.

— Maman, dit Peggy.

Bien sûr! pensai-je. Je savais à présent où j'avais déjà vu les yeux de Peggy.

Cyd s'assit par terre pour écouter sa fille lui expliquer les arrangements domestiques sur le Millenium Falcon. Elle prit les écouteurs de Pat pour écouter la chanson qu'il aimait. Quand nous eûmes fini nos glaces, elle dit à Peggy qu'il était temps de rentrer à la maison.

— Je t'appellerai, dis-je.

— Si tu veux. Je comprends que cela t'ait fait un choc.

— Tu es folle ou quoi ? Bien sûr que je veux t'appeler !

— Tu es sûr ?

— Sûr et certain, dis-je en lui touchant le bras. Cela ne change rien.

Cela changeait tout.

25

— Eamon, as-tu couché avec la maquilleuse ? demandai-je.

Il leva les yeux sur mon reflet dans le miroir de sa loge. Un éclair traversa son visage. De la peur, peut-être, ou de la colère. Mais c'était déjà passé.

— Pardon ?

— Tu as très bien compris.

L'émission commençait à bien marcher. Les taux d'audience étaient satisfaisants. Différentes marques de bière commençaient à le solliciter. Malgré cela, pour moi, Eamon n'était encore qu'un gamin de Kilcarney angoissé, avec de la cire dans les oreilles.

— Oui ou non, Eamon ? As-tu couché avec la maquilleuse ?

— Pourquoi veux-tu le savoir ?

— Parce qu'elle est en train de pleurer. Elle est incapable de préparer les invités parce qu'elle pleure dans sa boîte de poudre et que la poudre est mouillée !

— En quoi cela me concerne-t-il ?

— Je sais qu'elle a quitté le studio avec toi la semaine dernière.

Il pivota sur son tabouret tournant pour me faire face. L'arrière de sa tête s'encadrait dans les ampoules nues qui bordaient le miroir. Il n'avait plus l'air si inquiet, malgré la rigole de transpiration qui dessinait un serpent brillant sur son front lourdement poudré.

— Tu me demandes si j'ai couché avec la maquilleuse ?

— C'est exact, dis-je. Je me moque de ta morale, Eamon. Tu peux te taper l'éclairagiste-chef pendant la pause publicité, si tu en as envie. Je me fiche de ce que tu fais en dehors du plateau à condition que cela n'affecte pas le bon déroulement de l'émission. Or une maquilleuse qui ne peut pas faire son travail parce qu'elle pleure, cela affecte le bon déroulement de l'émission !

— Je ne sais pas ce que j'aurais fait sans toi, Harry, dit-il tranquillement.

Parfois, il parlait à voix si basse qu'il fallait se concentrer pour l'entendre. Cela lui donnait un certain pouvoir.

— Du jour où nous nous sommes rencontrés, poursuivit-il, tout ce que tu m'as dit m'a été utile. *N'oublie pas*, m'as-tu dit. *Tu t'adresses à une personne, une seule. Si tu t'amuses, ils s'amuseront*. Cela ne représente peut-être pas grand-chose pour toi, mais ça m'a permis de comprendre ce que j'avais à faire. Ça m'a permis de réussir. Je n'y serais jamais arrivé sans toi et je t'en suis reconnaissant. C'est pour ça que je ne t'en veux pas de m'avoir posé cette question, une question qui — tu me l'accorderas — serait un peu déplacée venant de ma mère ou de mon confesseur.

— As-tu couché avec la maquilleuse, Eamon ?

— Non, Harry. Je n'ai pas couché avec la maquilleuse.

— C'est la vérité ?

— C'est la vérité. Je n'ai pas couché avec la maquilleuse.

— Bien, c'est tout ce que je voulais savoir.

— J'ai sauté la maquilleuse.

— Ah ! Parce que ce n'est pas la même chose ?

— Pas du tout ! Ce n'était pas le début d'une relation profonde, Harry. C'était l'aboutissement de quelque chose qui n'engageait à rien. C'est d'ailleurs ce qui me plaisait là-dedans. Et Carmen — c'est le nom de cette fille, elle s'appelle Carmen —, Carmen est peut-être un peu émue à présent que l'unique représentation est terminée. Cependant, je suspecte fortement que ça lui a plu pour la même raison qu'à moi. Le fait même que c'était un peu brusque, un peu cavalier et pour une seule nuit. Parfois, une femme a envie que tu lui fasses l'amour. Parfois, elle a envie que tu la sautes. Elles sont comme nous, Harry. C'est le grand secret, avec les femmes. Elles sont comme nous.

— Mais pourquoi ne me l'a-t-on pas dit plus tôt ? Ma vie aurait été tellement plus simple !

— J'ai beaucoup de propositions en ce moment, Harry. Et pas seulement des publicités pour des marques de bière. Carmen est une fille adorable. Je la traiterai avec respect. Je serai gentil avec elle. Mais elle voulait exactement ce que je voulais et elle l'a eu ! Elle n'a rien d'autre à attendre de moi. Elle l'admettra dès qu'elle se sera reprise.

— Tu n'es pas le premier homme à pouvoir s'offrir une fille parce que sa vilaine petite tronche apparaît sur l'écran une fois par semaine, Eamon. Je te demande seulement de laisser tes histoires personnelles en dehors de ce studio, d'accord ?

— D'accord, Harry, dit-il d'un ton léger. Je suis désolé que ça ait causé des perturbations, vraiment désolé. Je comprends aussi que tu es mon directeur de production et que ton travail consiste à me dire ce genre de choses. Mais je suis un homme, que veux-tu ?

— Ah, oui ? Vraiment ? Tu me fais plutôt penser à un vieux blues. Je suis un homme ! Tu parles ! Tu es un parfait macho ! Ta prochaine publicité, ce sera pour de l'after-shave !

— Je suis un homme, Harry. Et je suis sur terre pour planter ma semence partout où je peux. C'est pour cette raison que nous sommes sur terre. C'est ce que font les hommes.

— Des blagues ! C'est ce que font les gamins.

Par la suite, quand je le vis quitter le studio avec la plus jolie des assistantes, je me dis pourtant : pourquoi pas ?

Pourquoi ne devait-il pas planter sa semence partout où il le pouvait ? Pourquoi devait-il l'économiser ? Et qu'avait de si extraordinaire le petit pot de fleurs solitaire que je cultivais ?

D'un seul coup, les contraintes se multiplièrent.

Je pouvais rester dormir dans le petit appartement de Cyd, sous les toits, mais je devais partir avant le réveil de Peggy. Cyd était heureuse de ma présence pendant que Peggy dormait, heureuse de dormir avec moi dans son vieux lit en cuivre sous une affiche encadrée d'*Autant en emporte le vent*, mais je devais partir dès l'aube.

En réalité, il n'y avait pas beaucoup de contraintes. Il n'y en avait qu'une, mais elle pesait très lourd.

— Cela peut changer, dit Cyd. Si nous décidons — comment dire? — d'aller plus loin. Si nous voulons nous engager réellement.

Ce qui posait un problème. Dès que j'arrêtais de regarder ses grands yeux bruns et qu'elle avait éteint, je n'avais plus envie de m'engager. À dire vrai, j'avais envie de quelque chose d'un peu moins compliqué.

Je voulais pouvoir dormir dans les bras de mon amante sans qu'elle me réveille pour me dire qu'il était l'heure de rentrer chez moi. Je voulais une de ces relations où l'on peut oublier les contraintes. Par-dessus tout, je voulais que les choses soient comme elles étaient avant que tout s'écroule.

J'étais encore en train de rêver quand je sentis la bouche de Cyd sur la mienne.

— Chéri, murmura-t-elle. Désolée, c'est l'heure.

Il faisait encore noir mais on entendait les pigeons sautiller sur le toit au-dessus de nous, signe indubitable que je devais mettre mon pantalon pour décamper avant le lever du soleil.

— Il n'y a rien à faire, n'est-ce pas? soupirai-je en m'écartant d'elle pour sortir du lit.

— J'aimerais que tu puisses rester, Harry, vraiment.

— Depuis quand es-tu séparée du père de Peggy? Trois ans? Plus? Combien d'hommes lui as-tu présentés?

— Tu es le premier, dit-elle calmement.

Je me demandai si c'était vrai.

— Je ne comprends pas quel mal ça lui ferait de me voir prendre mon petit déjeuner. Écoute, Cyd, elle me voit tous les jours.

— Nous avons déjà parlé de tout cela, me répondit-elle dans l'obscurité. Elle ne saura plus où elle en est si tu es là le matin. Je t'en prie, essaye de comprendre. C'est elle qui a cinq ans, pas toi.

— Elle m'aime bien, et je l'aime aussi. On s'est toujours bien entendus, elle et moi.

— Raison de plus pour t'en aller maintenant. Je ne veux pas que tu sois un « oncle » pour Peggy. Je veux que tu sois plus que cela, ou moins. Mais pas un oncle. Elle mérite mieux que cela, et toi aussi.

— Parfait. Absolument parfait.

— Tu devrais m'aimer pour ça, dit-elle, plus fâchée que triste. Tu devrais comprendre que j'essaye seulement de la protéger et de faire ce qui est le mieux pour elle. Toi aussi, tu as un enfant. Tu sais ce que c'est. Si quelqu'un est à même de comprendre, c'est bien toi !

Elle avait raison.

J'aurais dû l'aimer d'être comme elle était.

Pour la première fois de ma vie, je commençais à comprendre pourquoi des hommes de mon âge sortent avec des femmes plus jeunes.

Jusque-là, cela m'avait toujours étonné. À trente ans, les femmes gardent un beau corps et, en plus, on peut leur parler. Elles sont encore jeunes mais elles commencent à avoir un peu d'expérience, à avoir à peu près le même vécu que vous.

Pourquoi un homme échangerait-il ce genre de relation où l'on est entre égaux pour une relation avec une fille qui a un anneau dans le nombril et dont l'idée d'un rendez-vous amoureux correspond à une soirée dans une horrible boîte de nuit avec de l'ecstasy frelaté ?

Si vous pouvez sortir avec quelqu'un qui a lu les mêmes

livres que vous, qui a vu les mêmes émissions de télévision que vous, qui a aimé les mêmes musiques que vous, pourquoi sortir avec une fille pour qui un chanteur de blues est le chanteur de Jamiroquai ?

Mais maintenant, je comprenais l'attirance d'un homme pour une femme plus jeune. Les hommes de mon âge aiment les femmes plus jeunes parce qu'elles ont moins de motifs d'amertume.

Les femmes plus jeunes risquent moins d'avoir eu le cœur brisé par des histoires de foyer désuni, d'avocats, d'enfants qui pleurent parce qu'un de leurs parents leur manque. Les femmes plus jeunes n'ont pas connu toutes ces déceptions que les femmes de trente ans — et les hommes aussi, n'oublions pas les hommes ! — traînent avec elles comme autant de bagages en excédent.

C'était cruel mais vrai. Il y a beaucoup moins de risques que la vie d'une femme plus jeune ait déjà été brisée par un homme.

Un homme de trente ou quarante ans ne sort pas avec une femme plus jeune pour son corps souple et sa langue percée. Ça, c'est de la propagande mensongère !

Il sort avec elle pour pouvoir être l'homme qui va lui gâcher la vie.

Heidi était une nurse munichoise.

En réalité, pas exactement Munich, plutôt Augsbourg. Et pas exactement une nurse.

Le métier d'une nurse est de s'occuper des petits enfants, garçons ou filles. Heidi avait dix-neuf ans. C'était la première fois qu'elle quittait ses parents. Elle n'était qu'à un bref vol charter d'une chambre pleine de jouets et d'une mère qui lui faisait sa lessive. Elle en savait autant sur les soins à donner aux enfants que moi sur la physique théorique. Heidi était plutôt une jeune fille au pair qu'une vraie nurse.

Il était prévu que Heidi fasse la cuisine, le ménage et me remplace auprès de Pat les jours où je travaillais. En échange, elle serait logée, nourrie et recevrait de l'argent de poche. Le reste du temps, elle étudierait l'anglais.

Pat se balançait sur le canapé en écoutant la cassette de Sally quand je lui présentai Heidi.

— Voici Heidi, Pat. Elle va rester ici et nous aider à tenir la maison.

Pat considéra la grande Allemande blonde d'un air imperturbable, la bouche à moitié ouverte, absorbé par la musique.

— Un petit garçon qui a l'air très éveillé, dit Heidi en souriant.

Pour montrer sa bonne volonté, elle me demanda ce que j'aimerais manger pour le dîner. Je lui expliquai que j'avalerais un en-cas en vitesse au studio mais qu'elle devrait préparer quelque chose pour elle et pour Pat. Elle farfouilla donc dans la cuisine jusqu'à ce qu'elle eût trouvé une grande boîte de soupe de tomate.

— Est-ce que ça irait ? demanda-t-elle.

— Très bien.

Je voulais voir comment elle se débrouillerait. Je me rassis donc à la table de cuisine pour prendre des notes sur le découpage de la prochaine émission.

Pat nous rejoignit et se mit à l'observer. Comme il avait laissé la musique hurler dans le salon, je l'envoyai l'arrêter. À son retour, il se mit à me tirer par la manche.

— Papa, devine ? dit-il.

— Laisse papa travailler, mon chéri.

— Mais tu sais ce que Heidi est en train de faire ?

— Laisse Heidi travailler.

Avec un soupir très théâtral, il s'assit à la table de cuisine pour jouer distraitement avec deux de ses figurines en plastique.

Heidi s'affairait du côté de la cuisinière. Le bruit de l'eau en train de bouillir me fit lever les yeux. Bizarre ! Pourquoi faisait-elle bouillir de l'eau pour réchauffer une boîte de potage à la tomate?

— Heidi?

— Bientôt prêt!

Elle avait placé la boîte, sans l'ouvrir, dans une casserole remplie d'eau et l'avait mise à bouillir. Elle m'adressa un sourire hésitant juste avant que la boîte explose. Du liquide rouge fumant gicla dans toute la pièce, sur le plafond, sur les murs, et sur nous.

Essuyant la soupe qui m'avait coulé dans les yeux, j'aperçus le visage de Heidi couvert d'un rouge visqueux. Muette, elle fixait le gâchis d'un regard choqué. On aurait dit Sissi Spacek dans la scène du bal de *Carrie*[1].

Après quelques instants de silence effaré, elle éclata en sanglots.

— Tu sais, papa? dit Pat, qui clignait des yeux dans un masque écarlate. Elle non plus, elle ne sait pas faire à manger.

Heidi trouva donc une famille très convenable dans un autre quartier.

Et j'appelai Sally.

1. *Carrie*, film de Brian De Palma, adaptation du roman de Stephen King. L'auteur fait allusion à la scène du bal de fin d'études où Carrie se retrouve couverte de sang. *(N.d.T.)*

26

Tante Ethel était à genoux dans son jardin de devant. Elle plantait des bulbes pour le printemps.

Tante Ethel n'était pas vraiment ma tante mais je j'appelais ainsi depuis que nous avions emménagé dans la maison voisine quand j'avais cinq ans. Je n'avais jamais pu me défaire de cette habitude.

Elle se redressa, louchant par-dessus sa tondeuse à gazon, tandis que nous descendions de la vieille Coccinelle VW de Cyd : Pat, Peggy, Cyd et moi. Pendant un bref instant, j'eus l'impression d'être redevenu le petit garçon qui venait demander à tante Ethel s'il pouvait aller chercher son ballon tombé du mauvais côté.

— Harry? C'est toi, Harry?

— Bonjour, tante Ethel. Qu'est-ce que vous plantez?

— Tulipes, narcisses, et jacinthes! Et c'est ton petit Pat? Je n'en crois pas mes yeux! Comme il a grandi! Bonjour, Pat!

Pat la salua un peu à contrecœur en levant son sabre laser. Nous n'avions jamais réussi à le convaincre de l'appeler par son nom et il n'avait visiblement pas l'intention de commencer. Tante Ethel se tourna ensuite vers Peggy, une expression de confusion sur son vieux visage familier.

— Et cette petite fille...

— C'est la mienne, dit Cyd. Bonjour, tante Ethel. Je m'appelle Cyd. Je suis l'amie de Harry. Comment allez-vous?

— Comme Sid James ?

— Comme Cyd Charisse.

Tante Ethel cligna des yeux derrière ses lunettes.

— La danseuse, dit-elle. Avec Fred Astaire dans *La Belle de Moscou.* De belles jambes. Exactement comme vous, ajouta-t-elle après avoir examiné Cyd.

Cyd me prit le bras pour remonter l'allée avec moi.

— J'adore ta tante Ethel, me glissa-t-elle à mi-voix.

Je sentis ensuite sa main se crisper sur mon bras.

— Mon Dieu, on dirait ta mère...

Ma mère nous attendait à la porte, tout sourire, et Pat courut se jeter dans ses bras.

— Joyeux anniversaire ! cria-t-elle en le soulevant dans ses bras. Cinq ans ! Quel grand garçon... aïe !

Le tenant toujours sur un bras, de sa main libre elle repoussa le sabre de Jedi.

— Fichu laser ! rit-elle.

Elle baissa la tête pour regarder Peggy.

— Tu dois être Peggy. Tu n'as pas de sabre laser, toi ?

— Non, je n'aime pas beaucoup *La Guerre des Étoiles.* J'y joue seulement parce que *lui,* il aime ça.

— C'est un jeu de garçon, n'est-ce pas ? dit-elle.

Ma mère n'avait jamais été très sensible à la nécessité de briser les stéréotypes sexuels.

Peggy suivit Pat dans la maison et ma mère sourit à Cyd, qui se tenait un peu en retrait, un demi-pas derrière moi. Elle n'avait pas lâché mon bras. C'était la première fois que je la voyais intimidée. Ma mère la prit dans ses bras et l'embrassa sur la joue.

— Et vous, vous devez être Cyd. Entrez, mon petit, et faites comme chez vous.

— Merci.

Cyd entra donc dans la maison où j'avais grandi. Ma mère me fit un rapide sourire dans son dos, levant les sourcils

232

comme une dame étonnée sur une de ces vieilles cartes postales friponnes qu'on trouve dans les stations balnéaires.

À une époque déjà lointaine, j'avais amené à la maison suffisamment de filles pour savoir ce que signifiait sa mimique.

Cela voulait dire que Cyd était ce que ma mère appelait une beauté.

Et dans le jardin, il y avait ce que ma mère appelait un vrai festin.

La table de cuisine avait été transportée derrière la maison et couverte d'une nappe en papier à motifs de ballons de toutes les couleurs, de bouteilles de champagne dont le bouchon sautait et de lapins qui riaient.

Elle était surchargée de bols pleins de chips, de noix et de petits biscuits orange au fromage, d'assiettes de sandwiches dont on avait découpé la croûte, de plateaux de mini-friands à la saucisse. Il y avait aussi six petits plats individuels en carton avec de la gelée et des fruits en boîte. Au milieu trônait un gâteau d'anniversaire en forme de casque de Darth Vador. Cinq bougies y étaient plantées.

Une fois que nous fûmes assis autour de la table et après quelques variations sur *Joyeux Anniversaire, cher Pat,* mon père passa le plat de petits friands à la saucisse. Il me lança un regard aiguisé.

— Vous avez dû vous amuser pour entrer tous dans ta voiture de sport, dit-il.

Du salon nous parvenait la musique d'un de ses disques préférés. C'était la fin de la deuxième face de *Songs for Swingin' Lovers.* Frank Sinatra interprétait *Anything Goes,* de Cole Porter.

— Nous ne sommes pas venus avec la MGF, papa. Nous avons pris la voiture de Cyd.

— Absolument pas pratique ce genre de voiture, poursuivit-il, ignorant mes explications. Où veux-tu mettre les enfants ? Un homme doit réfléchir à ce genre de choses avant d'acheter une voiture. En tout cas, il devrait.

— Mon papa a une moto, intervint Peggy.

Mon père la regarda, mâchant son friand, incapable de trouver ses mots. Son père ? Une moto ?

— C'est très intéressant, ma chérie, dit ma mère.

— Et une petite amie thaïlandaise.

— Magnifique !

— Elle s'appelle Mem.

— Quel joli nom !

— Mem est danseuse.

— Vraiment !

Nous la regardions tous en silence, attendant d'autres révélations, tandis qu'elle ouvrait son sandwich pour en examiner la garniture. Les révélations n'arrivaient pas. Peggy referma son sandwich et mordit dedans avec entrain.

Je chipotais dans le bol des biscuits croustillants au fromage, quelque peu déprimé.

Mes parents faisaient de leur mieux pour garder le sourire, mais cette petite fille avait déjà une vie à elle dont ils ne voudraient et ne pourraient jamais faire partie. Le ravissement absolu que leur inspirait leur petit-fils ne s'étendrait jamais à la petite Peggy. Un tel amour inconditionnel était, dès l'abord, rendu impossible. Elle serait toujours trop différente d'eux. J'en étais triste pour eux, comme pour Peggy.

— Mem n'est pas vraiment danseuse, dit Cyd en me regardant.

Elle savait ce qui se passait dans mon esprit en ce moment précis.

— C'est plutôt une strip-teaseuse, ajouta-t-elle.

Mon père faillit s'étouffer avec un morceau de chips.

— C'est passé dans le mauvais trou, expliqua-t-il.

Ma mère se tourna vers Cyd avec un grand sourire.

— Voulez-vous de la gelée ?

Une fois débarrassée de l'histoire de Mem et de son métier, la fête prit son rythme. Cyd plaisait à mes parents. Je me rendais compte qu'elle leur plaisait même beaucoup.

Il y avait quelques champs de mines à traverser — mon père avait une dent contre les mères seules subventionnées par l'État et ma mère avait une dent contre les mères qui travaillent — mais Cyd évita les écueils sans renverser sa gelée.

— L'État ne pourra jamais remplacer un parent, monsieur Silver, et il ne devrait pas chercher à le faire.

— Appelez-moi Paddy, ça me fera plaisir, dit mon père.

— Il y a des femmes qui ne peuvent pas faire autrement que de travailler, madame Silver, mais cela ne veut pas dire que leurs enfants ne passent pas en premier.

— Appelez-moi Elizabeth, ma chère Cyd, dit ma mère.

Cyd parla avec Paddy et Elizabeth de toutes les choses dont ils avaient envie de parler — avec ma mère du genre de films qu'un enfant de cinq ans devrait avoir le droit de regarder, avec mon père du moment où il fallait ôter les roues de stabilisation d'un vélo d'enfant...

Elle fit tous les petits bruits appréciatifs qu'il fallait. Elle admira les friands à la saucisse de ma mère (« Je les fais moi-même, je vous donnerai la recette si vous voulez ») et le jardin de mon père (« Harry ne s'est jamais intéressé au jardinage — c'est un mystère, pour moi »).

Mais Cyd n'était pas une gamine du voisinage avec laquelle j'étais allé danser deux ou trois fois dans une boîte de banlieue, une des Kim ou Kelly que j'avais régulièrement amenées à la maison jusqu'au jour où j'étais venu avec Gina.

Cyd était visiblement une femme avec un passé — c'est-à-dire qu'elle avait été mariée, enceinte, divorcée, quoique pas nécessairement dans cet ordre. Mes parents, semblait-il, ne savaient pas comment réagir devant ce passé autrement qu'en l'ignorant.

Leur conversation passait directement de l'enfance de Cyd à

Houston à sa vie présente à Londres, comme si tout le reste avait été censuré.

— Le Texas, dites-vous ? fit mon père. Je ne suis jamais allé au Texas moi-même, mais j'ai connu quelques Texans pendant la guerre.

Il se pencha vers Cyd avec des mines de conspirateur.

— Ils savent jouer aux cartes, les Texans !

— Ce doit être délicieux d'avoir des sœurs, disait ma mère. J'avais six frères. Vous vous rendez compte ? Six frères ! Il y a des femmes qui n'aiment pas regarder un match de football ou de boxe à la télévision. Moi, ça ne m'a jamais ennuyée. À cause de mes six frères.

Mais la question du divorce de Cyd restait suspendue à l'arrière-plan de la conversation. Pour finir, Cyd aborda le sujet très naturellement, un peu comme si elle prélevait un fruit abîmé dans une corbeille pour le jeter. Elle n'avait jamais eu l'air plus américaine.

— Ma famille est comme la vôtre, dit-elle à ma mère. Nous sommes très proches les uns des autres. Je suis venue ici pour la seule raison que Jim — le père de Peggy — est anglais. Cela n'a pas marché mais je ne suis pas repartie. Et je suis heureuse de ne pas l'avoir fait, maintenant que je connais votre fils.

Ainsi fut évacué le sujet du divorce de Cyd.

Ma mère nous regardait comme si nous étions Ryan O'Neal et Ali MacGraw dans *Love Story*. Même mon père paraissait écraser une larme. En réalité, je m'en aperçus très vite, il avait une miette de friand dans l'œil.

Quand vint le moment de souffler les bougies et de couper le gâteau, mes parents traitaient Cyd et Peggy comme s'ils les connaissaient depuis toujours.

Si le fait que la femme de mes rêves ait partagé ses rêves avec quelqu'un d'autre avant de me rencontrer les gênait, ils étaient très doués pour n'en rien laisser paraître. Mais je n'en étais pas aussi content que je l'aurais dû.

Pendant que Cyd aidait ma mère à débarrasser et que mon père montrait à Pat et Peggy comment il se défendait contre les escargots, j'allai voir les disques dans le salon.

Songs for Swingin' Lovers était fini depuis longtemps. C'était un vieux 33T en vinyle ; mon père n'avait pas intégré la révolution du CD. La pochette était restée posée contre la chaîne stéréo.

Cette pochette avait toujours représenté quelque chose de particulier pour moi. On y voit Sinatra — cravate de guingois, chapeau mou à bord cassé repoussé sur la nuque — en train de sourire au parfait couple des années cinquante, un Roméo brillantiné en complet veston avec sa Juliette de banlieue en petite robe rouge et perles aux oreilles.

Ils ont l'air d'un couple ordinaire. On ne les imagine pas un seul instant en train de s'encanailler à Las Vegas. Mais ils ont aussi l'air d'avoir obtenu de la vie toute la joie qu'on peut y trouver. J'adorais regarder ce couple quand j'étais enfant parce que, pour moi, ils devaient être l'image de mes parents au moment où ils étaient tombés amoureux l'un de l'autre.

On m'appela du jardin mais je fis semblant de ne pas avoir entendu, incapable de détacher les yeux de cette pochette.

On n'en fait plus, des comme ça, pensai-je.

— Tout le monde s'est bien amusé, dit Cyd.

— Oui, on dirait que ça s'est bien passé, lui répondis-je.

Nous étions à Londres, dans son appartement sous les toits. Assis sur le canapé, Peggy et Pat regardaient une cassette de *Pocahontas* (le choix de Peggy). Fatigués par deux heures de route dans la vieille Coccinelle de Cyd, ils commençaient à se chamailler. J'avais envie de rentrer.

— Tout le monde a passé une bonne journée, répéta Cyd. Pat a été content de ses cadeaux. Peggy a tellement mangé que je n'aurai pas besoin de la nourrir pendant une semaine. Et moi, j'ai vraiment eu du plaisir à rencontrer tes parents. Ce sont des gens adorables. Oui, tout le monde a passé une bonne journée. Sauf toi.

— Comment cela ? Moi aussi, je me suis amusé.

— Non, dit-elle. Et ce qui me fait de la peine — vraiment de la peine — c'est que tu n'as même pas essayé. Tes parents ont fait un effort. Je sais qu'ils aimaient Gina et je me doute que ça n'a pas été facile pour eux. Ils ont quand même fait tout leur possible pour que ce soit agréable. Toi, tu t'es ennuyé.

— Que voulais-tu que je fasse ? Que je me mette à danser la lambada après deux Coca Light ? Je me suis autant amusé qu'à n'importe quel anniversaire de gosse !

— Je suis une femme adulte et j'ai un enfant, au cas où tu ne l'aurais pas remarqué ! Il va falloir apprendre à t'en accommoder, Harry. Si tu ne peux pas, il n'y a aucun avenir possible pour nous.

— Mais j'aime Peggy ! Je m'entends très bien avec elle ! protestai-je.

— Tu aimais Peggy tant que c'était la petite fille qui devenait l'amie de ton fils. Tu l'aimais tant que c'était seulement une gentille petite fille qui venait jouer gentiment chez toi. En revanche, tu n'aimes pas ce qu'elle est devenue depuis que tu as commencé à sortir avec moi.

— C'est-à-dire ?

— Le souvenir du passage d'un autre homme dans mon lit ! répondit-elle.

Le souvenir du passage d'un autre homme dans son lit ? En réalité, elle avait utilisé une expression nettement plus crue. Le genre d'expression que l'on n'imagine pas sur la pochette d'un disque de Sinatra.

27

C'était plus que le souvenir de la présence d'un autre homme.

Si le fait de vivre seul avec Pat m'avait appris une chose, c'était bien que le rôle de parent repose en grande partie sur des réactions instinctives. Nous l'inventons au fur et à mesure. Personne ne vous enseigne comment vous comporter en parent. On apprend sur le tas.

Dans mon enfance, je croyais que mes parents possédaient un secret pour me faire marcher droit et bien m'élever. J'avais conclu à l'existence d'un grand plan directeur grâce auquel ils savaient comment me faire manger mes légumes et aller dans ma chambre quand on me le disait. Mais je me trompais. Je savais à présent que mes parents faisaient ce que font tous les parents du monde. Ils improvisent au jour le jour.

Si Pat voulait regarder *Le Retour du Jedi* à quatre heures du matin ou écouter une cassette de rock à minuit, je n'avais même pas besoin d'y réfléchir. Je n'avais qu'à débrancher la prise et l'envoyer au lit.

S'il se sentait déprimé après un coup de téléphone de Gina ou une mauvaise journée d'école, je le prenais dans mes bras pour lui faire un câlin. Quand c'est votre chair et votre sang, vous n'avez pas besoin de vous demander ce qu'il faut faire. Vous n'y pensez même pas. Vous le faites, c'est tout.

Or, avec Peggy, ce luxe ne me serait jamais permis.

Elle était assise sur le canapé, ses petits pieds nus posés sur la table basse. Elle regardait son feuilleton australien favori. J'étais assis à côté d'elle, essayant de m'abstraire du bavardage de surfers inadaptés sociaux qui n'avaient jamais connu leurs parents. Je lisais un article sur la nouvelle faillite d'une banque, au Japon. Le plus complet chaos semblait régner là-bas.

— *Que veux-tu dire : tu n'es pas ma mère?* dit un des personnages du feuilleton.

Peggy commença à s'étirer tandis que s'élevait le thème musical du générique.

En général, elle se levait d'un bond pour courir à d'autres jeux dès le générique. Or, cette fois-là, elle resta assise et se pencha pour chercher le vernis à ongles de Cyd dans le fouillis de magazines et de jouets. Je la regardai dévisser le bouchon du petit flacon.

— Peggy?

— Quoi?

— Tu ne devrais peut-être pas jouer avec ça, ma chérie?

— J'ai le droit, Harry. Maman veut bien.

Tenant le pinceau entre deux doigts, très délicatement, elle commença à passer du vernis rouge vif sur ses minuscules ongles de pied et, ainsi que je ne pouvais m'empêcher de le remarquer, sur le bout de ses orteils eux-mêmes.

— Fais attention avec ça, Peggy. Ce n'est pas un jeu, tu entends?

Elle me jeta un bref coup d'œil.

— Maman me laisse faire.

Des gouttes de vernis rouge brillant coulaient sur ses orteils pas plus gros qu'une allumette. Elle eut bientôt l'air d'avoir foulé du raisin ou déambulé dans un abattoir. Elle tendit la jambe, admirant son travail, et une goutte de vernis tomba sur un des magazines.

Avec Pat, j'aurais élevé la voix ou confisqué le vernis. Ou

bien je l'aurais envoyé dans sa chambre. D'une façon ou d'une autre, j'aurais réagi. Avec Peggy, je ne savais pas quoi faire. Bien sûr, il n'était pas question de la toucher, pas plus que de me fâcher.

— Peggy?

— Quoi, Harry? dit-elle d'un ton exaspéré.

Je voulais seulement qu'elle ne fasse pas de bêtises, qu'elle ne mette pas du vernis partout sur ses pieds, ni sur le tapis, ni sur la table basse et les magazines. Mais, par-dessus tout, je voulais qu'elle m'aime. Je restai donc assis à regarder ses petits pieds tourner au désastre. Je poussai quelques exclamations dubitatives mais je ne fis rien.

Cyd sortit de la salle de bains, enveloppée dans un peignoir blanc et se séchant les cheveux avec une serviette. Elle découvrit Peggy en train de se peindre les pieds et soupira.

— Combien de fois t'ai-je dit de ne pas toucher à ça? dit-elle.

Arrachant le flacon des mains de sa fille, elle la souleva à la manière d'une chatte qui attrape par la peau du cou un chaton désobéissant.

— Venez, mademoiselle. Dans le bain!

— Mais...

— Tout de suite.

Une chose me faisait rire — ou plutôt, me donnait envie de me cacher. On n'aurait jamais pu croire que nous passions tant d'heures à essayer de régler les problèmes posés par l'éclatement de la famille traditionnelle. Le petit appartement de Cyd était un temple du romanesque.

Les murs étaient couverts d'affiches de films, des films qui parlaient d'amour idéal, un amour susceptible de se heurter de temps en temps à quelques petits obstacles mais, en définitive, exempt des complications du monde d'aujourd'hui.

Cela commençait dès le seuil. Dans la minuscule entrée, on trouvait une affiche encadrée de *Casablanca*. Il y avait des affiches encadrées de *Elle et Lui*[1] et *Brève Rencontre*[2] dans le salon, un peu moins étroit que l'entrée. Bien sûr, *Autant en emporte le vent* occupait la place d'honneur au-dessus du lit. Même Peggy avait une affiche de *Pocahontas* qui regardait de haut ses vieilles poupées Ken et Barbie, ainsi que ses gadgets à l'effigie des Spice Girls. Il y en avait partout — des hommes séduisants et des femmes amoureuses pour qui l'amour rimait avec toujours.

Les affiches de Cyd n'étaient pas punaisées au mur comme dans n'importe quelle chambre d'étudiant, sans enthousiasme, et surtout pour cacher une tache d'humidité ou un plâtre abîmé. Cyd avait bien fait les choses. Montées sous verre et encadrées d'une élégante baguette noire, ses affiches étaient traitées comme des œuvres d'art, et je crois que c'était justice.

Cyd les avait achetées dans une boutique pour cinéphiles à Soho et les avait transportées dans un magasin d'encadrement avant de les rapporter chez elle. Elle s'était donné du mal pour avoir *Autant en emporte le vent* et les autres sur ses murs. Le message était clair : c'est de cela qu'il est question entre nous, ici.

Ce n'était pas exactement de cela qu'il était question entre nous, toutefois. Humphrey Bogart et Ingrid Bergman pouvaient voir leur histoire d'amour brutalement interrompue par l'invasion allemande de Paris, Bogart n'avait pas à s'inquiéter de ses relations avec l'enfant d'Ingrid et de Victor Laszlo. On peut également se demander si Rhett Butler aurait été aussi enthousiasmé par Scarlett O'Hara si elle avait été encombrée d'un enfant né d'une autre histoire d'amour...

---

1. *Elle et Lui (An Affair to Remember)* : film de Leo McCarey, États-Unis 1957, avec Cary Grant et Deborah Kerr. Une ancienne chanteuse de cabaret tombe amoureuse d'un célibataire endurci. *(N.d.T.)*
2. *Brève Rencontre (Brief Encounter)* : film de David Lean, G.-B. 1945, avec Trevor Howard. Un père de famille et une mère de famille se rencontrent dans le train. Ils renonceront avec peine à leur amour impossible. *(N.d.T.)*

Je n'avais jamais eu affaire à une petite fille avant Peggy et Peggy possédait un calme que je n'avais jamais rencontré chez Pat ou d'autres petits garçons. C'était un calme réel, pas de l'affectation ou de l'indifférence. Elle manifestait une maîtrise de soi qu'on ne voit jamais chez un garçon de cet âge. Peut-être toutes les petites filles sont-elles ainsi. Peut-être cela lui était-il propre.

En fait, je l'aimais beaucoup.

Cependant, j'ignorais si je devais être son ami ou son père, si je devais être tout miel et sourires ou ferme mais juste. Aucun des deux rôles ne me semblait convenir. Quand la personne que vous aimez a un enfant, les relations ne se passent pas comme dans les films. Si vous ne comprenez pas cela, vous avez sans doute vu un peu trop de comédies musicales de la MGM.

Cyd revint avec une Peggy toute propre qui avait changé de vêtements, prête pour sa grande soirée avec son père à la pizzeria. Elle grimpa sur mes genoux et me donna un baiser. Elle sentait le savon et le shampooing. Sa mère m'ébouriffa les cheveux.

— À quoi penses-tu? demanda-t-elle.

— À rien, lui répondis-je.

Le bruit d'une puissante moto résonna dans la rue et les yeux de Peggy s'agrandirent d'excitation.

— Papa! cria-t-elle en sautant de mes genoux.

J'eus la surprise de sentir un brusque élan de jalousie me traverser.

De la fenêtre, nous assistâmes tous ensemble au spectacle de Jim Mason qui garait sa grosse BMW et passait la jambe par-dessus sa selle comme s'il descendait de cheval. Ensuite il ôta son casque. Cyd avait dit la vérité. C'était un beau garçon, mâchoire sculptée et cheveux épais, courts et ondulés, un vrai profil de monnaie romaine ou de mannequin qui aime les femmes.

J'avais toujours, d'une certaine façon, espéré qu'il aurait quelque chose de Glenn, l'air d'un beau garçon sur le retour dont la carrière de joli cœur touchait à sa fin. Hélas, celui-ci avait l'air d'une jeunesse redoutable.

Il nous fit un signe de la main. Nous répondîmes de la même façon.

Rencontrer l'ex-conjoint de votre petite amie peut paraître bizarre et embarrassant. Vous connaissez les détails les plus intimes de sa vie sans l'avoir jamais vu. Vous savez qu'il s'est mal conduit parce qu'elle vous l'a dit mais aussi parce que, s'il ne s'était pas mal conduit, vous ne seriez pas avec elle.

Cela peut paraître une très mauvaise idée de rencontrer l'homme qu'elle a connu avant vous. Or la rencontre avec Jim ne posa aucun problème. Je m'en tirais à bon compte : il restait beaucoup de choses non réglées entre lui et Cyd.

Il entra dans le petit appartement, beau et grand, silhouette de cuir brillant et sourire impeccable. Il chatouilla Peggy jusqu'à ce qu'elle se mette à crier grâce. Nous nous serrâmes la main et échangeâmes quelques considérations sur la difficulté de stationner dans ce quartier. Peggy alla chercher ses affaires. Cyd attendait Jim, le visage aussi impassible qu'un poing fermé.

— Comment va Mem ? demanda-t-elle.

— Très bien. Elle t'envoie ses amitiés.

— Ça m'étonnerait ! Merci quand même. Son travail marche bien ?

— Très bien, merci.

— Les affaires marchent bien pour les strip-teaseuses, dirait-on ?

— Ce n'est pas une strip-teaseuse.

— Ah, non ?

— Elle est danseuse de charme.

— Toutes mes excuses.

Jim me regarda avec un sourire qui signifiait : que voulez-vous y faire ?

— Elle le fait à chaque fois, dit-il, comme si nous nous connaissions, comme s'il pouvait me confier deux ou trois choses.

Peggy revint, chargée d'un casque de moto à sa taille. Elle souriait d'une oreille à l'autre, impatiente de s'en aller. Elle nous embrassa, sa mère et moi, et prit la main de son père.

Par la fenêtre, nous vîmes Jim installer sa fille avec précaution à l'arrière de la moto et lui mettre son casque. Ensuite, il enfourcha sa machine, la fit démarrer d'un énergique coup de pied et partit dans la rue étroite.

— Pourquoi le détestes-tu autant, Cyd?

Elle réfléchit quelques instants.

— Je crois que c'est à cause de la façon dont il a rompu, dit-elle enfin. Il était rentré du travail très tôt. Il avait été blessé à la jambe dans un accident, encore un! Je crois qu'il avait été heurté par un taxi mais, de toute façon, il se faisait sans arrêt heurter par les taxis... Il était allongé sur le canapé quand je suis rentrée. J'avais conduit Peggy au jardin d'enfants. Je me suis penchée sur lui, pour le seul plaisir de le regarder. J'adorais le regarder. Et alors, il a prononcé le nom d'une fille. À haute voix. Le nom de cette Malaise avec laquelle il couchait. Celle pour laquelle il m'a quittée.

— Il avait parlé en dormant?

— Non. Il a fait semblant de parler en dormant. Il avait déjà décidé de nous quitter, Peggy et moi, mais il n'a pas eu le courage de me le dire franchement. Faire semblant de parler en dormant, faire semblant de dire son nom en dormant... Il n'a pas été capable de l'avouer autrement. Pas capable de faire exploser sa bombe autrement. J'ai trouvé ça si cruel, si lâche... tellement typique!

J'avais d'autres raisons, personnellement, de détester Jim. Certaines étaient respectables, d'autres pitoyables. Je le détestais d'avoir fait tant de mal à Cyd et je le détestais d'être plus beau que moi...

245

Je le détestais comme je détestais tous les parents qui traversent la vie d'un enfant comme si c'était un jouet qu'on peut prendre ou laisser selon ses humeurs. Gina faisait-elle partie de ces parents-là? Parfois, un des rares jours où elle ne téléphonait pas à Pat, un de ces jours où je savais — j'en étais certain — qu'elle était quelque part avec Richard.

Je détestais Jim parce que je sentais Cyd toujours attachée à lui. Quand elle avait parlé de son visage qu'elle aimait tant regarder, j'avais compris qu'il était toujours là, l'accaparant. Peut-être ne l'aimait-elle plus, peut-être ses sentiments s'étaient-ils transformés en autre chose, toujours est-il qu'elle lui restait attachée.

J'aurais peut-être dû éprouver une certaine reconnaissance à l'égard de Jim. S'il avait été un mari aimant et loyal, capable de contrôler ses pulsions, s'il n'avait pas aimé les Asiatiques, Cyd aurait été avec lui, pas avec moi. Malgré cela, je n'éprouvais pas la moindre reconnaissance à son égard.

À partir du moment où il ramenait Peggy saine et sauve de leur soirée pizza, j'aurais été très heureux de le voir passer sous un autobus, sa belle petite gueule répandue sur le bitume. Il avait traité Cyd comme si elle n'était rien. Cette seule raison me suffisait pour le haïr de toutes mes forces.

Quand Peggy revint avec une peluche totalement inutile, de la taille d'un réfrigérateur, et la figure pleine de pizza, je me rendis compte que j'avais une raison bien plus égoïste de le haïr.

Même sans avoir essayé d'entrer en compétition avec lui, je savais que, pour Peggy, je n'aurais jamais autant d'importance que lui. Et, de cela, j'étais bien plus blessé que du reste. Même s'il ne la voyait que quand il en avait envie et l'oublie le reste du temps, il demeurerait toujours son père.

C'était cela qui la rendait folle de joie. Pas la moto. Pas la pizza. Ni cette stupide peluche géante. Mais le fait qu'il était son père.

Je pouvais m'accommoder du « souvenir du passage d'un autre homme ». Je pouvais même l'aimer. Je pouvais lutter avec une moto, une peluche géante ou un visage plus beau que le mien.

Mais on ne peut rien contre la voix du sang.

28

— À qui je ressemble? demanda Pat quand les arbres du parc eurent perdu leurs feuilles.

Il ne pouvait plus sortir sans son manteau d'hiver et cela faisait quatre mois que Gina était partie.

Il dressa la tête pour se voir dans le miroir de courtoisie du côté passager, observant son visage comme s'il l'apercevait pour la première fois ou comme s'il appartenait à quelqu'un d'autre.

À qui ressemblait-il? On me disait sans arrêt, et à lui aussi, qu'il me ressemblait mais je savais que ce n'était vrai qu'à moitié. Il était infiniment plus beau que moi au même âge. Même si je ne m'étais pas fait casser mes dents de devant par un chien, je n'aurais jamais pu rivaliser avec lui. Il nous ressemblait à tous les deux, voilà la vérité. Il me ressemblait et il ressemblait à Gina.

— Tu as les mêmes yeux que ta maman, lui dis-je.

— Ils sont bleus.

— Exactement. Tu as les yeux bleus. Et les miens sont verts. Mais ta bouche est comme la mienne. On a tous les deux de belles grandes bouches. Des bouches faites pour embrasser, pas vrai?

— Oui, dit-il sans répondre à mon sourire, les yeux toujours fixés sur le petit miroir.

— Et tu as les cheveux blond clair, très clair, comme ceux de ta maman.

— Elle avait les cheveux blonds.

— Elle les a toujours, mon chaton, rétorquai-je, choqué par son emploi du passé. Elle a toujours les cheveux blonds. Toujours! D'accord?

— D'accord.

Il rabattit le pare-soleil et regarda par la fenêtre.

— On s'en va? dit-il.

Tes dents aussi sont comme celles de ta mère, mon bébé, un peu écartées, un peu naïves, des dents qui donnent un sourire légèrement désinvolte. En revanche, ton nez court et un peu retroussé, c'est le mien. Quant à ton beau menton bien dessiné, tu le dois à ta mère, ainsi que ta peau, une peau claire qui aime le soleil, une peau qui se dore dès que la pluie s'arrête.

Pat ne me ressemblait pas, pas plus qu'il ne ressemblait à Gina. Il nous ressemblait à tous les deux.

L'aurions-nous voulu, nous n'aurions pu oublier sa mère : elle était présente dans son sourire et dans le bleu de ses yeux. J'étais condamné à vivre avec le fantôme de Gina, et Pat aussi.

— Je ne vois pas ce que vont devenir ces enfants, lança mon père. Les gosses comme Pat et Peggy. Je ne peux pas imaginer les conséquences quand ils ne sont pas élevés par leurs deux parents.

Il ne le dit pas comme il l'aurait dit dans le passé, avec de la colère, du mépris et un étonnement ironique devant le sort du monde. Il ne le dit pas avec son habituelle condamnation des parents isolés et de tous les changements qu'ils symbolisaient. Il le dit gentiment, avec un petit geste étonné de la tête, comme si le futur lui échappait.

— Tu as vécu avec tes deux parents, poursuivit-il. Au moins, tu as eu une idée du couple. Une idée de ce que peut être un couple, une union. Eux, ils ne l'auront pas. Pat, Peggy et tous les autres.

— Non, ils ne l'auront pas.

— Je m'inquiète des conséquences pour eux. Si le divorce devient une chose banale, quelle chance ont-ils de construire un jour une union solide ? Et, plus tard, leurs enfants ?

Nous étions sur le banc de bois à côté de la porte de la cuisine. Il n'était que trois heures de l'après-midi mais la lumière annonçait déjà le crépuscule. Assis là, nous regardions Pat jouer avec son sabre laser au bout du jardin.

— Tout me paraît tellement... détruit, reprit mon père. Sais-tu ce que Peggy m'a dit ? Elle m'a demandé si je voulais être son grand-père. Ce n'est pas sa faute. Pauvre petite.

— Non, ce n'est pas sa faute, lui répondis-je. Ce n'est jamais la faute de l'enfant. Je me demande pourtant si le fait de grandir dans une ambiance de divorce ne les rendra pas plus prudents à l'égard du mariage. Plus prudents et plus décidés à faire le nécessaire pour que ça marche le jour où ils se décideront.

— Tu crois ? dit-il d'un ton plein d'espoir.

Je n'avais pas le cœur de le décevoir ; alors, de la tête, je fis énergiquement signe que oui, je le croyais. En réalité, je pensais que sa génération avait assumé ses responsabilités d'une façon dont la mienne s'avérait incapable.

Sa génération s'occupait des enfants, ne dormait souvent pas beaucoup et, s'ils arrivaient à posséder leur maison et à s'offrir quinze jours de vacances dans un camping, ils s'estimaient gâtés par le destin.

Ma génération, quant à elle, a grandi en mettant son propre petit bonheur à la première place dans la liste des priorités.

C'est pour cela que nous étions infidèles, que nous prenions la fuite et que nous rations tout avec une régularité alarmante.

Ma génération voulait une vie sans problème. Pourquoi nos enfants seraient-ils différents ? Mon père, lui, avait appris très tôt qu'une vie sans problème n'existe pas.

— Oui, ils s'en tireront peut-être, dit mon père d'un ton songeur. En fait, tous les enfants ont deux parents, n'est-ce pas ? Même dans — comment dit-on ? — une famille monoparentale ? Et puis, peut-être que Peggy, Pat et tous ces enfants ne ressembleront pas à celui de leurs parents qui est parti. Peut-être ressembleront-ils à celui qui est resté.

— Comment cela ?

— Je veux dire que tu te débrouilles bien avec Pat, répondit-il en évitant mon regard. Tu travailles dur. Tu t'occupes de lui. Il s'en rend compte. Alors, il sera peut-être comme ça avec ses propres enfants ?

Je cachai ma gêne sous un rire forcé.

— Je suis sincère, insista-t-il. Je ne sais pas si j'y serais arrivé si ta mère... enfin, tu comprends.

Il posa sa main droite toute calleuse sur mon épaule, toujours sans me regarder.

— Tu as fait ce qu'il fallait pour le petit, Harry.

— Merci, papa, dis-je. Merci.

À ce moment, des cris nous parvinrent du salon, ceux de ma mère. Nous nous précipitâmes à l'intérieur. Elle était debout devant la fenêtre, le doigt pointé sur ma voiture.

— Les petits salopards ! dit-elle, elle qui n'employait jamais un gros mot. J'ai vu les petits salopards qui ont fait ça !

La capote de la MGF avait été lacérée à coups de couteau. Les débris restants pendaient lamentablement dans l'habitacle, comme si l'on y avait fait tomber quelque chose de très lourd et de très haut.

Pétrifié, je ne pouvais détacher les yeux de ma belle voiture. Mon père, lui, était déjà dehors. Tante Ethel était devant sa porte.

— Le chemin de derrière ! cria-t-elle.

Elle désignait du doigt le bout de la rue qui se terminait en cul-de-sac. On y avait construit des logements sociaux, une sorte de ghetto pour les gens qui n'ont que des Ford Escort à bout de souffle et des T-shirts récupérés à l'Armée du salut, des gens qui se moquent totalement des roses et des rosiers.

Un chemin partait de ce cul-de-sac et conduisait à quelques boutiques minables. Le jour, on pouvait y acheter un billet de loterie et, le soir, s'y faire casser la figure. Deux jeunes — ceux qui avaient déjà essayé de cambrioler mes parents? ou deux autres qui leur ressemblaient? — couraient à toutes jambes vers ce chemin. Mon père les poursuivait.

En voyant ma capote massacrée, une terrible colère me saisit. Idiots, misérables petits voyous, me disais-je, furieux de ce qu'ils avaient fait à ma voiture et encore plus furieux qu'ils aient arraché mon père à son jardin.

Je me mis à les poursuivre moi aussi. Ils jetaient des coups d'œil inquiets derrière eux car une voix terrible les insultait, menaçant de les massacrer. Je me rendis compte avec un choc que cette voix terrifiante était la mienne.

Les deux voyous disparurent dans le chemin. Au même moment, mon père s'arrêta. Je crus qu'il avait abandonné mais c'était pire que cela. Je le vis tomber sur un genou, les mains crispées sur sa poitrine comme s'il suffoquait.

Le temps que je le rejoigne, il avait posé le deuxième genou et se retenait de tomber en s'appuyant de la main sur le bitume. Il suffoquait. Cela faisait un bruit épouvantable, comme si l'air ne passait dans sa gorge qu'au prix de mille efforts et par de brèves goulées.

Je le pris dans mes bras et son odeur me frappa, ce mélange de tabac à rouler et d'after-shave viril. Il aspirait l'air à coups brefs, comme de rauques sanglots, luttant de toutes ses forces pour retrouver son souffle, mais sans y arriver. Il tourna les yeux vers moi et j'y lus de la peur.

Sa respiration reprit enfin un rythme à peu près normal et il put se relever, tout tremblant. Sans cesser de le soutenir de mon bras passé autour de lui, je le ramenai lentement à la maison. Ma mère, Pat et tante Ethel nous attendaient au portail ; Pat et tante Ethel, livides, choqués ; ma mère, elle, était furieuse.

— Tu dois absolument aller chez le docteur ! dit-elle, le visage ruisselant de larmes. Cette fois, tu n'as plus d'excuses.

— J'irai, dit-il faiblement.

Je savais qu'il n'essayerait pas d'y échapper. Il n'avait jamais pu lui refuser quoi que ce soit.

— Ce sont d'affreuses petites crapules, déclara tante Ethel. Il y a de quoi se mettre en colère, non?

— Oui, dit Pat. C'est des c...

Cravate noire, disait l'invitation. Je me sentais toujours très content de pouvoir porter mon smoking, ma chemise de soirée et mon nœud papillon noir, un vrai nœud papillon que l'on passait des heures à nouer soi-même, pas un de ces nœuds de pacotille prénoués et montés sur un morceau d'élastique comme en portent les petits garçons ou les clowns.

Mon père portait un nœud papillon une fois par an, pour le dîner suivi d'un bal qu'organisait sa société dans un hôtel chic. Il y a quelque chose dans le formalisme du smoking qui s'accordait très bien avec sa haute stature, solide et musclée. Ma mère avait toujours l'air légèrement amusée de devoir porter une robe de soirée. Mais mon père paraissait né pour porter le nœud papillon.

— Waou! dit Sally en me voyant descendre l'escalier.

Toujours à l'abri d'un rideau de cheveux, elle me sourit timidement.

— Tu as tout à fait l'air d'un videur, ajouta-t-elle, devant un truc, je ne sais pas... une boîte très, très cool!

— Non, dit Pat, pointant vers moi son index, pouce relevé. On dirait James Bond 007. Permis de tuer tous les méchants!

Mais, debout devant le miroir de l'entrée, je savais de quoi j'avais vraiment l'air avec mon smoking.

De plus en plus, je ressemblais à mon père.

Cyd portait une robe à petit col droit, un *cheongsam* vert en soie chinoise qui lui collait au corps comme une seconde peau, la robe la plus extraordinaire que j'avais jamais vue de toute ma vie.

Elle n'avait rien fait de spécial pour ses cheveux. Elle s'était contentée de les rassembler en catogan. J'aimais cette coiffure qui lui dégageait le visage et me permettait de mieux la regarder.

Parfois, on comprend que l'on était heureux quand ce moment-là est passé. Mais, de temps en temps, si l'on a beaucoup de chance, on est conscient de l'être au moment où cela se présente. Or j'ai su, à ce moment précis, que je vivais un moment de bonheur. Il ne s'agissait pas d'une vision embellissante du passé ou d'une projection dans le futur. Non. C'était ici et maintenant, avec une robe verte.

— Attends un instant, dis-je à Cyd comme le taxi nous laissait à la porte de l'hôtel.

Je pris ses mains dans les miennes et nous restâmes quelques instants, là, silencieux. Derrière nous montait le grondement de la circulation de fin de journée tandis que Hyde Park brillait sous une mince couche de givre.

— Que se passe-t-il? dit-elle.

— Rien. Justement.

Je savais que je n'oublierais jamais comment elle était ce soir-là. Je savais que je n'oublierais jamais l'image de Cyd dans sa robe verte. Et je voulais faire plus qu'en éprouver du plaisir. Je voulais retenir cet instant pour pouvoir m'en souvenir plus tard, quand la soirée serait loin.

— On y va? dit-elle en souriant.

— On y va.

Nous nous joignîmes à la foule en smoking et robe de soirée. La cérémonie de la remise des prix commençait.

— Et le prix du meilleur débutant est attribué à...

L'affriolante présentatrice de la météo avait quelque difficulté à ouvrir l'enveloppe.

— ... Eamon Fish !

Eamon se leva, ivre et souriant, l'air plus satisfait qu'il ne l'aurait voulu devant toutes les caméras qui se fixaient sur lui. Quand il passa devant moi, il me serra spontanément dans ses bras.

— On y est arrivés, dit-il.

— Non, répondis-je. Tu y es arrivé. Allez, va chercher ta récompense.

Par-dessus son épaule, j'aperçus Marty Mann et Siobhan, installés à une autre table. Marty portait une de ces vestes brillantes comme en ont les gens qui ne font aucune différence entre porter un smoking, allumer une pipe ou mettre ses pantoufles. Siobhan, mince et fraîche, était vêtue d'une tenue blanche diaphane.

Elle me sourit. Il me montra ses pouces levés. Plus tard dans la soirée, quand tous les prix eurent été remis, ils vinrent à notre table.

Marty était légèrement saoul et plutôt furieux. Il n'y avait pas eu de récompense pour lui cette année. Ils se montrèrent néanmoins très aimables.

Je les présentai à Cyd et à Eamon. Si Marty reconnut dans Cyd la jeune femme qui lui avait un jour renversé un plat de pâtes sur les genoux, il n'en laissa rien paraître. Il félicita Eamon de son prix. Siobhan admira la robe de Cyd.

Surtout, Siobhan ne demanda pas : *Et que faites-vous ?* Elle était trop intelligente et sensible pour cela. Cyd n'eut donc pas à répondre : *Oh ! je suis serveuse en ce moment.* Ainsi, ni l'une ni l'autre ne fut gênée et elles purent se parler de cette façon aisée, apparemment naturelle, dont seules les femmes ont le secret. Elles commencèrent à se confier à quel point il était difficile de savoir quoi porter en de telles occasions tandis que Marty, avec des mines de conspirateur, me posait un bras sur les épaules. Je lui trouvai le visage plus lourd que dans mes souvenirs. Il avait l'expression terne et vaguement désappointée d'un homme qui, après en avoir rêvé pendant des années, n'avait enfin pu lancer sa propre émission de société que pour découvrir son incapacité à trouver un invité intéressant.

— Je peux te dire un mot ? demanda-t-il en se penchant vers moi.

Nous y voilà, me dis-je. Il veut que je revienne. Il a vu qu'Eamon est en train de réussir et il veut que je revienne m'occuper de son émission.

— J'ai une faveur à te demander, dit Marty.

— De quoi s'agit-il ?

Il se pencha un peu plus vers moi.

— Je voudrais que tu sois mon témoin pour mon mariage.

Même Marty, pensai-je.

Même Marty rêvait de mettre de l'ordre dans son existence, de trouver la femme de sa vie, un autre être humain qui résume l'univers à lui tout seul. Il en rêvait, comme n'importe qui.

— Hé, Harry ! s'exclama Eamon.

Il lorgnait ouvertement la présentatrice de la météo et se tortillait sur sa chaise, gêné par une émotion trop physique.

— Devine, reprit-il, devine qui je me tape ce soir...

Tout le monde rêve de rencontrer l'être unique ? Hum... Peut-être pas tout le monde, après tout !

Tout était allumé dans la maison, à l'étage comme au rez-de-chaussée. Tout était allumé à une heure où il n'aurait dû y avoir qu'une faible lueur dans le salon.

Il y avait aussi de la musique dans ma maison — un bruit terrible, avec des basses martelées et de lancinantes boîtes à rythme qui résonnaient comme l'équivalent sonore d'une crise cardiaque. De la musique moderne. De l'épouvantable musique moderne que déversait ma chaîne stéréo.

— Que se passe-t-il ? dis-je comme si nous nous étions trompés d'adresse, comme s'il y avait une erreur.

Il y avait quelqu'un dans l'obscurité du petit jardin sur rue. Non, ils étaient trois. Un garçon et une fille qui s'embrassaient à bouche que veux-tu devant la porte d'entrée grande ouverte, et un autre garçon caché derrière la poubelle, en train de vomir sur son blouson et son pantalon de marque à la mode.

J'entrai tandis que Cyd payait le taxi.

C'était une soirée, une soirée entre adolescents. Il y avait des jeunes dans toute la maison, tous habillés de vêtements de marque, et qui se livraient à différentes activités sexuelles, buvaient, dansaient, vomissaient. Il y en avait encore deux autres dans le jardin de derrière, en train de répandre leurs intérieurs sur ma pelouse.

Dans le salon, Pat, en pyjama, debout à un bout du canapé, se balançait au rythme de la musique tandis que Sally, à l'autre bout, se faisait peloter par un garçon obèse. Pat me fit un grand sourire — on s'amuse, hein ? — tandis que je prenais la mesure du carnage : des boîtes de bière renversées sur le parquet avec des cigarettes écrasées sur leur couvercle, des morceaux de pizzas écrasés, eux aussi, mais sur le mobilier, et Dieu sait quelles taches sur les lits à l'étage...

Ils étaient une douzaine, environ, mais on aurait dit que ma maison avait été envahie par les hordes mongoles. Pire encore, cela me faisait penser à l'une de ces ridicules publicités pour des chips ou des boissons sans alcool où l'on voit une foule d'adolescents s'amuser comme des fous. Sauf que, dans ce cas précis, ils s'amusaient comme des fous dans mon salon.

— Sally ! dis-je. Tu peux m'expliquer ce qui se passe ici ?

— Harry, dit-elle avec des larmes de bonheur dans les yeux. C'est Steve !

Elle me désignait l'adolescent à bajoues installé sur elle. Il me jeta un regard torve de ses yeux porcins, des yeux qui ne reflétaient rien d'autre qu'une poussée hormonale et une dizaine de bières.

— Il a largué cette tarée de Yasmin, dit Sally. Il est de nouveau avec moi. C'est merveilleux, tu ne trouves pas?

— Tu es folle? Folle ou complètement stupide? Dis-moi?

— Oh, Harry! dit-elle, toute déçue. Je croyais que tu comprendrais, toi plus que n'importe qui.

La musique s'arrêta d'un seul coup. Cyd tenait la prise de la chaîne stéréo à la main.

— C'est l'heure de nettoyer ce chantier! annonça-t-elle à la cantonade. On va tous chercher des sacs-poubelle et des produits de nettoyage. Vous devriez trouver tout ça sous l'évier.

Steve descendit de Sally, réajusta son pantalon d'obèse et renifla avec mépris à l'égard des adultes qui avaient gâché sa soirée.

— Je ne resterai pas ici un instant de plus, dit-il du ton de quelqu'un qui viendrait d'un quartier branché et non pas d'une banlieue pourrie.

Cyd traversa le salon en quelques enjambées rapides et lui coinça le nez entre le pouce et l'index.

— Tu auras le droit de partir quand je te le dirai, bibendum! dit-elle.

Elle le fit couiner en le tirant par le nez pour l'obliger à se tenir sur la pointe des pieds.

— Et tu ne partiras pas avant d'avoir nettoyé tes saletés, conclut-elle. Pas avant! Compris?

— OK, OK! bêla-t-il.

Sa pauvre imitation d'Américain plein d'assurance s'effondrait devant la réalité d'une Américaine vraiment sûre d'elle.

J'emmenai Pat se coucher. Au passage, j'expulsai de la salle de bains un couple que j'avais surpris en pleine activité. De son côté, Cyd organisait le nettoyage. Le temps que je lise une histoire à Pat et que je réussisse à le calmer, Sally, Steve et leurs copains boutonneux nettoyaient le parquet et les tables sans mot dire, tête basse.

— Où as-tu appris à faire ça? lui demandai-je.

— Au Texas! répondit-elle.

Malheureusement, ils se révélèrent tous inaptes à la moindre tâche ménagère, exactement comme ils seraient toujours inaptes, à mon avis, à n'importe quoi d'autre, dans leurs vies de décervelés habillés à la mode.

De plus, certains d'entre eux étaient trop malades pour être utiles à quoi que ce soit. Les autres étaient trop bêtes.

Steve répandit presque tout un flacon de produit de nettoyage parfumé au citron sur le parquet. Après quoi il passa une heure à essayer d'essuyer la mousse. On aurait dit un appareil à laver les voitures devenu brusquement incontrôlable. Pour finir, je dus en faire la plus grande part avec Cyd.

Le jour venait de se lever quand nous les mîmes à la porte. Je retins Sally un moment avant de la fourrer dans un taxi. Elle ne s'excusa pas le moins du monde. Elle m'en voulait toujours de ne pas avoir compris que, parfois, le grand amour laisse des taches sur les meubles.

— J'espère que tu es content de toi! dit-elle en partant. Tu as gâché toutes mes chances avec Steve. À tous les coups, il va retourner avec Yasmin. Cette grosse pouf!

Nous étions enfin seuls. Cyd m'apporta une tasse de café.

— Tu n'aimerais pas être encore à cet âge pour tout savoir sur tout et tout le monde? dit-elle en souriant.

Je la pris dans mes bras. Sa robe verte glissait sous mes doigts. Je l'embrassai. Elle m'embrassa. C'est alors que le téléphone sonna.

— Sally, dis-je. Elle m'appelle pour me dire encore sa façon de penser!

— Si elle peut encore penser! fut le seul commentaire de Cyd.

Ce n'était pas Sally. C'était Gina mais sans le petit déclic de l'intercontinental qui précédait sa voix, d'habitude. Je compris immédiatement qu'elle n'était plus au Japon. Il s'agissait d'un appel local. Gina était de nouveau à Londres.

— Je viens de me rendre compte d'une chose, dit-elle. Ce numéro est le seul que je connaisse par cœur.

29

J'arrivai avec dix minutes d'avance mais Gina était déjà là, en train de siroter un café au lait, installée à une table pour deux au fond de la salle.

Elle était un peu plus mince, sans doute à cause de tous les sashimis et de tous les sushis qu'elle avait dû manger. Elle portait des vêtements que je n'avais jamais vus sur elle, un tailleur-pantalon. Visiblement, cette femme appartenait au monde du travail.

Elle leva les yeux et me vit. C'était bien toujours la même Gina avec son sourire un peu étonné et ses yeux bleu pâle, mais elle paraissait un peu plus vieille et infiniment plus sérieuse que dans mes souvenirs. La même femme, mais pourtant changée de mille petites façons qui m'échappaient.

— Harry, dit-elle en se levant.

Nous nous sourîmes avec embarras. Devions-nous nous embrasser ou nous serrer la main ? Ni l'un ni l'autre ne semblait adéquat. Je lui tapotai donc rapidement le bras et elle tressaillit comme si elle avait reçu une décharge électrique. Cela nous permit tout au moins de surmonter ce moment délicat.

— Tu as l'air en forme, dit-elle encore en se rasseyant.

Elle souriait avec une politesse qu'elle n'aurait jamais pris la peine d'afficher auparavant.

Et tandis qu'elle souriait, dans son visage parfait, on voyait la jeune fille qu'elle avait été et la femme qu'elle était en train de devenir. Il y a des gens dont la beauté se révèle avec l'âge, et d'autres chez qui elle disparaît. Et il y en a comme Gina qui commencent à faire tourner les têtes dans leur enfance et qui continuent jusqu'à la fin. Comme tous les gens vraiment beaux, Gina avait toujours détesté les compliments excessifs, comme si, pour elle, cela voulait dire que sa seule valeur était celle de son apparence. Je sentis qu'elle pensait toujours de la même façon.

— Tu as l'air en forme, toi aussi, dis-je pour ne pas en faire trop.

— Comment va Pat ?

— Il va très bien ! répondis-je en riant.

Elle se mit à rire avec moi, attendant un peu plus d'explications. Mais un garçon nous interrompit, demandant si nous désirions quelque chose. Nous lui commandâmes deux autres cafés au lait et, dès qu'il eut le dos tourné, nous pûmes reprendre la conversation sur notre fils.

— Il a dû grandir, dit-elle.

— Tout le monde trouve qu'il pousse à toute vitesse. Je le remarque peut-être moins parce que je le vois tous les jours.

— Évidemment, mais je suis sûre que, moi, je verrai la différence. Je ne l'ai pas vu depuis deux mois.

— Quatre, rectifiai-je.

— Ce n'est pas possible !

— Depuis l'été. Ça fait quatre mois, Gina. De juillet à octobre, tu peux compter.

Comment pouvait-elle croire que cela ne faisait que deux mois ? En réalité, c'était même plus de quatre mois. Et, à moi, cela semblait encore plus long.

— Peu importe, dit-elle, un peu irritée. Parle-moi de Pat. Je lui parle tous les jours — enfin, presque — mais le téléphone ne me dit pas comment il grandit.

Qu'est-ce qui avait changé ? Du regard, je fis le tour du

café, me demandant ce qui avait changé depuis le départ de Gina. Je fus frappé de constater que le café n'avait pas du tout changé.

L'établissement faisait partie de ces endroits qui essayent de recréer l'atmosphère d'un café français en plein Londres : grand comptoir en zinc, tableau avec des noms de vins écrits à la craie, assortiment de journaux sur de grands bâtons, chaises et tables sur le trottoir. Même le petit déjeuner à l'anglaise portait un nom d'allure française.

C'était un café typique de notre quartier et l'on pouvait passer devant sans même le remarquer, mais il avait une signification particulière pour nous deux. Nous avions l'habitude d'y venir, avant la naissance de Pat, à une époque où nous nous sentions si proches l'un de l'autre que nous n'éprouvions même pas le besoin de nous parler. Il n'y a pas plus grande intimité que cela.

— Ça marche bien, à l'école, dis-je. Heureusement ! C'était devenu un cauchemar à la maternelle, mais il a noué une amitié à l'école et ça marche très bien.

— Pourquoi était-ce un cauchemar, la maternelle ? demanda-t-elle, déjà inquiète.

— Il n'aimait pas qu'on le laisse, mais ce n'était qu'une mauvaise période à traverser. J'ai eu peur que ça dure jusqu'à ses dix-huit ans !

— Tu dis qu'il s'est fait un ami à l'école ?

— Non, une amie, une petite fille. Elle s'appelle Peggy.

J'éprouvais une impression bizarre à lui parler de la fille de Cyd.

— Peggy, répéta Gina d'un ton un peu intrigué.

— Son père est anglais, expliquai-je, et sa mère est une Américaine de Houston.

— Il est toujours aussi passionné par *La Guerre des Étoiles* ? demanda-t-elle en souriant.

De toute évidence, Peggy ne l'intéressait pas du tout.

— Il passe toujours sa journée à se prendre pour Luke Skywalker ou Han Solo?

— Oui. Ça, ça n'a pas changé. En revanche, il a commencé à se trouver d'autres centres d'intérêt.

— Ah, oui?

— Par exemple, la musique, dis-je en riant. Il adore le rap gangster. Tu sais, ces groupes qui passent leur temps à hurler qu'ils vont t'éclater la tête.

Elle prit une expression inquiète.

— Il aime écouter ce genre de choses, vraiment?

— Oui.

— Et tu le laisses faire?

— Oui! dis-je fermement. Je le laisse faire.

Je me sentais indigné. Elle avait l'air de penser que je n'y avais pas réfléchi, à croire que je le laissais voir des films pornos!

— C'est une crise, expliquai-je. C'est tout. Ça doit l'aider à se sentir plus fort qu'il ne l'est en réalité. Pat est un petit garçon très doux, très gentil, Gina. Il ne ferait pas de mal à une mouche. Je ne l'imagine pas impliqué dans une fusillade ou dans un cambriolage! Il est au lit tous les soirs à neuf heures, tu sais!

Je voyais bien qu'elle n'avait pas envie de se disputer avec moi.

— Quoi d'autre? demanda-t-elle.

— Il me laisse lui laver les cheveux. Il se lave lui-même dans son bain. Il ne fait jamais d'histoires pour aller se coucher. Il sait nouer ses lacets lui-même et dire l'heure. Et il a commencé à apprendre à lire!

Plus j'y pensais, plus je réalisais à quel point Pat avait grandi ces derniers mois. Gina eut un sourire ou semblaient se mêler la fierté autant que le regret. Je me sentis gêné pour elle. Elle avait raté tout cela.

— On dirait qu'il devient un vrai petit homme, dit-elle.

— Tu devrais le voir avec sa cravate!

— Il a une cravate?

— Oui, pour l'école. Ils ont décidé d'imposer le port d'un uniforme parce que les gamins commençaient à venir en vêtements de marque et chaussures à la mode. Tu vois le genre. La direction a estimé que ce n'était pas sain. Pat a donc une chemise et une cravate.

— Cela doit beaucoup le vieillir.

Cela ne le vieillissait pas, au contraire. Le fait d'être habillé comme un salarié le faisait paraître plus jeune que jamais. Seulement, je n'avais pas envie d'expliquer tout cela à Gina.

— Et maintenant, parlons de toi. Tu es en ville pour combien de temps?

— Oh! pour toujours. C'est fini, le Japon! Pour moi et pour les autres. L'époque où les « Longs Nez » pouvaient partir pour l'Extrême-Orient en quête d'aventure et de salaires grandioses est révolue. On n'a plus besoin d'interprètes quand les sociétés font faillite. Je suis partie avant qu'on me mette à la porte.

Elle eut un grand sourire courageux.

— Donc, me voilà. Et, bien sûr, je veux Pat.

Elle voulait Pat? Cela signifiait-il qu'elle voulait le voir? Qu'elle voulait l'emmener au zoo et lui acheter une peluche de la taille d'un réfrigérateur? Que voulait-elle dire?

— Donc, tu n'envisages plus de vivre au Japon?

— Tu avais raison, Harry. Même si le système ne s'était pas écroulé, il m'aurait été impossible de me retrouver avec Pat dans un appartement grand comme un mouchoir de poche. Je veux le voir, dès que possible.

— Bien sûr. Je vais le chercher cet après-midi chez mes parents. Tu peux l'attendre à la maison.

— Non, pas à la maison. Si cela ne t'ennuie pas, je préférerais qu'on se retrouve au parc.

C'était stupide de proposer une rencontre à la maison. Ce n'était plus la maison de Gina. Et, tout en regardant sa nouvelle bague de fiançailles, une bague voyante qui occupait la place de sa petite alliance toute simple, je compris soudain une chose essentielle : je n'avais pas encore pris conscience du vrai grand changement qui s'était produit dans nos vies depuis l'été.

À présent, Pat vivait avec moi.

Mon oncle Jack était chez mes parents.

Contrairement à tante Ethel, oncle Jack faisait réellement partie de ma famille. C'était le frère de mon père, un homme maigre et nerveux, soigné de sa personne. Il fumait en tenant sa cigarette dans le creux de la main, comme pour l'abriter d'un vent violent, même quand il se trouvait dans notre salon en train de tremper un biscuit au gingembre dans sa tasse de thé.

Oncle Jack était toujours en costume-cravate et venait toujours chez nous dans une berline à la carrosserie parfaitement astiquée, une Scorpio, une grosse Mercedes ou tout autre modèle de même catégorie. À l'avant, sur le siège passager, se trouvait sa casquette de chauffeur.

Oncle Jack était chauffeur de maître. Il conduisait des hommes d'affaires de chez eux à l'un ou l'autre des aéroports de Londres et les en ramenait. Il me donnait l'impression de passer plus de temps à attendre qu'à conduire et je l'avais toujours imaginé patientant aux portes d'arrivée à Gatwick ou à Heathrow, la cigarette abritée dans le creux de la paume, en train de lire un journal de courses.

Oncle Jack, enfin, était un joueur comme tout le monde du côté de mon père. Tandis que je remontais l'allée conduisant à la porte de mes parents, il me souriait et je me rendais compte que tous mes souvenirs de lui concernaient des paris de tous les genres.

Il y avait les parties de cartes à la maison, chaque année au moment des fêtes. Il y avait les expéditions aux courses de lévriers où, avec mes cousins, ses enfants, je ramassais les grands bulletins roses de paris jetés par les joueurs malchanceux. Plus loin encore dans le temps, quand la mère de mon père et d'oncle Jack vivait encore, je me souvenais du bookmaker qui venait chez elle prendre sa mise, modeste mais quotidienne, sur tel ou tel cheval. Quand les bookmakers ont-ils arrêté de passer chez les vieilles dames ?

Mon père avait encore un autre frère, Bill, le plus jeune. Il était parti pour l'Australie à la fin des années soixante-dix mais, dans mon esprit, les trois frères Silver restaient associés — en train de boire du whisky à Noël ou de la bière aux mariages ; en train de danser des danses démodées avec des femmes dont ils étaient tombés amoureux à l'adolescence ; en train de jouer au poker pendant toute la nuit de Noël tandis que Tony Bennett chantait *Stranger In Paradise* sur la chaîne stéréo.

Telle était la famille de mon père — une famille d'hommes, de solides et astucieux Londoniens qui se montraient très sentimentaux avec les enfants et avec leurs jardins de banlieue ; des hommes que les vieilles photographies exhibaient invariablement en uniforme de l'armée, des joueurs et de bons buveurs qui ne dépassaient jamais la limite d'un plaisir raisonnable ; des hommes qui aimaient leur famille et considéraient le travail comme une banale corvée destinée à faire vivre leurs enfants ; des hommes qui se flattaient de savoir comment marche le monde. Je savais donc qu'oncle Jack n'était pas ici sans raison.

— Je t'ai vu l'autre soir à la télé, dit-il. À la soirée de remise des prix. Tu étais à une table et tu avais ton smoking. Ça m'a l'air d'un chaud lapin, cet Eamon Fish.

— C'est un gentil garçon, répondis-je. Comment vas-tu, oncle Jack ?

— Ça va, je ne peux pas me plaindre.

Il me prit par le bras pour me parler de plus près.

— Et ton père ? J'ai remarqué comme il a du mal à respirer dès qu'il se lève. Mais il m'assure qu'il a vu un toubib et que tout va bien. Il n'a rien ?

— En tout cas, c'est ce qu'il dit.

Mon père était dans le jardin de derrière en train de jouer au ballon avec ma mère et Pat. Ces derniers portaient tous deux d'épais manteaux et des écharpes mais mon père n'avait qu'un T-shirt. Il semblait mettre toute sa fierté dans son vieux corps musclé et noueux, avec ses tatouages à moitié effacés et ses cicatrices pâlies. Comme il remettait son T-shirt dans son pantalon, j'aperçus brièvement sa grande cicatrice en étoile, au côté. En la voyant, je me rendis compte qu'elle me causait toujours un choc.

— Papa ? Tu as consulté un médecin ?

— Je me porte comme un charme, dit-il. Bon pour le service !

— Vraiment ? Et tes problèmes respiratoires ?

— Il ne devrait pas fumer, dit ma mère.

Je compris qu'elle était pourtant soulagée à l'idée qu'il s'en était tiré avec une simple tape sur la main.

— Il va arrêter le tabac, précisa-t-elle encore.

— C'est un peu tard, maintenant, dit mon père avec un petit rire.

Apparemment, il appréciait beaucoup son rôle de voix dissidente dans le monde moderne voué aux céréales et aux plats basses calories.

— Vas-y, Kopa ! s'exclama-t-il en expédiant le ballon dans ses rosiers, réduits par l'hiver à l'état de squelettes.

Pat courut le chercher.

— Le docteur n'a vraiment rien trouvé d'autre, à part ce problème de tabac ? insistai-je.

Mon père prit Pat par les épaules.

— Je peux tenir encore vingt ans, déclara-t-il d'une voix

pleine de défi. Et je vais te dire quelque chose. J'ai bien l'intention d'assister au mariage de ce garçon-là !

Pat regarda mon père comme s'il avait perdu la tête.

— Je ne me marierai jamais, dit-il.

J'avais oublié de dire à Gina qu'il avait appris à faire du vélo.

J'avais oublié de lui dire que le timide gamin de quatre ans qui roulait de façon hésitante autour du lac avec ses petites roues de stabilisation était devenu un grand garçon de cinq ans qui fonçait à travers le parc avec un total mépris pour sa sécurité.

Quand Gina, qui attendait du côté où il y avait des ronds-points et des tournants, vit Pat venir vers elle en pédalant, elle éclata de rire et se mit à applaudir. Elle riait à gorge déployée, heureuse, ravie.

— Comme tu as grandi ! cria-t-elle d'une voix à la gaieté contagieuse.

Elle lui tendait ses bras grands ouverts.

Juste avant qu'il me laisse pour la rejoindre, je vis son visage. Il souriait, mais pas de ce sourire poli et appliqué qu'il s'était habitué à faire depuis un certain temps. Ce n'était pas le sourire charmeur qu'il destinait aux étrangers, ou à moi quand il voulait me rassurer sur le fait que tout allait bien.

Pat vit Gina et il sourit spontanément, sans y penser. Il sourit de tout son cœur.

L'instant d'après, il était dans les bras de sa mère. La capuche de sa parka avait glissé quand elle l'avait soulevé de sa bicyclette. Elle pleurait et ses larmes coulaient sur la tête de Pat. Leurs cheveux se mêlaient, exactement de la même couleur, exactement du même blond doré.

— Je le ramène à la maison d'ici une heure ou deux, me cria Gina.

Pat s'éloigna en pédalant lentement à côté d'elle. Elle le tenait par les épaules et il hochait la tête en guise de réponse à ce que sa mère lui disait.

— Fais attention, Pat, criai-je. Ne va pas trop vite, tu entends ?

Mais ils ne m'entendaient plus, ni l'un ni l'autre.

30

Mon père avait menti.

Il était effectivement allé voir un médecin mais jamais celui-ci ne lui avait dit qu'il se portait comme un charme, qu'il était bon pour le service, remarquablement bien conservé pour son âge, mais — on imaginait une tape sur l'épaule, un petit clin d'œil complice de la part du morticole — qu'il devait peut-être envisager de renoncer à ses « cousues main ».

Le médecin lui avait peut-être dit qu'il était impossible de savoir le temps qu'il lui restait à vivre. Il lui avait peut-être dit que « cela » pouvait traîner pendant des années. Mais j'ai peine à croire que notre généraliste ait sorti sa boule de cristal garantie par la sécurité sociale pour lui promettre qu'il assisterait au mariage de son petit-fils...

La chose qui se développait dans le corps de mon père était beaucoup trop avancée pour que le médecin ait osé lui affirmer tout cela.

Ma mère m'appela à mon bureau pour la première fois de ma vie.

Il était à l'hôpital, au service des soins intensifs, me dit-elle d'une voix qui trébuchait sur ces trois mots.

Il avait voulu ranger le mobilier de jardin qui restait toujours dehors jusqu'au milieu de l'hiver. Il avait commencé à mettre les chaises longues en toile bleue et le parasol rayé dans le garage, à l'abri jusqu'au printemps suivant, comme chaque année. C'est alors qu'il avait brutalement commencé à étouffer. Il ne pouvait plus respirer. C'était terrifiant, m'expliqua ma mère, absolument terrifiant. Elle avait aussitôt appelé une ambulance mais elle avait cru qu'ils n'arriveraient jamais à temps. À temps pour le sauver.

— Mais qu'est-ce qu'il a ? demandai-je.

Je ne comprenais pas, je n'arrivais pas à comprendre qu'un jour je vivrais dans un monde dont mon père serait absent.

— C'est les poumons, dit ma mère d'une petite voix épouvantée qui tremblait. Il a une tumeur.

Une tumeur aux poumons, disait-elle, incapable de prononcer le mot exact. Elle ne pouvait nommer cette chose qui empêchait mon père de respirer, et ce mot terrible, ce mot redouté planait sur notre conversation, comme si le seul fait de ne pas le dire pouvait l'écarter.

Mais elle ne fut pas obligée de dire ce mot. Je commençais enfin à comprendre.

Il était dans un hôpital moderne mais en pleine campagne.

C'était l'intérêt de l'endroit où j'avais grandi, l'intérêt des banlieues. Vous pouviez, en quelques tours de roue, passer de la jungle des immeubles en béton à un paysage de champs qui se déroulaient à l'infini. C'était à cause de cette possibilité de se retrouver très vite en pleine campagne que mon père y avait installé sa famille de nombreuses années plus tôt.

Ma mère se trouvait dans la salle d'attente quand je la rejoignis. Elle me serra contre elle et, avec une sorte d'optimisme désespéré, me raconta que, d'après le médecin, on pouvait beaucoup faire pour mon père.

Elle alla donc le chercher, ce médecin qui avait de si bonnes nouvelles. Quand elle revint avec lui, elle me le présenta. Il était indien, et encore assez jeune pour paraître un peu embarrassé par la confiance de ma mère.

— Voici mon fils, docteur, dit-elle. Je vous en prie, expliquez-lui tout ce qu'on peut faire pour son père.

— J'ai dit à votre mère que l'on dispose de traitements très sophistiqués pour soulager la douleur de nos jours.

— Des traitements contre la douleur ? relevai-je.

— Nous pouvons l'aider à respirer plus facilement, à mieux dormir, et considérablement atténuer la douleur.

Il me parla du masque à oxygène dont on avait aussitôt équipé mon père. À mots couverts, il me parla aussi des bienfaits d'une bonne nuit de sommeil et d'un analgésique efficace.

— Vous voulez dire des somnifères et de la morphine ? demandai-je.

— Oui.

On pouvait faire beaucoup de choses, oui, mais uniquement pour son confort. On ne pouvait que contrôler les symptômes de ce qui le rongeait de l'intérieur. Rien de tout cela ne le guérirait.

Ils pouvaient insuffler de l'air dans ses pauvres poumons inutiles, plonger son corps épuisé dans l'inconscience pour quelques heures, et lui injecter suffisamment d'opiacés pour leurrer son cerveau et le rendre insensible à l'intolérable souffrance.

On pouvait faire beaucoup de choses.

On ne pouvait rien faire.

Mon père était en train de mourir.

Nous nous sommes assis à côté de son lit et nous l'avons regardé dormir.

Il était bien calé dans son lit d'hôpital. Un masque à oxygène transparent lui couvrait le nez et la bouche. Sur son visage apparaissait une barbe naissante, ce visage qu'il avait toujours lavé et rasé avec un soin méticuleux.

À côté de lui, il y avait un boîtier métallique avec un gros bouton d'appel sur lequel il pouvait appuyer en cas de besoin. Sous lui, une alèse de plastique protégeait le matelas. C'était le genre de détails qui me brisaient le cœur et me donnaient envie de pleurer. Il paraissait déjà aussi vulnérable qu'un nouveau-né.

Il y avait sept autres lits dans la salle, des hommes assez âgés, sauf deux d'entre eux, plus jeunes que moi. Tous souffraient du même mal.

Le mal les avait atteints dans telle ou telle partie de leur corps, il se trouvait à tel ou tel stade de développement, certains d'entre eux rentreraient chez eux, d'autres ne rentreraient jamais. Mais ils étaient tous atteints du même mal, ce mal dont nous ne pouvions toujours pas prononcer le nom, ma mère et moi.

— Il le savait, n'est-ce pas ? lui dis-je. Je parie qu'il le savait depuis le début.

— Oui, je pense qu'il l'a su dès le début. Il a passé des examens quand il a commencé à avoir du mal à respirer. Je l'avais obligé à consulter. Il m'a dit que tout allait très bien.

— Je ne le savais pas. Vous ne m'avez pas dit qu'il avait passé des examens.

J'étais sidéré à l'idée que mes parents pouvaient encore, à mon âge, me cacher quelque chose.

— On ne te l'a pas dit parce qu'il ne nous a pas semblé nécessaire de t'inquiéter. Tu avais suffisamment à faire avec Pat. En plus, il allait bien. Du moins, c'est ce qu'il m'a dit.

— Mais il n'allait pas bien. Ça faisait longtemps qu'il n'allait pas bien.

J'avais parlé d'une voix plaintive, comme un petit garçon pleurnichant : « C'est pas juste, c'est pas juste. »

— Il devait le savoir dès le début, répéta ma mère, les yeux toujours fixés sur lui. J'ai parlé avec une des infirmières et elle m'a dit qu'ils ont une technique spéciale pour l'annoncer. On

274

ne te dit pas les mauvaises nouvelles d'un seul coup mais petit à petit, sauf si tu demandes à savoir la vérité, si tu les obliges à te la dire.

— Et il a voulu savoir, dis-je avec le sentiment d'une absolue certitude. Je suis sûr qu'il a exigé la vérité.

— Oui, il a dû les forcer à la lui dire.

— Mais pourquoi ne nous en a-t-il pas parlé, depuis tout ce temps ? Il aurait dû comprendre que nous finirions par découvrir la vérité.

En fait, je connaissais déjà la réponse à ma question.

— Il a voulu nous protéger, dit ma mère.

Elle prit les mains de mon père dans les siennes et les porta à sa joue. Je détournai le regard, de peur de craquer en voyant à quel point elle l'aimait toujours.

— Il nous a protégés, répéta-t-elle.

— C'est vrai, maman. Il nous a défendus contre le pire qui puisse arriver dans la vie, il a épargné à sa famille une partie de la souffrance à venir, il nous a protégés.

Il a fait ce qu'il avait toujours fait.

— Je suis désolée pour ton père, Harry, dit Gina. Vraiment. Il a toujours été très gentil avec moi.

— Il t'adorait.

J'avais failli ajouter qu'il avait eu le cœur brisé par notre séparation, mais je réussis à me retenir à temps.

— Je voudrais aller le voir à l'hôpital, reprit-elle. Si tu n'y vois pas d'inconvénient. Ou ta mère.

— Aucun, voyons !

Je ne savais pas comment lui expliquer qu'il n'appréciait pas les visites. Il trouvait déjà assez dur d'affronter sa propre souffrance sans avoir à supporter celle des autres. Je ne pouvais pas le dire à Gina sans lui donner l'impression que je la tenais à l'écart.

— Pat va aller le voir ?

Je pris ma respiration.

— Pat veut le voir, dis-je, mais mon père est trop mal pour l'instant. Il ira sans doute s'il y a une amélioration. Dans l'immédiat, ce serait trop dur pour l'un comme pour l'autre.

— Que lui as-tu dit ?

— Que son papy est malade. Très malade. Comment annoncer à un enfant de cinq ans que son grand-père, qu'il admire plus que tout au monde, est en train de mourir ? Comment ? Moi, je l'ignore.

— Il faut qu'on parle de Pat. Je sais que ce n'est pas le meilleur moment. Je me doute que la maladie de ton père n'est pas facile à vivre pour toi, et j'en suis désolée. Mais tu savais que je voulais reprendre Pat le plus rapidement possible.

— Tu veux reprendre Pat ?

— Oui. Il est inutile de recommencer les discussions que nous avons déjà eues, je crois. Je ne l'emmène pas à l'étranger. Je me réinstalle à Londres. Richard et moi, nous sommes en train de chercher un appartement dans le quartier. Pat n'aura même pas besoin de changer d'école.

— Comment va ce bon vieux Richard ?

— Très bien.

— Toujours à demi séparé ?

— Définitivement séparé. Sa femme est repartie pour les États-Unis. Et, je sais que cela peut paraître rapide, mais nous pensons nous marier.

— Quand ?

— Dès que nos deux divorces seront prononcés.

Comme j'ai ri !

— Zut alors ! m'exclamai-je. Vous vous mariez dès que vos divorces sont prononcés ! Si ce n'est pas de l'amour !

Nous n'avions jamais parlé des formalités du divorce. Nous avions beaucoup parlé de notre séparation mais pas de l'aspect légal de la question.

— Je t'en prie, Harry, dit-elle d'une voix plus froide. Ne sois pas vulgaire, veux-tu?

Je secouai la tête d'un air incrédule.

— Tu crois que tu peux juste réapparaître dans nos vies, comme ça, et reprendre les choses où tu les as laissées, Gina? Tu crois que tu peux prendre Pat juste parce que le miracle économique japonais se révèle moins miraculeux que prévu?

— Nous étions d'accord.

Je ne l'avais jamais vue dans une telle colère.

— Tu sais depuis le début que Pat vivra avec moi. Que je reste à Tokyo ou que je revienne ici, j'ai toujours eu l'intention de l'avoir avec moi. Qu'est-ce qui te fait croire que tu as le moindre droit de le garder?

— Parce qu'il est heureux avec moi! Et parce que j'en suis capable! J'en suis capable, entends-tu? Ce n'était pas extraordinaire au début, mais j'ai appris, imagine-toi. Je me suis amélioré et maintenant ça marche très bien. Et il est heureux là où il est. Il n'a pas besoin d'être avec toi et je ne sais quel type, n'importe quel type que tu as ramassé dans n'importe quel bar japonais.

Sa bouche avait pris un pli que je ne lui connaissais pas.

— J'aime Richard, dit-elle, et je veux que Pat grandisse auprès de moi.

— Tu oublies que nos enfants ne nous appartiennent pas. Ce ne sont pas des objets, Gina.

— Tu as raison, nos enfants ne nous appartiennent pas mais mon avocat plaidera que, toutes choses égales par ailleurs, un enfant doit être avec sa mère.

Je me levai en jetant quelques pièces sur la table.

— Et mon avocat plaidera que, toi et Richard, vous pouvez aller au diable. Et mon avocat — quand j'en aurai un — plaidera aussi qu'un enfant doit être avec celui de ses parents qui est le plus apte à l'élever. Ce parent, c'est moi, Gina.

— Je n'ai pas envie de te haïr, Harry. Ne m'oblige pas à te haïr.

— Je n'ai pas envie que tu me haïsses mais ne vois-tu pas ce qui est arrivé ? J'ai appris à être un père digne de ce nom. Tu ne peux pas réapparaître un beau jour et m'enlever cela.

— C'est incroyable, dit-elle. Tu t'occupes de lui pendant deux mois et tu crois que tu peux prendre ma place ?

— Quatre mois ! Et je n'essaye pas de prendre ta place. C'est seulement que j'ai trouvé ma propre place !

Cyd ne me jeta qu'un coup d'œil et me dit d'un ton sans réplique qu'elle m'emmenait dîner à l'extérieur. Je n'avais pas faim mais j'acceptai. J'étais trop fatigué pour discuter. De plus, j'avais une question à lui poser.

J'embrassai Pat et le laissai devant la cassette de *Pocahontas* avec Peggy. Bianca tournait en rond dans la cuisine d'un air absent, mâchouillant à la chaîne des bonbons aux fruits pour ne pas fumer puisque cela lui était interdit dans l'appartement.

— Ta voiture ou la mienne ? demanda Cyd.

— La mienne.

Elle m'emmena dans un petit restaurant indien du quartier voisin. Le ruban collant qui tenait les débris de ma capote avait séché et commençait à se défaire. Tout cela claquait dans le courant d'air comme la voile d'un bateau.

J'eus presque la nausée à la vue de la nourriture. Sans grand enthousiasme, je repoussai sur le bord de l'assiette quelques restes de poulet aux épices. J'avais l'impression que tout m'échappait, l'impression de ne plus pouvoir me concentrer sur quoi que ce soit.

— Ne mange que ce que tu aimes, mon chéri, dit-elle. Ne te force pas si tu n'en as pas envie. Essaye seulement de manger quelque chose, tu veux bien ?

Je lui répondis d'un hochement de tête, souriant à cette femme extraordinaire qui avait perdu son père alors qu'elle avait à peine la moitié de mon âge. Je faillis lui poser ma question mais je décidai de m'en tenir à mon plan et d'attendre la fin de la soirée. Oui, il valait mieux m'en tenir à mon plan.

— On n'est pas obligés d'aller au cinéma ce soir, si tu n'en as pas envie, dit-elle encore. Ce n'est pas grave. On peut faire autre chose, ce que tu voudras. On peut rester à parler ensemble ou ne rien faire du tout, si tu préfères. On n'est même pas obligés de parler.

— Non, on va au cinéma.

Nous sommes donc allés voir un film italien, *Cinema Paradiso*[1], qui racontait l'histoire de l'amitié entre un jeune garçon et le vieux projectionniste du cinéma local.

En général, elle savait choisir des films dont elle savait que je les aimerais si je faisais l'effort de m'y intéresser, des films avec des sous-titres et sans noms de stars inconnues deux ans plus tôt.

Or, dans le cas de *Cinema Paradiso*, je me refroidis terriblement vers la fin, quand le vieux projectionniste, qui a perdu la vue lors de l'incendie du cinéma, dit au garçon qui ouvre grands ses yeux d'enfant de quitter le village et de ne jamais revenir.

Le garçon, Toto, s'en va, devient un célèbre metteur en scène et ne revient qu'au bout de trente ans, le jour de l'enterrement d'Alfredo, le vieux projectionniste qui lui a appris à aimer le cinéma.

— Je ne comprends pas pourquoi Alfredo dit à ce gamin de partir pour toujours, dis-je à Cyd.

Nous marchions lentement, ralentis par la foule de la sortie des cinémas.

— Pourquoi ne pourraient-ils pas, au moins, rester en contact ? J'ai trouvé cruelle la façon dont il dit de partir à ce petit garçon qu'il connaît depuis toujours.

1. *Cinema Paradiso*, film de Giuseppe Tornatore avec Philippe Noiret, Fr. Ital., 1989. *(N.d.T.)*

— Alfredo, répondit-elle, sait que Toto ne trouvera jamais ce dont il a besoin dans cette petite ville.

Cyd me sourit, heureuse de parler du film.

— Il devait prendre sa liberté pour apprendre ce qu'Alfredo savait déjà : *La vie n'est pas comme au cinéma, c'est bien plus difficile.*

Elle me saisit le bras en riant.

— J'aime parler de ce genre de choses avec toi.

La MGF était dans le grand parc de stationnement du quartier chinois, à côté d'une caserne de pompiers. J'attendis que Cyd soit installée mais je ne mis pas le contact tout de suite.

— Je veux que nous vivions tous ensemble, lui dis-je. Toi, Peggy, moi et Pat.

Les grands yeux que j'aimais tant se remplirent d'une réelle surprise.

— Vivre ensemble ?

— Ton appartement est trop petit pour nous tous. Ce serait mieux si tu venais chez nous. Qu'en penses-tu ?

Elle secoua sa belle tête d'un air perplexe.

— Tu as passé de sales moments, ces derniers temps, dit-elle. Entre ton père et Gina, ça fait beaucoup.

— Ça n'a rien à voir ! Enfin... peut-être que si, un peu. Peut-être même beaucoup. Mais ce n'est pas le fond de la question. Je sais ce que je ressens pour toi et je pense que tu éprouves la même chose pour moi. Je veux qu'on soit ensemble.

Elle sourit et secoua encore la tête, mais avec plus d'assurance.

— Non, Harry.

— Non ?

— Je suis désolée.

— Pourquoi ?

C'était une question inutile, comme un enfant peut en poser, mais j'avais besoin de la poser.

— Pourquoi ? dit-elle. Parce que tu veux une femme avec

une vie moins compliquée que moi, une femme sans enfant, sans ex-mari, sans témoignages du passé. Tu le sais bien. Souviens-toi de ta réaction à l'anniversaire de Pat. Tu t'en souviens ? Nous savons tous les deux qu'il n'y a pas d'avenir possible entre nous.

— Non, je ne le sais pas !

— Tu crois que tu veux quelqu'un capable de transformer ta vie par son amour, dit-elle. Mais ce n'est pas vraiment l'amour que tu cherches, Harry. Tu ne pourrais pas vivre un véritable amour. Tu rêves d'une relation romanesque. Ce n'est pas pareil.

Ses mots me firent très mal, d'autant plus mal qu'elle les disait avec une infinie tendresse, sans la moindre trace de colère ou de rejet. Elle avait l'air sincèrement désolée pour moi.

— Ce n'est pas un reproche, dit-elle. Tu es comme ça et, dans l'ensemble, c'est une bonne chose, mais cela ne marcherait jamais entre nous parce qu'on ne peut pas faire durer sa lune de miel toute sa vie. Du moins, pas avec des enfants et surtout pas quand ce ne sont pas les tiens.

— Mais si, on pourrait, insistai-je.

— Non. Nous nous retrouverions exactement au point où tu t'es retrouvé avec Gina, et moi, je ne veux pas de cela. Je ne peux pas vivre cela, en tout cas pas avec Peggy. Les petits riens délicieux, c'est parfait. Les yeux dans les yeux, c'est très bien. Mais je veux quelqu'un qui sera là pour me frotter les pieds quand je serais trop vieille pour le faire moi-même et qui me dise qu'il m'aime, même quand j'aurai oublié où j'ai mis mes clefs. Voilà ce que je veux : un homme avec lequel vieillir. J'en suis vraiment très triste, mais je ne pense pas que tu veuilles cela.

Elle tendit la main pour me caresser la joue mais je détournai le visage, me demandant où j'avais bien pu entendre un pareil discours. Nous sommes donc restés en silence, dans notre parking souterrain, avec tout le poids de la ville chinoise sur nos têtes.

— Je croyais que tu ne voulais pas que Peggy risque d'être traumatisée en te voyant vivre une relation à court terme.

— Je préfère cela à une relation à long terme qui tourne mal. Tu sais, Pat et Peggy resteront amis. Elle continuera à te voir. Je crois que, de cette façon, nous nous épargnerons beaucoup de chagrin.

— De cette façon ? répétai-je. Serais-tu en train de me dire que tu ne veux plus me voir ?

— Non. Nous pouvons rester amis, nous aussi. Seulement, je t'ai observé à l'anniversaire de Pat et j'ai compris que nous ne sommes pas ce que tu cherches, Peggy et moi. Pas vraiment.

— Je sais ce que ça veut dire, quand une femme dit qu'elle veut qu'on reste amis. Cela veut dire : *N'oublie pas de refermer la porte derrière toi.* C'est bien cela, n'est-ce pas ?

— Ne sois pas trop triste, Harry. Tous les jours, il y a des gens qui rompent. Ce n'est pas la fin du monde.

La chose terrible avec le cancer, c'est que cela dépasse toujours vos pires prévisions. Il y a quelque chose d'obscène dans l'acharnement que met le cancer à dépasser votre imagination. Peu importe la nouvelle torture qu'il a inventée pour vous, il trouvera encore pire le lendemain.

Mon père était bourré de morphine. Sa peau avait déjà perdu la couleur de la vie et, même avec le masque à oxygène, ses poumons peinaient, se soulevant péniblement pour aspirer une misérable goulée d'air, insuffisante.

Par moments, le brouillard qui noyait son regard s'éclaircissait, le brouillard causé à la fois par la douleur et par les antidouleurs. Quand son regard s'éclaircissait, je découvrais peur et regret dans ses yeux noyés de larmes. J'étais alors persuadé que ça y était, c'était la fin. Ce ne pouvait être que la fin.

— Je t'aime, lui dis-je en lui prenant les mains.

Je ne lui avais jamais dit que je l'aimais ; je voulais le faire parce que je n'imaginais pas qu'il puisse aller encore plus mal. Et pourtant, son état empira. Ce sont les horribles surprises du cancer... Cela dépasse toujours ce que vous preniez pour les limites de l'horreur.

Le lendemain, quand je revins dans cette salle surpeuplée, je m'assis de nouveau près de son lit, je lui pris les mains et — cette fois, pleurant sans retenue — je dis encore à mon père que je l'aimais.

TROISIÈME PARTIE

Surprise !

31

Eamon se figea.

Dans le public, on ne pouvait pas s'en rendre compte à cause des caméras et de l'équipe technique qui gênait la vue. Vous n'auriez pas pu vous en rendre compte non plus si vous aviez mis la télévision en marche pour l'écouter comme bruit de fond supplémentaire dans votre maison. De plus, cette émission n'aurait pas été vitale pour vous autant que pour moi.

Moi, je le vis paniquer sur l'écran de l'un des moniteurs de la salle de contrôle. Je savais que ce moment-là peut arriver, que l'on ait soixante ans d'expérience des caméras ou seulement quelques minutes. Le moment où le prompteur, le scénario et les répétitions ne veulent plus rien dire. Le moment où l'on perd pied.

— Moi qui viens de Kilcarney, je suis choqué par tous ces divorces, ici, commença-t-il.

Soudain, il battit rapidement des paupières, une fois, deux fois, et je vis la panique le submerger.

— Très choqué... reprit-il.

Il ne pouvait plus détacher les yeux de cet œil noir impitoyable fixé sur lui, avec la petite lumière rouge au-dessus. Son esprit était paralysé, il ne trouvait plus ses mots. Ce n'était pas seulement comme s'il avait oublié la chute de son histoire. C'était un brutal et total manque de confiance en lui-même, comme le funambule qui regarde sous lui et se voit s'écraser au sol, très loin au-dessous. Dans le public, quelqu'un toussa. On aurait cru entendre ses nerfs vibrer dans le silence.

— Vas-y, chuchotai-je dans son écouteur, vas-y, tu peux y arriver.

Il cligna encore des paupières, reprit sa respiration et, d'un coup, retrouva son assurance.

— Ici, quand une femme rencontre un homme, elle se demande : *Ai-je envie que mes enfants passent leurs week-ends avec cet homme?*

Le public éclata de rire. Eamon avait franchi le gouffre et se trouvait à nouveau en sécurité. Il enchaîna sur l'histoire suivante, encore tremblant. Je me rendais compte que, en bon funambule, il essayait de toutes ses forces de ne pas regarder le vide au-dessous de lui.

— Ce sont des choses qui arrivent, lui dis-je plus tard.

Je l'emmenai dans un coin tranquille du petit salon.

— Ça se produit toujours au moment où tu penses que tu n'as plus rien à craindre et que le trac n'arrive qu'aux autres.

Eamon prit une gorgée de bière.

— Je ne sais pas si je serai capable, Harry. Je ne sais pas si je peux recommencer chaque semaine, alors que mon cerveau peut me lâcher d'un seul coup.

— Tu dois seulement apprendre à vivre en sachant que ton cerveau peut se vider d'un seul coup pendant qu'un million de personnes ont les yeux fixés sur toi.

— Non.

— Tu en es capable.

— Tu ne comprends pas : je ne peux pas. Peut-être que j'ai l'air sûr de moi et culotté pour les gens de mon village, mais ce n'est qu'une façade. Ce n'est pas la réalité, Harry. Je vomis à chaque fois que je dois monter sur scène. Je me réveille à trois heures du matin à cause d'un cauchemar où je suis devenu aphone et où tout le monde me regarde. Je ne peux pas, ça m'angoisse trop.

— Ce n'est pas l'angoisse, Eamon, c'est l'excitation.

— Même quand je vomis avant l'émission?

— C'est dû à l'excitation. Tu t'apprêtes à faire ton numéro et à amuser tout le pays. C'est normal d'être excité. Qui ne le serait pas?

— Et mes cauchemars?

— C'est encore de l'excitation, pas de l'angoisse. Tu ferais mieux d'apprendre le mantra du présentateur et le chanter en permance : *Je n'ai pas le trac, je suis excité.*

— Je n'ai pas le trac, répéta Eamon. Je suis excité.

— Et voilà!

Quelqu'un arriva, un hot-dog dans une main et un verre de vin blanc dans l'autre, et dit à Eamon que c'était sa meilleure émission.

— Tu n'as pas envie d'une boisson un peu plus forte? me demanda-t-il.

— Désolé, messieurs, une tenue correcte est exigée, dit le videur, un Noir haut comme une montagne.

Au ton employé, nous aurions aussi bien pu être deux clochards.

— Tenue correcte? répétai-je.

— Costume-cravate...

À ce moment-là, l'autre videur, un Blanc haut comme une montagne, reconnut Eamon.

— Pas de problème, Chris, dit-il en décrochant le cordon de velours rouge. Comment allez-vous, Eamon?

Il y eut un échange de sourires général. Entrez, entrez! Moi et mon célèbre camarade, nous disparûmes dans l'obscurité du club et je me sentis brusquement dégrisé.

Le bar était plein de filles superbes, à moitié nues ou, plutôt, aux trois quarts ou même aux neuf dixièmes. Elles se tortillaient, roulaient des hanches et dansaient devant des cadres et hommes d'affaires assis, leur front trempé de sueur, leur corps trop gras paralysé par le désir et l'alcool. Les filles portaient toutes des jarretelles à mi-cuisses. De nombreux billets de dix et vingt livres y avaient été glissés.

— Ne t'excite pas trop, me dit Eamon. Le seul contact qui les intéresse est celui de ton portefeuille !

En bas de l'escalier, une Noire souriante vêtue d'une sorte de tutu blanc salua Eamon par son nom. Elle nous conduisit à une table sur le côté de la scène. D'autres filles avec talons aiguilles, et fil dentaire en guise de sous-vêtements, glissaient en montant et en descendant le long de grands poteaux.

Comme leurs sœurs si légèrement vêtues qui torturaient les cadres dans la salle, elles dansaient sur la voix d'une de ces chanteuses américaines dont je n'ai jamais pu retenir le nom, celle qui se vante d'être à la fois une garce et une douce amoureuse. Une chanson moderne. En fait, celles que je connaissais appartenaient dans l'ensemble à une autre époque.

Une bouteille de champagne apparut sur notre table. Je dis à Eamon que je préférais une bière. Il me répondit que, à ces tables-là, on ne pouvait avoir que du champagne. Le champagne était obligatoire.

Une blonde sculpturale nous rejoignit, vêtue d'une sorte de robe de soirée jetable. Elle me sourit comme si elle m'avait attendu toute sa vie.

— Voulez-vous une danse ?

Et pourquoi pas ! J'avais envie de danser, oui.

— Volontiers, lui dis-je en me levant.

Je me mis à me tortiller d'un pied sur l'autre dans cette piètre imitation de danse qui se pratique dans notre pays. Je me sentais bien. Cette chanson sur la garce et l'amoureuse n'était pas si mal, après tout.

— Non, dit Vénus d'un ton impatienté.

Tiens ! Elle avait l'accent de Birmingham.

— Vous, vous ne dansez pas, expliqua-t-elle. Vous restez assis.

D'un léger mouvement de tête, elle désigna les cadres pétrifiés dans leurs fauteuils, muets de désir devant les filles qui se pliaient vers l'avant et, la tête entre les jambes, leur adressaient des clins d'œil. Parfois, d'un sein parfait, elles frôlaient les veinules éclatées de leurs nez de pochards.

— C'est moi qui danse pour vous, vous comprenez? Vous restez assis et vous regardez. Mais on ne touche pas! Une chanson, dix livres. C'est le minimum.

— Peut-être plus tard, lui dis-je en me rasseyant.

J'avalai une gorgée de champagne. Vénus disparut.

— Détends-toi, Harry! s'exclama Eamon. Tu n'as pas le trac, tu es excité, c'est tout!

Il me donna une grande claque dans le dos en éclatant de rire.

— Tu me plais, espèce d'idiot! s'exclama-t-il. Alors, raconte, comment ça va?

— En pleine forme! Mon père est en cancérologie et ma femme — mon ex-femme — veut la garde de notre fils.

Il me regarda d'un air soucieux, ce qui n'était pas facile avec une flûte de champagne à la main et des filles nues qui se trémoussaient tout autour de nous.

— Comment va ton père?

— Son état est stabilisé, comme disent les médecins. Cela veut dire qu'il ne s'est pas détérioré de façon marquée. S'il reste comme ça, il pourra sans doute rentrer à la maison mais ce n'est pas pour autant qu'il guérira.

— Je peux danser pour toi, Eamon? demanda une jeune Asiatique avec des cheveux qui lui descendaient jusqu'à la taille.

C'était la seule Asiatique de la boîte. Il y avait quelques Noires mais la plupart des filles étaient blondes, naturelles ou pas. On avait l'impression de tourner les pages de *Playboy*. Ici, les blondes faisaient la loi.

291

— Plus tard, répondit Eamon.

La beauté asiatique plongea dans la pénombre et Eamon se retourna vers moi.

— Je suis navré pour ton père, Harry, et c'est très moche que ton ex t'embête. Mais ce n'est pas une raison pour te laisser aller, mon vieux !

Il vida sa flûte d'un seul élan et la remplit.

— Au moins, tu as Cyd. C'est une fille formidable.

— C'est fini.

— Voulez-vous une danse ? me proposa une blonde pulpeuse.

— Non, merci, lui dis-je.

Elle s'éloigna sans paraître vexée par mon refus.

— Cyd et moi, repris-je, on a eu des problèmes.

— Des problèmes ? À la soirée des prix, vous aviez l'air très bien ensemble.

— Oui, c'était très bien quand il n'y avait que nous deux. Le problème, c'est que Cyd a un enfant, et moi aussi. Ce sont deux gosses formidables mais cela veut dire qu'elle a un ex-mari et que j'ai une ex-femme. Cela a donné une situation — je ne sais pas... —, disons que nous avons eu un problème de surpopulation.

— C'est ça ton problème ?

— En fait, le gros problème, c'est qu'elle m'a laissé tomber. Et si elle m'a laissé tomber c'est parce que nos problèmes de surpopulation me déprimaient. De plus, elle pensait que je voulais — cela peut paraître idiot — une sorte d'amour idéal. Peut-être avait-elle raison. Elle, elle pouvait vivre la situation telle qu'elle était. Moi, pour une raison que j'ignore, je n'ai pas pu.

— Parce que tu es un romantique, Harry. Parce que tu crois ce que disent les vieilles chansons. Or les vieilles chansons ne te préparent pas à la vraie vie. Au contraire, elles te rendent allergique à la vraie vie.

— Qu'est-ce que tu reproches aux vieilles chansons ? Au moins, personne ne trouve intelligent d'être une garce et une amoureuse en même temps, dans les vieilles chansons.

— Tu aimes l'amour pour lui-même, Harry. Tu aimes l'idée de l'amour. Cyd est une fille sensationnelle mais ce qu'elle a de vraiment spécial, c'est que tu ne peux pas l'avoir. C'est ça qui t'a attiré, en réalité.

Ce n'était pas vrai. Elle me manquait, elle et surtout sa façon de me prendre dans ses bras pour dormir. La plupart des couples se tournent le dos dès qu'il est l'heure de dormir. Pas elle. Elle se pelotonnait et se lovait comme si elle voulait ne faire qu'une seule chair avec moi. Je sais — c'est ridicule, c'est un rêve impossible. Mais c'était le rêve qu'elle m'avait fait faire, et l'idée que nous ne dormirions plus jamais ainsi m'était insupportable.

— C'était particulier avec elle, dis-je.

— Regarde autour de toi, répondit Eamon en faisant le geste de remplir mon verre à nouveau.

Je posai ma main sur mon verre. Non seulement je ne suis pas un grand buveur mais j'étais déjà ivre.

— Il y a quoi ici ? poursuivait Eamon. Une centaine de filles ?

Du regard, je fis le tour de la salle. À la périphérie, là où les filles en tutu attendaient avec leurs torches et leurs paniers, des dizaines d'autres filles rôdaient dans la pénombre. D'autres encore, par dizaines là aussi, se tortillaient en rythme devant les clients. Capables de lorgner et de faire des réflexions quand ils étaient en bande, ici ils restaient assis, intimidés et — oui ! — pleins de respect quand l'un d'eux achetait une danse.

C'est si facile de nous faire marcher, pensai-je, incapable d'imaginer une femme en train de fondre — tout en ouvrant son porte-monnaie — à la seule vue des fesses nues d'un homme.

Quand on regardait l'expression des hommes fascinés par cette chair féminine parfaite — de la chair tonifiée par la jeunesse et la gymnastique, de la chair qui ici ou là avait été mise en valeur par la main d'un chirurgien —, on n'avait pas de mal à croire qu'un homme ressemble toujours peu ou prou à un idiot de village.

— Une... deux... trois, dit Eamon qui vidait verre sur verre en comptant les filles.... Huit... neuf... dix...

— Oui, dis-je. Peut-être une centaine.

— Elles ont toutes quelque chose de spécial, Harry. Tellement de filles avec quelque chose de spécial que je n'arrive pas à les compter. Le monde est plein de filles avec quelque chose de spécial.

— Pas comme Cyd.

— Tu dis des bêtises ! dit Eamon. De sacrées bêtises, Harry !

Il vida son verre, voulut le remplir à nouveau et parut surpris de découvrir que la bouteille était vide. Il en commanda une autre et me mit le bras sur les épaules.

— Tu aimes ça, Harry, dit-il. Tu adores souffrir. Et tu sais pourquoi ? Parce que c'est beaucoup plus facile que de vivre avec une femme.

— Tu es ivre.

— Peut-être que je suis ivre, Harry, mais je connais les femmes. Tu peux connaître le boulot de la télévision — et Dieu te protège pour cela car tu as sauvé ma peau d'enfant de Kilcarney plus d'une fois — mais moi, je connais les femmes. Et je peux te dire que tu aurais changé d'avis sur Cyd si tu avais vécu avec elle les sept prochaines années. Parce que c'est toujours ce qui arrive !

— Pas toujours.

— Toujours ! On ne te dit pas ça, dans les vieilles chansons. On te parle toujours d'amour rencontré et perdu. Un amour héroïque, éternel, délicieux et douloureux. Mais on ne te parle pas de l'amour vieilli et ennuyeux. On n'écrit pas de chansons là-dessus.

— Bien sûr que si ! m'écriai-je.

— Voulez-vous une danse? dit une espèce d'apparition en chemise de nuit transparente.

— Non, merci! dis-je. *Where Did Our Love Go?*, *You Don't Send Me Flowers*, *You've Lost That Loving Feeling...* il y a plein de chansons sur l'amour qui finit.

— Oui, mais d'une façon telle que ça paraît passionnant, dit Eamon, alors que ça ne l'est pas. C'est ennuyeux et bête. Regarde autour de toi, Harry, regarde dans cette pièce. Pourquoi un homme voudrait-il se fixer avec une seule femme? Nous ne marchons pas comme ça.

— Ce n'est pas comme ça que tu marches, mais c'est seulement parce que tu ne t'intéresses qu'à ton sale petit machin et au meilleur moyen de le fourrer partout où tu peux.

— Pas mon machin, Harry.

— Désolé, Eamon, j'insiste. Ton sale petit machin.

— Pas mon machin, Harry. Ma semence!

— D'accord, ta semence.

L'Asiatique aux cheveux jusqu'à la taille revint vers nous et s'assit sur les genoux d'Eamon. Elle posa un chaste baiser sur sa joue qu'ombrait une barbe naissante.

— Je m'appelle Mem, me dit-elle.

— Harry, répondis-je.

Nous nous serrâmes la main comme si nous devions avoir une discussion d'affaires. Curieusement, dans ce lieu qui sentait la cigarette froide, plein de la chair nue des filles et des rêves d'hommes entre deux âges, on se montrait très cérémonieux. On se serrait souvent la main, on présentait les gens les uns aux autres et on donnait tranquillement sa carte professionnelle en même temps que les billets.

C'était tout le génie de cet endroit : on faisait croire aux hommes qu'il pouvait réellement se passer quelque chose — comme si ces filles avaient eu besoin qu'on les invite à dîner dans un stupide restaurant faussement français alors qu'elles pouvaient être ici, occupées à transformer n'importe quel

homme en distributeur de billets personnel par un seul batte-
ment de cils, un mouvement de hanches ou une chanson
moderne sur les garces qui peuvent aussi être des amoureuses !

Mem commença à danser pour Eamon et, tandis qu'elle
faisait glisser sa robe par-dessus sa tête et se mettait à faire lentement onduler son petit corps ferme sous les yeux d'Eamon,
je compris pourquoi cette Asiatique menue — d'où venait-elle ?
Indonésie ? Thaïlande ? — arrivait à s'imposer dans cet univers
de blondes.

— C'est comme le Heathrow Express, dit Eamon.

— Qu'est-ce que tu racontes encore ?

— Le Heathrow Express, répéta-t-il. Le train qui va à l'aéroport. Tu n'as jamais remarqué ? Juste après Paddington, tu
passes devant cet énorme parking plein de voitures neuves,
toutes brillantes. Un peu plus loin, il y a un autre parking mais
celui-là est plein de vieilles voitures rouillées, complètement
pourries, qu'on a entassées les unes sur les autres comme de
vulgaires déchets.

— Je crois que j'ai raté quelque chose, Eamon. Tu veux dire
que la vie ressemble au Heathrow Express ?

— Je suis en train de dire que les relations c'est comme les
voitures.

Tout en parlant, il laissait glisser sa main en remontant le
long d'une des jeunes cuisses dorées de Mem, malgré la règle
très stricte du club, d'après laquelle on avait le droit de regarder
mais pas de toucher. Était-ce une cuisse indonésienne ? Une
cuisse thaïlandaise ?

— Au début, poursuivait Eamon, les relations sont toujours brillantes, avec un bel aspect neuf et l'air de quelque
chose qui va durer pour l'éternité. Et à la fin, elles sont bonnes
à jeter.

— Tu es diabolique ! répliquai-je en me levant. Et moi, je
suis ivre.

— Oh, non ! Ne t'en va pas, Harry.

— Je dois aller chercher mon fils chez mes parents. Ou plutôt, chez ma mère.

Je l'embrassai sur la joue et serrai la main de Mem. Pour une raison quelconque, cela semblait être la bonne façon de se conduire ici, plutôt que d'embrasser Mem et de serrer la main d'Eamon. J'étais déjà à mi-chemin de la sortie quand je me souvins de l'endroit où j'avais déjà entendu ce nom.

Je sus alors qu'Eamon avait tort. Si vous êtes sans cesse en train de désirer, en train d'avoir envie, sans jamais être satisfait de ce que vous possédez, vous finissez plus triste et plus solitaire qu'un pauvre idiot dans mon genre, aux yeux de qui les vieilles chansons ont été écrites pour une seule femme.

Les hommes qui couchent avec tout le monde ne sont pas libres. Pas réellement. Ils se retrouvent plus esclaves que quiconque car ils soupçonnent toujours les femmes qu'ils désirent d'être comme eux. Aussi libres, aussi infidèles, aussi promptes à s'en aller ou à faire une rapide escapade que les héros des chansons d'aujourd'hui.

Il attendait à l'extérieur du club, dans l'ombre, avec les autres petits amis des danseuses. J'ignore pourquoi, mais je savais qu'il serait là.

Je savais aussi qu'il aurait le même air que les autres, malgré les voitures voyantes garées le long du trottoir ou, dans son cas, la grosse moto BMW. Il n'avait pas l'air heureux. Aucun de ces hommes n'avait l'air heureux.

Ils se tenaient derrière les taxis en train de racoler les clients. Les chauffeurs parlaient entre eux et parlaient aux hommes qui sortaient du club. Un taxi, monsieur ? Où voulez-vous aller ? Un endroit où on s'amuse ? Les hommes qui attendaient les danseuses, eux, restaient silencieux, immobiles et seuls. Ils donnaient l'impression d'avoir vu leurs rêves se réaliser mais de n'en avoir tiré que jalousie et dégoût.

Je le vis qui attendait comme les autres. Lui ne me vit pas. Il faisait le pied de grue dans l'obscurité comme tous les autres machos.

Jim Mason, le bel ex-mari de Cyd, attendait que sa Mem ait terminé sa nuit de travail.

32

À présent, respecter les heures de visite n'avait plus de sens. Les moments de lucidité de mon père dépendaient des flux et reflux de la douleur et de la morphine.

On pouvait passer la matinée à côté de lui sans qu'il s'éveille, si l'on peut qualifier du beau nom de sommeil l'abrutissement dans lequel les médicaments le plongeaient. Quand l'action de la morphine s'atténuait et que sa tumeur n'avait pas encore recommencé à le torturer, il lui arrivait de s'éveiller. Alors, il pouvait parler mais, sous l'effet combiné de la douleur et d'une insupportable tristesse, ses yeux ne cessaient de se remplir de larmes. C'étaient ces moments-là que j'attendais.

Vers le milieu de la nuit, il commença à s'agiter un peu et à passer la langue sur ses lèvres parcheminées. Je m'étais moi-même assoupi et cela me réveilla. La salle était silencieuse, si l'on exceptait les ronflements du vieillard qui occupait le lit voisin. J'aidai mon père à se redresser et à se réhydrater la bouche d'une gorgée d'eau. Il ne pouvait presque rien absorber et cela me donna envie de pleurer.

Dès qu'il commença à manquer d'air — et cela arrivait sans cesse à présent —, je l'aidai à mettre son masque à oxygène et, tandis qu'il cherchait désespérément sa respiration, je lui tins la main. Si peu d'air, si peu d'eau... Le voir survivre avec presque rien me désespérait.

Il ôta son masque, le visage tordu de souffrance et, une fois de plus, je m'étonnai que personne ne prenne la peine de vous avertir que vous allez être confronté à une épouvantable douleur. Mais quel était le pire ? Le voir souffrir autant ou le voir l'esprit embrumé par la morphine au point de ne plus être lui-même ? La douleur, me dis-je finalement. Le pire était de le voir souffrir.

Il leva les yeux vers moi, eut un petit mouvement de tête découragé et détourna son regard.

Je pris sa main dans la mienne et la tins serrée. Je savais que son esprit était en train de sombrer. Malgré tout son courage, il ne pouvait lutter contre la tristesse qui l'empoignait au milieu de la nuit, une tristesse qui vous donnait l'impression de tout obscurcir à jamais.

Au sujet de la tristesse, personne ne vous avertit non plus. Vous êtes à demi préparé en ce qui concerne la souffrance. On peut se faire une idée de ce qu'endurent les cancéreux en phase terminale. En revanche, cette souffrance physique s'accompagne d'un désespoir qu'aucune dose de morphine ne pourrait adoucir.

— Le pire, murmura mon père dans l'obscurité, c'est de savoir ce que je vais rater. Je ne parle pas des choses qui ne se sont pas encore produites — le mariage de Pat, ou te voir installé pour de bon — mais des choses qui allaient de soi. Regarder Pat sur sa bicyclette, lui raconter une histoire, lui donner son baiser du soir. Je ne le verrai plus courir dans le jardin avec son fichu sabre laser. Toutes ces petites choses qui comptent plus que tout le reste...

— Tu pourras peut-être bientôt rentrer à la maison, dis-je.

Je continuai de m'accrocher à cet espoir car c'est ce que nous faisons tous. Il n'y a pas d'autre solution que de s'accrocher à la vie même quand elle devient atroce.

— Tu pourras refaire tout ça plus tôt que tu ne le crois, insistai-je.

Mais il avait dépassé le point où il pouvait encore se raconter des histoires. Ou m'en raconter.

— Mon jardin me manque. Ta mère me manque. Sa cuisine. Tes émissions.

Je me sentis à la fois heureux et gêné qu'il mette mon travail au même rang que sa femme, son petit-fils et son jardin. J'éprouvais également une sorte de honte de ne pas avoir mieux utilisé le temps qui nous avait été donné, de ne pas l'avoir mis à profit pour l'impressionner et obtenir son approbation. Quelques émissions de télé et un couple brisé. C'était tout.

Heureusement, il y avait Pat. Je savais qu'il aimait son petit-fils plus que tout. Pat était le seul véritable cadeau que je lui avais fait, du moins en avais-je l'impression.

Mon père voulut s'asseoir. J'appuyai sur le bouton du boîtier en métal qui commandait le mécanisme du lit. Le petit moteur ronronna dans le silence de la salle jusqu'à ce que mon père se retrouve en position assise. Ensuite, mon père se pencha en avant et s'appuya contre moi tandis que je lui mettais un oreiller derrière le dos. Son visage non rasé grattait la peau de ma joue.

L'odeur de son eau de toilette et de son tabac à rouler n'était plus qu'un souvenir, remplacée par les odeurs de l'hôpital, les odeurs de la maladie et des médicaments. Il n'y avait pas de place pour le tabac ou l'after-shave, ici. À présent, pour lui, tout cela appartenait au passé.

Cela me paraissait étrange de devoir l'aider physiquement. L'évidence de la force de mon père avait joué un tel rôle dans mon enfance et ma jeunesse que, aujourd'hui qu'elle avait disparu, j'éprouvais une sensation de fin du monde, comme si une loi immuable de la nature avait été supprimée d'un trait.

Je voyais enfin ce que je n'avais jamais compris jusque-là. Ce n'était pas à cause de sa force que j'aimais mon père.

J'avais toujours cru qu'il était mon héros en raison de sa

puissance, en raison de ce courage à l'ancienne que symbolisait sa médaille.

Là, pendant que je l'aidais à prendre une gorgée d'eau ou à s'asseoir dans son lit d'hôpital, je compris que je l'aimais du même amour que lui vouaient ma mère ou son petit-fils.

Je l'aimais pour sa gentillesse, pour sa compassion et pour un courage qui n'avait rien à voir avec la force physique.

— Ne dis rien à ta mère mais je crois que je ne rentrerai pas à la maison.

— Ne dis pas cela, papa.

— Je crois que je ne pourrai pas. Je le sens. Tu sais, j'aimerais voir Pat.

— Bien sûr, papa.

Il ne dit pas « pour la dernière fois ». Il n'en avait pas besoin. De plus, il y avait des choses trop douloureuses pour être dites à voix haute. Nous savions tous les deux que nous parlions de la mort.

— Si tu veux bien, ajouta-t-il. Si tu penses que cela ne risque pas de lui faire du mal. C'est à toi de décider. C'est toi son père.

— Je l'amènerai à ma prochaine visite. Maintenant, essaye de dormir un peu, papa.

— Je ne suis pas fatigué.

— Alors, repose-toi les yeux, au moins.

Pat franchit la porte de l'école avec un garçon aux cheveux noirs qui balançait à bout de bras une boîte à déjeuner ornée d'une image de Godzilla et toute cabossée.

— Tu veux venir voir *La Guerre des Étoiles* chez moi? proposa Pat.

— Tu as un grand écran ou un système pan scan?

— Grand écran.

— D'accord.

— Charlie peut venir à la maison, papa?

Dans la horde bruyante et pleine de rires aigus, je cherchai le seul visage qui me fût familier. Je savais qu'il exprimerait le sérieux et la retenue au milieu de l'émeute de quinze heures trente. Une petite fille aux yeux marron avec une boîte à déjeuner décorée du portrait de Pocahontas. Mais je ne la voyais nulle part.

— Où est Peggy? demandai-je à Pat.

— Elle n'était pas là aujourd'hui. Charlie peut venir à la maison?

Pas de Peggy? Je baissai la tête pour regarder Charlie, qui leva la sienne pour me regarder à son tour.

— Oui, mais il faut demander la permission à sa maman.

Les deux garçons commencèrent à crier de joie, à rire et à se donner des bourrades. Je reçus un grand coup de la boîte Godzilla sur le genou.

Je regrettais déjà Peggy.

J'ouvris la porte. Sally se tenait sur le seuil, me jetant un regard prudent à travers les mèches sales de sa frange.

— Tiens! Je ne pensais pas te revoir, lui dis-je.

— Je suis venue pour m'excuser.

Je la fis entrer.

Pat et Charlie, installés sur le canapé, se disputaient à propos de *La Guerre des Étoiles*. Charlie voulait mettre en avance rapide pour éviter les scènes d'amour et les discussions, et aller tout de suite aux scènes de combat. Pat — toujours puriste! — voulait regarder le film à partir du début. Sally passa la tête par la porte pour dire bonjour à Pat puis nous nous rendîmes dans la cuisine.

— J'ai réfléchi, dit-elle, et je me rends compte que j'ai été stupide de laisser entrer les amis de Steve.

— J'aurais préféré que tu y penses avant!

— Je sais, dit-elle, me lançant un regard penaud à l'abri d'un écran de cheveux. Excuse-moi. C'est que j'étais — je ne sais pas comment dire — ... j'étais tellement contente de le revoir.

— Je te comprends, répondis-je. Moi-même, j'ai le cœur qui bat quand je l'aperçois !

— Tu ne l'aimes pas. Tu te moques de nous.

— Dis-moi quand même comment ça va. Entre toi et Steve.

— C'est fini.

En voyant ses yeux se remplir de larmes, je me sentis soudain navré pour cette enfant qui souffrait.

— Il m'a de nouveau plaquée, reprit-elle. Il a eu ce qu'il voulait, et voilà.

— Désolé pour toi. Je reconnais que je n'ai aucune sympathie pour Steve mais je sais que tu tenais à lui. Quel âge as-tu ? Quinze ans ?

— Seize !

— Tu rencontreras quelqu'un d'autre. Je ne te dirai pas qu'on ne sait rien de l'amour à ton âge, parce que je ne crois pas que ce soit vrai. En revanche, je peux t'assurer que tu rencontreras quelqu'un d'autre.

— Merci, dit-elle en reniflant.

Je lui tendis un morceau d'essuie-tout et elle se moucha bruyamment.

— Ce n'est pas grave, reprit-elle. Je voulais juste m'excuser pour l'autre soir. Je voulais aussi te dire que, si tu voulais bien me donner une autre chance, ça n'arriverait plus.

Je la regardai attentivement. J'avais en effet besoin d'aide pour m'occuper de Pat. Le vieux réseau d'aide avait brusquement disparu. Mon père était à l'hôpital. Cyd était partie. Même Bianca commençait à me manquer. Il ne restait que ma mère et moi, et nous nous trouvions de temps en temps débordés par la situation.

— Tu es engagée, dis-je. J'ai besoin d'une baby-sitter.

— Chouette ! répondit-elle avec un sourire. Parce que, moi, j'ai besoin d'argent.

— Tu habites toujours chez Glenn?

— Oui, mais je suis... euh... je suis enceinte.

— Bon Dieu! Sally! C'est Steve, le père?

— Il n'y a eu personne d'autre.

— Et que dit-il à l'idée de devenir père?

— Il n'est pas vraiment emballé. Il m'a dit — je répète ce qu'il a dit — d'aller me faire voir et que je pouvais crever. Il veut que je m'en débarrasse.

— Et toi, tu veux le garder?

Elle prit un instant de réflexion. Rien qu'un instant.

— Je crois que ce sera bien. J'ai toujours voulu quelqu'un qui n'appartienne qu'à moi. Quelqu'un que je pourrais aimer et qui m'aimerait. Et ce bébé, mon bébé, m'aimera.

— Ton père est-il au courant, Sally?

Elle répondit d'un hochement de tête.

— Oui. C'est l'avantage d'avoir un père qui est resté un hippy. Ce genre de choses ne l'émeut pas trop. Il a été très cool quand on m'a fait mon lavage d'estomac à treize ans. Il ne se met pas à crier quand on parle des adolescentes enceintes. Pourtant, je crois qu'il est un peu choqué que je veuille le garder.

— Mais comment vas-tu nourrir cet enfant, Sally?

— Je vais faire du baby-sitting pour toi.

— Ça ne suffira pas.

— On se débrouillera, dit-elle. Moi et mon bébé.

Pour une fois, les certitudes de la jeunesse ne m'inspiraient aucune envie mais de la pitié.

Sally et son bébé!

Ils se débrouilleraient, oui, mais uniquement avec l'aide de l'État. L'État jouerait le rôle de substitut paternel puisque Steve n'était pas capable d'assumer ses responsabilités. Je me demandai pourquoi je m'embêtais à payer des impôts. J'aurais aussi vite fait de donner l'argent directement à Sally sans passer par un intermédiaire.

Tiens ! Je commençais vraiment à ressembler à mon père.

— Un bébé n'est pas un ours en peluche, Sally. Il n'est pas là seulement pour être pouponné et te rendre heureuse. À partir du moment où tu as un enfant, tu n'es plus libre. Je ne sais pas comment te l'expliquer. C'est comme si ta vie lui appartenait.

— Mais c'est ce que je veux ! Je veux que ma vie appartienne à quelqu'un.

Elle secoua la tête d'un air gentiment réprobateur.

— Tu parles comme si c'était mal, ajouta-t-elle.

Glenn vint la chercher et ils partaient au moment où Marty arriva. Il voulait parler de l'organisation de son mariage. Je m'apprêtai à faire les présentations mais Glenn et Marty se saluèrent comme de vieux amis. La mémoire me revint. Ils s'étaient rencontrés à mon mariage.

Je refis donc du café pendant qu'ils égrenaient leurs souvenirs du *Top 50*, aux jours glorieux des années soixante-dix, quand Marty regardait le *Top* avec passion tous les mardis soir et que Glenn y faisait une apparition éclair. Sally les écoutait avec le dédain narquois des très jeunes gens. Glenn et Sally finirent par s'en aller. C'est alors seulement que Marty me confia ses difficultés pour dormir.

— Ça arrive à tout le monde, lui dis-je. Il est normal d'avoir des doutes avant de se marier.

— Ce n'est pas mon mariage qui m'inquiète. C'est l'émission. Tu n'as rien entendu ?

— Du genre ?

— Des rumeurs selon lesquelles mon émission devrait s'arrêter l'année prochaine ?

— Ton émission ? Tu plaisantes ! Jamais la chaîne n'arrêtera le *Marty Mann Show* !

— Bien sûr que si ! Tout le monde répète que les gens en ont assez des émissions à invités.

Marty hocha la tête d'un air sombre.

— C'est ça le problème, aujourd'hui, Harry. Les gens ne supportent plus les gens.

— Les hommes meurent avant les femmes, déclara mon avocat. Il y a plus de cancers chez nous que chez elles. Il y a plus de suicides aussi. Et nous avons plus de risques que les femmes de nous retrouver au chômage.

Son visage lisse et rond se plissa dans un sourire, comme si tout cela n'était qu'une énorme plaisanterie. Il avait de petites dents pointues.

— Or, pour une raison que j'ai été incapable de découvrir, monsieur Silver, ce sont les femmes qui passent pour des victimes !

Nigel Batty m'avait été recommandé par deux membres de l'équipe technique, le chef éclairagiste et l'ingénieur du son qui, tous les deux, avaient vécu des divorces mouvementés au cours de l'année passée.

On m'avait dit que Batty avait lui-même connu deux divorces pénibles. Il avait la réputation d'un défenseur enragé des droits des hommes. Pour lui, toutes ces histoires de chômage à longue durée des hommes, de cancers de la prostate et d'hommes qui s'enfermaient dans leur garage en laissant tourner le moteur, toutes ces histoires étaient la seule vérité, une nouvelle religion qui n'attendait que d'éclore.

Malgré sa petite taille, son confortable tour de taille effacé par un costume bien coupé et ses lunettes à gros verres, Batty avait l'air d'un cogneur. Je me sentais déjà mieux à la seule idée de l'avoir de mon côté.

— Je dois vous avertir que la loi ne favorise pas le père dans des cas comme celui-ci, me dit-il. La loi devrait faire passer l'intérêt de l'enfant en premier et, en théorie, c'est ce qu'elle fait. Dans la pratique, c'est différent.

Il avait l'air très en colère.

— La loi avantage la mère, monsieur Silver ! Plusieurs générations de juges politiquement corrects ont subordonné l'intérêt de l'enfant à celui de la mère ! Je devais vous avertir avant de choisir une stratégie.

— Faites tout ce que vous pourrez. Tout ce que vous pourrez pour que j'obtienne la garde de mon fils.

— On ne dit plus la garde, monsieur Silver. Les médias continuent de parler de la lutte pour avoir la garde des enfants mais, depuis le Children Act de 1989, la loi sur l'enfance, un parent n'obtient plus la garde de ses enfants. Les juges prennent des ordonnances d'attribution de domicile.

— Ah bon ?

Batty acquiesça.

— L'attribution de domicile a remplacé le droit de garde dans le but de supprimer la nature conflictuelle du choix de l'endroit où vit un enfant. Une décision d'attribution de domicile ne prive aucun des deux parents de ses responsabilités. La loi a été modifiée pour souligner qu'un enfant n'est pas un bien dont on peut gagner ou perdre la propriété. Ainsi qu'une décision d'attribution de domicile l'exprime, un enfant vit avec vous mais il ne vous appartient pas.

— Je ne comprends rien. Quelle différence y a-t-il entre se battre pour avoir la garde ou essayer d'obtenir une attribution de domicile ?

— Aucune ! me répondit Batty en souriant. C'est toujours aussi conflictuel. Malheureusement, il est plus facile de changer une loi que de changer la nature humaine.

Il examina les papiers posés devant lui, hochant la tête avec approbation.

— C'est un cas assez simple. J'ai l'impression que vous faites du bon travail avec votre fils, monsieur Silver. Ça se passe bien, à l'école ?

— Très bien.

— Il voit sa mère?

— Elle peut le voir aussi souvent qu'elle le veut. Elle le sait.

— Et pourtant, elle veut le reprendre, dit Nigel Batty. Elle veut une décision à son profit.

— C'est exact. Elle veut qu'il vive avec elle.

— Elle cohabite?

— Pardon?

— Votre ex-femme a-t-elle un ami, monsieur Silver? Un ami qui vit avec elle?

— Oui, elle vit avec un type qu'elle a rencontré à Tokyo.

Je lui étais reconnaissant d'avoir ramené la relation de Gina avec Richard à quelque chose d'aussi peu glorieux qu'une cohabitation. J'étais content que le gros diamant à l'annulaire de sa main gauche ne représente rien pour Nigel Batty.

— En clair, dit-il, elle est partie et vous a abandonné avec votre fils?

— Oui, plus ou moins. En réalité, quand elle est partie, elle a emmené Pat — notre fils — avec elle chez son père. Mais je suis allé le chercher et je l'ai ramené à la maison quand elle est partie pour le Japon.

— Donc, elle a abandonné le foyer conjugal et, en fait, elle a laissé l'enfant sous votre garde, reprit Nigel Batty. Et maintenant qu'elle est de retour, elle décide qu'elle aimerait tenir son rôle de mère pendant quelque temps.

— Elle dit qu'elle comprend à quel point elle l'aime.

— C'est ce qu'on va voir, conclut mon avocat.

33

Il maigrissait à vue d'œil. Mon père n'avait jamais été particulièrement mince mais, à présent, ses joues se creusaient et la peau de son cou commençait à faire des plis informes là où la barbe reprenait ses droits. Sous mes yeux, il se transformait en quelqu'un que je ne reconnaissais plus.

Ses bras eux-mêmes avaient perdu leurs muscles. Les tatouages qui proclamaient sa fidélité à ma mère et aux commandos devenaient aussi diaphanes que des photographies du siècle passé.

Au fur et à mesure que sa chair disparaissait, ses os semblaient plus visibles. De visite en visite, j'observais leur progression. Ils formaient des protubérances de plus en plus nettes sous sa peau au bronzage pâlissant. Lors d'une de ces visites, je compris brusquement que cette peau ne reverrait sans doute jamais le soleil.

Mais il souriait.

Il était assis dans le lit et il souriait. C'était un vrai sourire, pas un sourire feignant le courage, un sourire forcé ou crispé, mais un sourire de pur ravissement à la vue de son petit-fils.

— Bonjour, mon chéri, dit mon père.

Pat allait vers son lit, marchant devant moi, ma mère et mon oncle Jack. Mon père leva son bras droit, au poignet duquel on avait fixé sa perfusion.

— Regarde dans quel état se trouve ton grand-père !

Pat s'était montré plein de vie dans la voiture d'oncle Jack, excité par cette journée de congé spécial et par le fait de se trouver sur la banquette arrière d'une berline directoriale au lieu du siège passager d'une voiture de sport saccagée. En voyant le visage émacié et non rasé de son grand-père, il se tut et son pas se fit circonspect.

— Viens ici, dit mon père d'une voix rauque d'émotion.

Il lui tendit son bras libre. Pat grimpa sur le lit et posa sa tête contre la pauvre poitrine malade. Ils restèrent ainsi, serrés l'un contre l'autre, sans rien dire.

Ma mère me jeta un regard noir. Elle s'était opposée à cette visite.

Nous ne pouvions pas savoir si mon père serait réveillé à notre arrivée, avait-elle dit. On aurait pu lui donner une nouvelle dose de morphine pendant que nous cherchions une place de stationnement. Pat ne verrait alors son grand-père qu'inconscient, perdu dans son rêve sous morphine. Il aurait pu aussi être en train d'étouffer, la poitrine se creusant et se soulevant horriblement, le masque à oxygène sur le visage, pleurant des larmes de douleur et de peur. Ou encore, bien qu'elle ne l'exprimât pas ouvertement, il aurait pu mourir.

Tout cela aurait été possible, et même probable. Nous étions dans sa cuisine quand ma mère m'en avait parlé. Elle s'était mise en colère contre moi et avait pleuré à l'idée d'infliger l'une de ces situations horribles à son petit-fils.

Je l'avais prise dans mes bras en l'assurant que tout se passerait bien. J'avais eu tort. Cela ne se passait pas bien. Pat était bouleversé de voir son grand-père ravagé par la maladie, en train de s'éteindre dans ce service de mourants. C'était le genre de mort que l'on ne montre jamais à la télévision ou au cinéma, une mort pleine de souffrance, de médicaments et de tristesse pour tout ce que l'on va perdre. Personne ne m'avait préparé à la réalité de la mort et je n'avais aucune raison de penser qu'un enfant de cinq ans élevé à *La Guerre des Étoiles* serait mieux préparé.

Non, cela ne se passait pas bien, mais c'était nécessaire. Mon père et mon fils avaient besoin de se voir. Ils avaient besoin de voir que les liens qui les unissaient existaient toujours et pour toujours. Leur amour l'un pour l'autre ne disparaîtrait pas. Ils avaient besoin de savoir que le cancer ne pouvait tuer cela.

De plus, j'ignore comment, mais je savais — c'était une certitude — que mon père ne serait pas sous médicaments ou en train d'étouffer si Pat était là.

Croire que rien n'arriverait si son petit-fils était là n'avait rien de rationnel ni de logique. Peut-être était-ce pure bêtise de ma part mais je croyais de tout mon cœur que mon père protégerait Pat du pire. Je continuais à croire qu'une part de lui-même restait invincible. Je ne pouvais m'empêcher d'y croire.

— Tu reviens bientôt à la maison ? demanda Pat.

— Il faut attendre, répondit mon père. On verra ce que disent les docteurs. On verra si ton vieux grand-père va mieux. Et toi, comment ça marche à l'école ?

— Bien.

— Et ta bicyclette ? Elle roule toujours bien ?

— Très bien.

— C'est plus amusant sans les petites roues, hein ?

— Oh, oui ! Mais tu me manques.

— Tu me manques aussi, dit mon père en le serrant très fort contre lui.

La petite tête blonde de Pat s'appuyait contre le pyjama bleu à rayures, le genre de pyjama de vieillard qu'il n'aurait jamais porté à la maison.

Puis il me fit un signe de la tête.

— Il est temps qu'on s'en aille, dis-je.

C'est ainsi que mon père dit au revoir à son petit-fils bien-aimé. Adossé à ses oreillers dans son lit d'hôpital, entouré de gens qui l'aimaient et, pourtant, dans une solitude absolue. Étions-nous là depuis cinq minutes ou une heure ? J'étais incapable de le dire mais je savais qu'il voulait qu'on le laisse à présent.

Nous le laissâmes donc, attrapant son masque à oxygène d'une main maladroite, voûté, non rasé, l'air plus vieux que je ne l'aurais jamais imaginé. Une jeune infirmière bavardait joyeusement au pied de son lit.

En définitive, c'était cela le pire de tout. L'épouvantable et définitive solitude de la mort, la terrible solitude des malades en phase terminale. Personne ne vous avertit de cela.

Nous l'avons donc laissé, perdant le souffle tandis que la souffrance revenait, seul dans cette salle surpeuplée. Le soleil hivernal traversait la grande fenêtre sale et, en bruit de fond, régnait le bla-bla-bla d'une émission de télévision de l'après-midi. Nous l'avons laissé. À la fin, c'était tout ce que nous pouvions faire.

Tandis que nous regagnions la voiture, Pat luttait contre ses larmes, en colère — plus exactement : furieux — contre quelque chose qu'il ne pouvait pas nommer. J'essayai de le consoler mais il n'avait pas envie d'être consolé.

Mon fils avait l'air de quelqu'un qui découvre qu'on lui a menti.

Il y avait une camionnette de déménagement en bas de chez Cyd.

Ce n'était pas l'un de ces énormes camions où l'on peut charger tout ce qu'une famille accumule au cours de son existence, un de ces monstres capables d'enfourner le piano et les meubles à bout de souffle auxquels vous tenez trop pour les jeter, sans compter tout le fatras entassé au fil des ans. Celui-là venait d'une de ces entreprises d'enlèvement qui font de la publicité en dernière page des magazines, le système idéal pour une petite famille qui voyage avec peu de bagages.

Deux jeunes gens en T-shirt étaient en train de caser un lit d'enfant à l'arrière de la camionnette. Cyd et Peggy vivaient au dernier étage mais, pour ces hommes, le travail paraissait d'une facilité déconcertante.

Peggy apparut dans l'encadrement de la porte d'entrée, traînant derrière elle une peluche de la taille d'un réfrigérateur. Elle me regarda de ses yeux bruns très sérieux, sans manifester la moindre surprise à mon arrivée.

— Regarde ce que j'ai trouvé, lui dis-je.

Tout en parlant, je lui tendis une poupée qui représentait un homme aux allures de séducteur, vêtu d'un pantalon de lamé argent et de quelque chose qui ressemblait à un smoking couleur lilas. C'était la version mâle de Barbie.

— Disco Ken! dit-elle en prenant sa poupée.

— Tu l'avais oublié chez moi. J'ai pensé que tu serais contente de le récupérer.

— Merci, me dit-elle en petite fille bien élevée.

Cyd apparut alors derrière elle, une pile de livres de poche dans les bras.

— Regarde ce que Harry m'a rapporté, lui dit Peggy. Disco Ken. Je l'ai cherché partout.

Cyd lui demanda de monter dans sa chambre et de vérifier qu'elle n'avait rien oublié. Peggy abandonna sa peluche démesurée sur le trottoir et partit vers l'escalier sans lâcher son Disco Ken.

— Et toi? dis-je à Cyd. Tu n'as rien oublié?

— Non. Je crois que j'ai tout.

Les deux déménageurs nous bousculèrent légèrement pour remonter à l'appartement.

— Tu déménages sans rien me dire? Ça, c'est de l'amitié ou je ne m'y connais pas!

— Je voulais t'en parler. C'est juste que... je ne sais pas. C'est plus facile de cette façon. Pour tout le monde.

— Je t'ai cherchée au restaurant.

— J'ai démissionné.

— C'est ce qu'on m'a dit.

— Nous allons habiter de l'autre côté de la ville, à Notting Hill.

— Dans les quartiers ouest de Londres?

— Voyons, ne prends pas cet air si choqué, Harry! Je suis américaine. Déménager d'un bout à l'autre de la ville n'est pas aussi traumatisant pour moi que ça le serait pour toi. Écoute, je suis désolée mais je suis très occupée. Que veux-tu? Je ne crois pas que tu sois venu uniquement pour rapporter la poupée de Peggy.

— Je voulais aussi te dire que tu as tort.

— À quel propos?

— À propos de nous. Tu te trompes pour nous. Si nous nous séparons, c'est la fin du monde.

— Oh, Harry!

— C'est vrai. Je sais que tu ne crois pas à la rencontre définitive, au fait qu'il y a une personne dans le monde qui t'est destinée, mais moi j'y crois. J'y ai cru à cause de toi, Cyd. De toute façon, ce que nous croyons n'a pas d'importance. On est bien ensemble. Ça marche entre nous. J'y ai beaucoup pensé, tu sais. Je n'aurai pas d'autre chance d'être heureux. Même s'il y avait une autre chance, je n'en voudrais pas. Comme Olivia Newton John le dit à John Travolta, c'est toi que je veux!

— Ce n'est pas l'inverse? Ce n'est pas Travolta qui le dit à Olivia Newton John?

— Peut-être.

— Harry, j'ai quelque chose à te dire. Je retourne avec le père de Peggy. Jim et moi, on va essayer de recommencer.

Je la regardai, les yeux écarquillés, tandis que les déménageurs passaient entre nous, chargés d'un canapé-lit.

— On a presque fini, dit l'un d'eux tandis qu'ils retournaient dans l'appartement.

— Excuse-moi, dit-elle.

— Mais... tu l'aimes?

— C'est le père de ma fille.

— Est-ce que tu l'aimes? répétai-je.

— Je t'en prie, Harry. C'est toi qui n'arrêtais pas de critiquer l'éclatement de la famille traditionnelle. C'est toi qui es

315

toujours en train de te plaindre de la difficulté de lutter contre la voix du sang, de tempêter contre tout ce qui ne va pas dans ce que tu appelles le monde moderne !

— Mais tu dois l'aimer, Cyd. Tout cela ne signifie rien si tu ne l'aimes pas. L'aimes-tu ?

— Oui. Ça te va ? Je l'aime. Je n'ai jamais cessé de l'aimer. Et je veux essayer de prendre un nouveau départ parce qu'il a laissé tomber sa copine, la strip-teaseuse thaïlandaise, et il m'a promis qu'il en a fini avec le bambou, toutes ces histoires avec des Asiatiques.

— Elle n'est pas strip-teaseuse, elle est danseuse de charme.

— Peu importe ! Ce qui compte, c'est que Peggy est très contente à l'idée qu'on se retrouve ensemble. Même si tu me détestes, tu devrais en être heureux pour elle.

— Je ne te déteste pas, je ne pourrai jamais te détester.

— Alors, s'il te plaît, souhaite-moi bonne chance.

— Je te souhaite bonne chance, dis-je.

D'une certaine façon, j'étais sincère. Elle méritait d'être heureuse, de même que Peggy. Je lui donnai un rapide baiser sur la joue.

— Mais ne me dis pas que je ne te connais pas, d'accord ? ajoutai-je.

Je les laissai terminer leur déménagement. Tout ce que j'aurais pu dire, à présent, aurait paru creux et égoïste, des mots sournoisement destinés à l'empêcher de me quitter.

Tandis qu'elle se préparait à rejoindre son mari, je compris enfin les limites de la famille traditionnelle. Papa, maman et les enfants, c'est très bien.

Mais si vous ne vous aimez pas, c'est comme si vous viviez avec Disco Ken.

— Nous avons reçu une réponse de la partie adverse, m'annonça Nigel Batty. Votre ex-femme déclare qu'elle vous est restée fidèle tout au long des années de mariage mais que vous vous êtes rendu coupable d'adultère avec une collègue de travail.

— C'est exact, mais c'était une aventure d'une seule nuit. Je ne dis pas que ce n'est rien, mais...

— Elle affirme également que votre fils a été gravement blessé à la tête pendant qu'il était sous votre garde.

— Qu'est-ce que ça signifie ? On dirait que je l'ai battu ! Il est tombé. C'était un accident dans le parc du quartier. Il est tombé dans une piscine vide et il s'est ouvert la tête. Peut-être aurais-je dû en faire encore plus. J'aurais dû le surveiller d'encore plus près. Croit-elle vraiment que je n'y ai pas pensé plus d'une fois ? Mais au moins, moi j'étais là ! Elle, elle était en train de manger du poisson cru avec son jules à Tokyo !

L'avocat se concentra sur les papiers étalés devant lui.

— Apparemment, elle pense aussi que vous n'exercez pas un contrôle parental correct sur ce que votre fils regarde ou écoute.

— C'est idiot !

— Il a le droit de regarder des films de violence sans surveillance, d'après elle. Des vidéos avec des thèmes pour adultes. Elle dit aussi que, lors de sa dernière visite, elle a découvert qu'il avait en sa possession une cassette de musique avec des chansons de nature sacrilège et destinées aux adultes.

Je me sentis devenir rouge de colère.

— Quelle... Oh ! quelle...

Je ne trouvais pas de mot. Il n'y avait pas de mot assez fort pour exprimer ce que je pensais.

Nigel Batty éclata de rire, comme pour dire : « Tiens, vous commencez enfin à comprendre ! »

34

— Je peux voir sa médaille ? demandai-je.

— Bien sûr ! répondit ma mère.

Elle alla au petit bureau sur lequel trônait la chaîne stéréo et je l'entendis fouiller dans ses papiers d'assurance, relevés de banque, lettres, tous les papiers qu'on entasse au cours d'une vie.

Elle revint avec une petite boîte rectangulaire d'une couleur plus foncée que le bordeaux mais pas tout à fait noire. À l'intérieur, posée sur du velours pourpre, était rangée une médaille en argent, pas très propre. La décoration de mon père.

Le ruban était bleu et blanc, deux larges rayures verticales blanches avec une fine rayure blanche verticale entre les deux, le tout sur fond bleu. Sur la médaille était écrit « For Distinguished Service », juste à côté du portrait du roi.

À l'intérieur du couvercle de l'écrin, le nom du fabricant était écrit sur la soie blanche : d'abord « By Appointment », ensuite l'autorisation de fournir la Couronne, et enfin « J. R. Gaunt & son Ltd, 60 Conduit Street, London ». En voyant cette inscription, je me souvins que, dans mon enfance, le nom de cette société — existait-elle encore ? la trouverais-je à l'adresse indiquée si je m'y rendais ? —, ce nom me paraissait faire partie de la citation.

Je la pris doucement, aussi surpris par son poids, à trente ans, que quand j'étais petit garçon.

— Pat adorait jouer avec la médaille de ton père, dit ma mère en riant.

— Tu as laissé Pat jouer avec cette médaille? dis-je, stupéfait.

— Il s'amusait à me l'épingler sur la poitrine, dit-elle en souriant. Je devais faire la princesse Layla à la fin du film.

— Leia, maman. C'est la princesse Leia.

Il était à peine plus de minuit. Nous étions trop fatigués pour rester plus longtemps assis à côté du lit à l'hôpital mais aussi trop tendus pour pouvoir dormir. Ma mère allait donc nous préparer une bonne tasse de thé. Une bonne tasse de thé, cela restait la réponse de ma mère à tout ce qui pouvait arriver.

Tandis qu'elle allait mettre de l'eau à chauffer, je serrai la médaille dans ma main. Je pensais à la façon dont les jeux auxquels j'avais joué dans mon enfance m'avaient préparé à être un homme comme mon père, et comme son propre père l'avait été avant lui — un lutteur, un homme capable d'embrasser une femme en larmes avant de mettre son uniforme et de partir à la guerre.

À présent que j'y réfléchissais, nos jeux dans les champs et les ruelles me paraissaient plus que de simples amusements à la gloire des vertus masculines. Je me disais qu'ils nous préparaient à la prochaine guerre, à notre propre débarquement de Normandie, à notre Dunkerque ou à notre Monte Cassino.

Ma génération avait joué avec des fusils à bouchon ou des bâtons que nous baptisions « fusils », à moins que nos index n'en fassent office, avec tout ce qui pouvait ressembler à une arme à feu. Personne n'avait dénoncé ces jeux comme malsains ou choquants. Mais les seules guerres que nous vîmes, une fois devenus jeunes gens, étaient des petites guerres, des guerres télévisées, aussi réelles et aussi menaçantes pour les non-combattants qu'un jeu vidéo.

Ma génération, la dernière génération de petits garçons à avoir pu jouer avec des fusils, ne s'est pas rendu compte de sa chance. Nous avons grandi sans guerre en perspective, sans Allemands ni Japonais à combattre.

Nos femmes, voilà contre qui nous nous battons aujourd'hui, nous, cette génération d'hommes qui a la chance de vivre en paix. Et les tribunaux sont les champs de bataille où nous nous livrons à nos petites guerres minables.

J'avais vu assez souvent les cicatrices de mon père pour savoir que la guerre n'est pas comme un film avec John Wayne. Mais aussi que les hommes qui avaient survécu — et qui étaient rentrés chez eux plus ou moins intacts — avaient trouvé quelqu'un à aimer pour la vie. Quel était le mieux? La guerre et un amour sans faille? Ou la paix et l'amour en épisodes de cinq, six ou sept ans? Qui de nous deux avait vraiment de la chance? Mon père ou moi?

— Tu aimais cette fille, n'est-ce pas? dit ma mère en apportant au salon deux mugs fumants. Je veux dire cette femme, Cyd. Tu y tenais beaucoup.

J'acquiesçai.

— J'aurais aimé rester avec elle. Comme toi et papa. De nos jours, ça semble impossible.

— Tu as une vision trop romantique du passé, me dit-elle gentiment. Tu crois que ç'a été toujours tout rose? Tu te trompes, ce n'était pas facile.

— Mais vous étiez heureux, toi et papa.

— Oui...

Tandis qu'elle parlait, son regard s'était fait absent, perdu dans la contemplation d'un ailleurs où je ne pouvais la suivre.

— Nous étions heureux, acheva-t-elle.

Moi aussi, j'étais heureux à cette époque, pensai-je.

Quand je songeais à mon enfance, il me venait l'image d'un après-midi d'août ensoleillé — un des premiers jours d'août, quand les six semaines des grandes vacances étaient encore devant moi, quand je savais qu'il y aurait des promenades en voiture à la campagne pour aller dans des pubs où mon père et mes oncles joueraient aux fléchettes et nous apporteraient de la limonade et des chips, à mes cousins et à moi, tandis que nos mères bavarderaient en riant, installées à des tables de bois devant leurs sodas, séparées des hommes d'une manière aussi stricte que chez les musulmans.

Sinon, c'était le souvenir d'autres vacances, celles de Noël, par exemple, mes oncles et mes tantes en train de fumer et de boire autour d'une partie de cartes et, pour les hommes et les petits garçons, un match de football le lendemain de Noël dans la brume de Upston Park.

Il y avait aussi l'excursion sur la côte pour Bank Holiday[1], avec les nuages roses de barbe à papa, l'odeur de la mer et des oignons frits ; ou encore les courses de lévriers où ma mère pariait systématiquement sur le six parce qu'elle aimait les couleurs qu'il portait, le numéro écrit en rouge sur fond de rayures noir et blanc.

J'étais reconnaissant à mes parents de cette enfance en banlieue, de ces souvenirs de promenades en voiture, de paris modestes et d'excursions d'un jour. Mon enfance m'apparaissait pleine de vie et d'amour, une époque où il faisait bon grandir, l'époque où le footballeur Bobby Moore appartenait au club londonien de West Ham et où l'on voyait Miss Monde à la télévision, l'époque où ma mère et mes tantes portaient des minijupes.

Si l'enfance de mon propre fils était matériellement plus riche, elle comportait aussi le douloureux échec du divorce.

Avec toute l'habileté diplomatique et la maîtrise des émotions dont un enfant de cinq ans pouvait faire preuve, Pat ricochait à présent entre sa mère et son ami d'un côté, et d'un autre côté son père au cœur meurtri. Un magnétoscope et le siège passager d'une voiture voyante me paraissaient de faibles compensations.

1. Bank Holiday : jour férié particulier à la Grande-Bretagne. *(N.d.T.)*

J'avais la sensation que Gina et moi — et les millions d'autres couples qui nous ressemblaient — n'avions pas laissé à nos enfants un héritage digne de ce nom.

— Cela marchait entre nous parce que nous avons fait ce qu'il fallait pour cela, dit ma mère. Nous voulions que ça se termine bien. Parce que — même quand nous manquions d'argent, même quand nous n'arrivions pas à avoir de bébé — nous n'avons pas renoncé. Il faut se battre pour que les choses se terminent bien, Harry. Ça n'arrive pas tout seul.

— Tu trouves que je ne me suis pas assez battu pour réussir mon couple ? Tu penses que je ne me suis pas assez battu ? Que je ne suis pas comme papa ?

J'étais curieux de savoir ce qu'elle pensait. À une époque, quand j'étais encore un jeune coq prétentieux, j'estimais que mes parents ne connaissaient rien à la vie en dehors de leur petit jardin bien tenu et de leur salon surchauffé. À présent, j'avais bien changé d'avis.

— Je pense que tu as beaucoup de cran, Harry. Le problème est que, parfois, tu es ton pire ennemi. Tu ne peux pas être un homme comme ton père, le monde a changé. C'est presque un autre siècle. Tes batailles ne sont pas les mêmes et, de plus, il n'y aura personne pour t'épingler une médaille sur la poitrine. S'occuper tout seul d'un enfant... Crois-tu que ton père aurait su le faire ? Je l'aime plus que tout mais il n'en aurait pas été capable. C'est un autre genre de force qui t'est demandé. Tu dois être courageux mais pas de la même façon que lui.

Je remettais la décoration dans son écrin quand le téléphone sonna.

Ma mère me quitta des yeux un bref instant pour regarder l'heure à la pendule. Elle ne pouvait retenir ses larmes. Quatre heures du matin venaient de sonner. Ce ne pouvait être que mon oncle Jack, appelant de l'hôpital.

Nous avions compris.

Nous nous serrâmes très fort l'un contre l'autre tandis que le téléphone continuait à sonner dans l'entrée. Il sonnait, encore et encore.

— On aurait dû rester avec lui, on aurait dû être là-bas, dit ma mère.

Elle le redirait souvent au cours des jours, des semaines et des années à venir.

Voilà ce qui arrive quand les choses se terminent bien, pensai-je avec amertume. Vous passez votre vie avec quelqu'un et, si ce quelqu'un part avant vous, vous avez l'impression d'être amputé de tous vos membres.

Au moins, ma génération — ma génération volage, qui fiche tout en l'air avant de fiche le camp — se verra épargner la découverte de ce que représente ce genre d'amputation. En admettant que nous ne soyons pas capables de trouver une fin heureuse à nos propres histoires.

Je décrochai. Mon oncle Jack m'annonça que mon père était mort.

Au matin, je montai voir Pat dès que je l'entendis se lever et trottiner jusqu'au coffre à jouets que mes parents laissaient pour lui dans la deuxième chambre de la maison, celle où il dormait quand il était chez eux et qui avait été la mienne.

Il me regarda par-dessus le coffre à jouets, une figurine de *La Guerre des Étoiles* dans chaque main, les yeux encore tout embués de sommeil. Je le soulevai dans mes bras pour embrasser ses petites joues toutes douces et je m'assis sur le lit en le prenant sur mes genoux.

— Pat, ton grand-père est mort cette nuit.

Il battit des paupières, son regard bleu posé sur moi.

— Papy était malade depuis longtemps mais maintenant il ne souffre plus, lui expliquai-je. Maintenant il est en paix. On peut en être contents, hein? Il a fini d'avoir mal. Il n'aura plus jamais mal.

— Où il est maintenant?

Sa question me déconcerta.

— Eh bien... Son corps est à l'hôpital et, plus tard, on va l'enterrer.

Je me rendis compte que j'ignorais tout de la bureaucratie liée à la mort. Quand irait-on chercher son corps à l'hôpital? Où le mettrait-on jusqu'à l'enterrement? Et qui était exactement ce « on »?

— Maintenant nous sommes tristes, dis-je encore, mais un jour nous serons heureux en nous souvenant de sa vie. On se rendra compte qu'on a eu de la chance — moi, j'ai eu de la chance de l'avoir comme père, et toi, de l'avoir comme grand-père. On a eu beaucoup de chance tous les deux. Mais aujourd'hui, on ne peut pas se sentir comme ça. C'est trop tôt.

Pat approuva de la tête, sérieux comme un pape.

— Il est encore à l'hôpital?

— Son corps est à l'hôpital, mais son esprit s'en est allé.

— C'est quoi, son esprit?

— C'est la petite étincelle de vie qui a fait de ton grand-père l'homme qu'il était.

— Où il est parti?

Je pris ma respiration.

— Il y a des gens qui pensent que l'esprit va au ciel et vit éternellement. D'autres pensent qu'il disparaît et qu'on dort pour toujours.

— Qu'est-ce que tu crois?

— Je crois que l'esprit continue à vivre, dis-je. Je ne sais pas si c'est au ciel ou ailleurs, dans un endroit dont j'ignore tout. Mais l'esprit ne meurt pas. Il continue à vivre, même si c'est seulement dans le cœur des gens que nous aimons.

— Moi aussi, je le crois, répondit mon fils.

La capote lacérée de la MGF claquait comme une voile déchirée dans un coup de vent. Je roulais doucement dans la grand-rue de cette bourgade où j'avais grandi. Je ne reconnaissais plus rien.

Les boutiques et les petits cafés que j'avais vus vivre avaient été remplacés par des agences immobilières ou des succursales de chaînes de magasins. Rien d'étonnant si les Anglais sautaient sur la moindre occasion pour faire flotter leur drapeau. Nous avions besoin de nous rappeler que nous avons des racines aussi profondes que les Irlandais ou les Écossais. C'était chez moi, mais cela aurait pu être n'importe où.

Je ne reconnus rien jusqu'au moment où je retrouvai mon oncle Jack dans la confortable arrière-salle du vieux Red Lion. Apparemment, ce pub était l'unique parcelle de la grand-rue à être, bien qu'officieusement, classée monument historique. Mon oncle disparaissait derrière un malodorant nuage de fumée, sa cigarette au creux de la main comme d'habitude. Il était assis à une table sous les poutres de chêne décorées de harnais de chevaux à ornements de cuivre.

— Désolé pour ton père, Harry.

— Merci, oncle Jack.

— Tu prends quelque chose ou tu préfères qu'on y aille tout de suite?

— On y va.

Mon oncle Jack m'accompagna pour accomplir les formalités. J'étais encore assommé par le manque de sommeil et le choc de la disparition de mon père. La présence de cet oncle au visage buriné, et qui fumait comme toujours cigarette sur cigarette, me rendit les choses infiniment plus faciles.

Nous nous rendîmes à l'hôpital avec ma MGF. À la réception, on nous remit le sac où l'on avait réuni ses affaires, un sac d'une insignifiance poignante.

Il contenait son portefeuille avec la photo de son petit-fils glissée à l'intérieur, ses lunettes de lecture et son dentier.

Voilà tout ce qu'il restait de lui et que l'on me tendait sans émotion ni condoléances. Pourquoi auraient-ils dû se sentir tristes pour lui? Ou pour moi? Ils n'avaient jamais rencontré mon père. Nous n'étions qu'un dossier parmi d'autres.

Pour quelque obscure raison administrative, il fallait faire enregistrer le décès dans une petite ville où je n'étais jamais allé auparavant. Quoique, en réalité, avec son Burger King et sa boutique Body Shop, elle me parût d'une familiarité déprimante.

Simples numéros dans la grande file d'attente de la vie et de la mort, nous étions derrière un jeune couple venu déclarer la naissance de son bébé et devant une femme âgée qui était là pour déclarer la mort de son mari. En la voyant, je m'étonnai que Nigel Batty puisse se plaindre que les hommes meurent plus jeunes que les femmes. Quel soulagement de ne pas avoir à faire la queue dans cet endroit, quel soulagement de ne pas être condamné à vivre seul!

Pour finir, nous retournâmes dans la ville de mon enfance afin de voir l'entrepreneur de pompes funèbres. Comme le pub, les pompes funèbres non plus n'avaient pas changé par rapport à mes souvenirs — boire et mourir, les deux pôles immuables d'une grand-rue anglaise!

Avec sa lugubre vitrine où étaient exposées des pierres tombales blanches sur des kilomètres de soie noire, le magasin des pompes funèbres m'avait donné l'impression d'être toujours fermé quand j'étais petit. Et aujourd'hui, ce magasin pour les âmes en peine me paraissait encore fermé. Dans mon enfance, à l'âge où j'avais découvert que je ne vivrais pas éternellement, je passais le plus vite possible devant cet endroit. Aujourd'hui, je devais y entrer. Et tout se passa bien. La main de mon oncle Jack légèrement posée sur mon épaule, je pus parler calmement de l'organisation des funérailles avec l'entrepreneur des pompes funèbres, comme si je faisais cela tous les jours. Avec le certificat de décès posé entre nous, il me semblait tout à fait naturel de parler de l'enterrement de mon père avec ce vieil homme sombre en costume noir. Le seul moment vraiment étrange fut celui où, s'excusant presque, il me tendit une brochure imprimée sur papier glacé. Je devais choisir le cercueil de mon père.

C'était un catalogue comme un autre, avec de belles photos et de magnifiques présentations. L'entrepreneur me montra gentiment les différents modèles, du meilleur marché en simple bois de pin jusqu'au modèle de luxe, un vaste cercueil en chêne doublé de satin rouge et orné de grosses poignées en cuivre.

Mon premier mouvement me porta vers le plus cher. Que la fête commence! Rien n'était trop beau pour mon père! Mais, à seconde vue, le modèle de luxe était un peu trop recherché pour que mon père puisse y passer l'éternité.

J'hésitai puis je dis à l'entrepreneur que nous prendrions le modèle juste au-dessous du plus cher. Quand je me retrouvai dans la rue avec mon oncle Jack, je me sentis heureux de mon choix.

— Ton père aurait eu une attaque en voyant ce cercueil de snob! dit mon oncle en souriant.

— Le plus cher? répondis-je en souriant à mon tour. Oui, j'ai trouvé que c'était un peu trop.

— Des poignées dorées et un double en velours rouge! Ça ressemblait plus à une maison de passe française qu'à un cercueil! dit-il en riant.

Je me mis à rire moi aussi.

— Il y avait de quoi se retourner dans sa tombe! Je sais ce qu'il aurait dit si on avait choisi celui-là : *Tu me prends pour qui? Pour ce fichu Napoléon?*

Je pouvais l'entendre.

Je ne pourrais plus jamais l'entendre.

Je l'entendrais toujours.

35

— Deux canards vont à l'hôtel, commença Eamon. Le meilleur hôtel de Kilcarney. Super-week-end pour les canards! Seulement — non, écoutez! — ils montent dans leur chambre et ils s'aperçoivent qu'ils n'ont pas de préservatifs. Pas de problème, dit monsieur canard, je vais demander qu'on nous en apporte. Il appelle la réception. Au bout d'un moment, le garçon d'étage arrive avec des préservatifs. Il dit : « Dois-je les mettre sur votre note, monsieur? » Et le canard répond : « Vous me prenez pour un pervers? »

Eamon ôta le micro de son support dans un silence total. On ajouterait par la suite les rires enregistrés.

— Je me sens triste pour ce canard, poursuivit-il, traversant une scène qui paraissait d'une certaine façon plus belle que d'habitude.

Le public lui-même était notablement plus chic que son public de tous les jours.

— En effet, on ne reçoit pas de véritable éducation sexuelle à Kilcarney. Mon père m'a expliqué que l'homme va au-dessus et la femme au-dessous. Conclusion : tout le temps qu'a duré ma première relation sérieuse, ma copine et moi, nous avons dormi dans des lits superposés. Vous voyez, là d'où je viens, la vie sexuelle est héréditaire. Si votre mère et votre père n'en avaient pas, il y a des chances pour que vous non plus...

Il remit le micro en place, souriant sous les projecteurs.

— Heureusement, je suis un bon amant aujourd'hui, mais c'est seulement parce que je pratique beaucoup tout seul! Merci et bonne nuit!

Le public applaudit vigoureusement tandis qu'Eamon s'éloignait du côté de la scène où une superbe créature qui avait un *clipboard* et des écouteurs lui tendit une bouteille de bière. Juste après, il donna l'impression de vaciller, tomba sur un genou sans lâcher la bouteille de bière, se détourna et vomit dans un seau rempli de sable — un vrai seau de sable, pas un simple décor.

— Coupez! Coupez! dit le réalisateur.

Je me précipitai sur le plateau et m'accroupis à côté d'Eamon pour passer mon bras autour de ses épaules secouées de spasmes. Mem était à côté de moi, les yeux dilatés d'inquiétude et méconnaissable à présent qu'elle était habillée.

— N'aie pas peur, Eamon, lui dis-je. Ce n'est qu'une publicité pour de la bière!

— Je n'ai pas peur, me répondit-il d'une voix faible. Je suis excité!

❧

Je n'étais pas excité. J'avais peur. Très peur.

Mon père — le corps de mon père — était aux pompes funèbres et j'allais le voir.

L'entrepreneur avait mentionné la possibilité de voir le corps — voir le cher disparu en paix, avait-il dit de sa voix calme, fier de ce service qu'il proposait sans augmentation des coûts. Ce face-à-face, cette dernière rencontre avec mon père, avait pris des proportions démesurées dans mon esprit.

Qu'éprouverais-je en voyant dans son cercueil l'homme qui m'avait donné la vie? Allais-je m'effondrer? Pourrais-je supporter la vue de mon grand protecteur prêt à descendre dans la tombe? Je ne pouvais m'empêcher de penser que ce serait trop dur, que je ne tiendrais pas le choc, que les années s'effaceraient et que je redeviendrais un enfant en train de pleurer à gros sanglots.

Quand je le verrais, couché dans son cercueil, la réalité de sa mort me frapperait sans laisser place à l'ombre d'un doute. Pourrais-je le supporter? C'est ce que je voulais savoir. J'avais appris que s'occuper d'un enfant ne suffit pas à vous rendre pleinement adulte. Un homme doit-il avoir enterré son père pour se sentir enfin adulte à part entière?

Mon oncle Jack m'attendait dans l'odeur de cigarette froide du vieux Red Lion. Ma mère avait fait non avec la tête et s'était détournée quand je lui avais demandé si elle voulait venir avec moi. Je ne le lui reprochais pas. Mais j'avais besoin de savoir si je pouvais vivre en sachant qu'à présent j'étais seul.

Pas seul, bien sûr. J'avais encore ma mère. Elle, elle dormait en laissant les lampes de sa chambre allumées toute la nuit, perdue de se voir seule pour la première fois depuis si longtemps. J'avais Pat, également, qui oscillait entre le bonheur de revoir sa mère et l'écrasant chagrin qui régnait chez nous. J'avais Cyd, enfin, quelque part, dans un autre quartier de la ville, et qui partageait sa vie avec un autre homme.

Malgré cela, avec la mort de mon père, une partie de moi se sentait seule, enfin seule et pour toujours.

Même quand nos relations se tendaient, il était mon gardien, mon bouclier, mon plus ferme allié. Même quand nous nous étions disputés, même quand je l'avais déçu ou laissé tomber, je m'étais senti en sécurité, sachant que, en dépit de tout, il ferait n'importe quoi pour moi. C'était cela qui venait de disparaître.

Oncle Jack écrasa sa cigarette et vida son verre d'eau minérale. Nous nous rendîmes aux pompes funèbres à pied sans échanger plus de quelques mots. Pourtant, quand nous entrâmes, déclenchant la petite sonnerie qui annonçait notre arrivée, il me mit la main sur l'épaule. Il ne tenait pas à voir le corps de son frère. Il était venu pour moi.

L'entrepreneur nous attendait. Il nous conduisit dans une antichambre qui ressemblait à un vestiaire. Il y avait de lourds rideaux des deux côtés, divisés en une demi-douzaine environ de compartiments individuels. Je pris ma respiration et la retins tandis que l'entrepreneur tirait un des pans du rideau qui cachait le cercueil de mon père.

Mais ce n'était pas mon père. Ce n'était plus mon père. Son visage — la seule partie visible de son corps — avait une expression que je n'avais jamais vue. Il n'avait pas l'air en paix ou en train de dormir. Aucun de ces clichés consolateurs ne correspondait. Son visage était vide et n'avait plus rien à voir avec lui. Toute identité en avait disparu, ainsi que la souffrance et l'épuisement. C'était comme de frapper à une porte et de découvrir qu'il n'y a personne dans la maison. Plus encore, cela me donnait l'impression de m'être trompé d'adresse. L'étincelle qui avait fait de mon père l'homme qu'il était avait disparu. J'eus la certitude absolue que son âme s'était envolée. J'étais venu pour voir mon père, le voir une dernière fois. Mais ce n'était pas ici que je pouvais le trouver.

Je voulais voir Pat. Je voulais tenir mon fils dans mes bras et lui dire que tout ce que nous avions tant essayé de croire était vrai.

36

D'habitude, je restais à l'intérieur, en retrait de la fenêtre, à l'abri derrière les stores. J'observais l'Audi gris métallisé qui descendait lentement la rue à la recherche d'une place où se glisser. Ce jour-là, je sortis en voyant arriver la voiture qui m'était devenue familière avec ses passagers toujours aux mêmes places.

La tête blonde de Pat à l'arrière, en train de regarder quelque nouvelle babiole qu'on lui avait achetée. Gina, assise à l'avant sur le siège passager, était tournée vers lui pour lui parler. Et, derrière le volant, l'incroyable Richard, l'homme-presque-séparé, calme et sûr de lui, comme si le fait de conduire Gina et Pat dans son Audi à travers la ville était dans l'ordre naturel des choses.

Je ne lui avais jamais adressé la parole. Je ne l'avais jamais vu sortir de sa voiture quand ils me ramenaient Pat. Il était brun, bien en chair ; portait des lunettes — et un costume usé. Dans un style à la Clark Kent[1], il avait belle allure. Il trouva juste la place de se garer devant la maison. Je le regardai réussir son créneau en marche arrière du premier coup, le salaud !

D'habitude, Gina frappait à la porte, me disait bonjour et disait au revoir à Pat en l'embrassant rapidement. Le passage du relais s'entourait du strict minimum de civilités, ce qui repré-

1. Clark Kent : nom de Superman « dans le civil ». *(N.d.T.)*

sentait pratiquement le maximum de ce que nous pouvions faire l'un et l'autre. Nous faisions pourtant de notre mieux. Pas pour nous mais pour notre enfant. Ce jour-là, donc, je les attendis devant la petite grille d'entrée. Elle ne parut pas étonnée.

— Bonjour, Harry.

— Bonjour.

— Regarde ce que j'ai eu ! m'annonça Pat, qui se ruait dans la maison en brandissant ses nouveaux jouets, une sorte d'homme de l'espace à la mine menaçante et équipé d'un fusil laser démesuré.

— Je suis désolée pour ton père, me dit Gina sans franchir le portail.

— Merci.

— Je suis sincère. C'était l'homme le plus gentil que j'aie jamais rencontré.

— Il t'adorait.

— Moi aussi, je l'aimais énormément.

— Merci pour le jouet de Pat.

— C'est un cadeau de Richard.

— Ce bon vieux Richard...

Elle me jeta un regard noir.

— Il vaut mieux que je m'en aille, dit-elle.

— Je croyais que tu n'aimais pas que Pat joue avec des armes à feu ?

Elle secoua la tête avec un petit rire, le genre de rire qui signifie que ce n'est pas drôle du tout.

— Si tu tiens à le savoir, j'estime qu'il y a suffisamment de violence dans le monde sans encourager les enfants à croire que les fusils sont un amusement sans conséquence. OK ? Mais il voulait ce fusil.

— Je n'ai pas l'intention de renoncer à lui, Gina.

— C'est au juge de décider et nous ne sommes pas censés...

— J'ai bouleversé ma vie pour m'occuper de mon fils. J'ai pris un travail à temps partiel. J'ai appris à organiser la maison, des choses dont je n'avais jamais eu à m'occuper avant. J'ai appris à le nourrir, à l'habiller, à l'envoyer au lit. J'ai appris à répondre à ses questions, à être là quand il est triste ou qu'il a peur.

— Toutes choses que j'ai faites plus ou moins toute seule pendant des années.

— C'est exactement ce que je veux dire. J'ai appris à prendre soin de notre enfant, comme toi tu t'en occupais. Et d'un seul coup tu reviens et tu me dis que c'est fini !

— Tu as fait du bon travail pendant ces derniers mois, Harry, mais qu'espères-tu ? Qu'on te donne une médaille ?

— Je n'ai pas besoin de médaille ! Je n'ai rien fait de plus que ce que j'aurais dû. Je sais que ça n'a rien d'exceptionnel. Mais tu m'en demandes trop, Gina. J'ai appris à être un vrai père pour Pat, c'était nécessaire. Et maintenant tu veux que je fasse comme s'il ne s'était rien passé ? Eh bien, je ne peux pas. Comment le pourrais-je ? Dis-moi comment le pourrais-je ?

— Il y a un problème ? dit Richard en s'extirpant de l'Audi. Tiens, il avait des jambes, après tout !

— Retourne dans la voiture, Richard, dit Gina.

— C'est ça, retourne dans la voiture, Richard, répétai-je.

Il y retourna, en effet, clignant des yeux derrière ses lunettes.

— Vous devez décider de ce que vous voulez, Gina. Vous toutes.

— De quoi parles-tu ?

— Je pense aussi que les hommes doivent prendre leurs responsabilités vis-à-vis de leurs enfants. Je pense que les hommes doivent faire leur part dans l'éducation de leurs enfants. Mais vous ne pouvez pas tout avoir. Vous ne pouvez pas nous demander de jouer notre rôle de père et, en même temps, de disparaître quand ça vous arrange, comme si rien n'avait changé depuis nos propres pères, comme si l'éducation des enfants était en réalité le travail des femmes seules. Souviens-toi de cela la prochaine fois que tu verras ton avocat.

— Et toi, Harry, souviens-toi aussi d'une chose.

— Ah oui ? Quoi ?

— Moi aussi, je l'aime !

Pat était assis par terre dans sa chambre, en train de vider son coffre à jouets autour de lui.

— Tu as passé un bon moment, mon chéri ? Tu t'es bien amusé avec maman et Richard ?

J'avais parlé d'une voix ridiculement joyeuse, comme un animateur de jeu télévisé quand le gros lot est à portée de main, mais peu importait. J'étais décidé à tout faire pour que Pat se sente bien dans notre nouvelle organisation. Je ne voulais pas qu'il ait l'impression de me trahir chaque fois qu'il allait s'amuser avec sa mère et le galant de sa mère. En même temps, je n'avais pas non plus envie qu'il s'amuse trop bien.

— C'était bien, dit-il. Richard et maman se sont un peu disputés.

Quelle bonne nouvelle !

— Pourquoi donc, mon chéri ?

— J'ai mis de la glace sur la banquette de cette voiture idiote. Il a dit que je ne devrais pas manger ma glace dans la voiture.

— Mais tu l'aimes bien, Richard ?

— Ça va.

Je ressentis un élan de sympathie pour cet homme que je ne connaissais pas. Pas un grand élan, juste un petit. Mais c'était quand même quelque chose. Il avait choisi un rôle presque impossible à assumer. S'il essayait d'être un père pour Pat, il courrait à l'échec. S'il décidait de se conduire seulement en copain, ce serait aussi une forme d'échec. Mais, au moins, Richard avait le choix.

Cyd travaillait dans un de ces restaurants asiatiques à la mode qui commençaient à ouvrir un peu partout en ville, un de ces endroits qui vous proposent des crabes farcis à la thaïlandaise, des nouilles de soja japonaises et des rouleaux de printemps vietnamiens comme si tous ces mets venaient du même pays, comme si tout un continent s'était transformé en une immense cuisine à l'usage de l'Occident. C'était blanc et vivement éclairé, plein de bois poli et de chromes luisants. On se serait cru dans une galerie d'art ou un cabinet de dentiste.

De la rue, je regardai Cyd poser deux assiettes fumantes, apparemment des crevettes au curry, devant deux jeunes femmes qui la remercièrent en souriant.

Comme les autres serveuses, elle portait un tablier blanc empesé, un pantalon noir et une chemise blanche. Elle s'était fait couper les cheveux plus court que quand je la voyais. C'était presque une coupe de petit garçon à présent. D'un coup de ciseaux, elle était passée du bob style Scott Fitzgerald à la coupe Beatles. J'avais entendu dire que, quand une femme se fait couper les cheveux, cela signifie quelque chose d'important mais je ne pouvais me souvenir de quoi il s'agissait.

Elle alla ensuite vers le fond de la salle, jetant au passage quelques mots au jeune Noir qui se tenait derrière le bar. Cela le fit rire. Puis elle disparut dans la cuisine. Je m'installai à une table près de l'entrée, attendant qu'elle revienne.

Il était trois heures passées et la salle était presque vide. À part les deux jeunes femmes en train de manger leurs crevettes épicées, il n'y avait que trois clients, trois hommes à l'allure de cadres supérieurs qui avaient visiblement bien déjeuné. Devant eux s'étalait une collection de bouteilles de bière japonaise.

Une jeune serveuse m'apporta la carte au moment même où Cyd revenait de la cuisine en faisant claquer la porte battante.

À hauteur de la tête, en équilibre sur une seule main, elle portait un plateau avec trois bouteilles de bière japonaise. Elle les posa sur la table des trois hommes déjà ivres, sans me remarquer, sans tenir compte non plus de leurs œillades éméchées. En réalité, elle n'avait l'air consciente de rien de ce qui se passait autour d'elle.

— Vous partez à quelle heure ? demanda l'un des trois hommes.

— Vous voulez dire comment, je suppose ? répondit-elle.

Ils éclatèrent de rire tandis qu'elle leur tournait le dos. Et, enfin, elle me vit. Elle se dirigea lentement vers ma table.

— Avez-vous fait votre choix ?

— Oui. Si nous passions le reste de notre vie ensemble ?

— Il n'y en a plus. Pourquoi ne prendriez-vous pas des nouilles ?

— Bien. Vous en avez des grosses ?

— Les nouilles *udon* ? Bien sûr. Nous les préparons dans du bouillon avec des crevettes, du poisson, des champignons *shiitake* et plein de bonnes choses.

— En fait, je n'ai pas vraiment faim. Mais quelle coïncidence de se rencontrer ici, n'est-ce pas ?

— Certainement, Harry. Comment as-tu su que je travaillais ici ?

— Je l'ignorais. C'est seulement le quarante-deuxième restaurant où je t'ai cherchée ces derniers jours.

— Tu es complètement fou.

— Oui, fou de toi.

— Non, fou tout court. Comment va ton père ?

— On l'enterre demain.

— Oh ! Je suis navrée. Comment Pat réagit-il ?

Je pris une grande inspiration.

— Ils étaient très proches l'un de l'autre, comme tu le sais. Cela représente une grande perte pour lui. Je ne sais pas... Il fait face. C'est la même chose pour ma mère. Je serai content quand l'enterrement sera derrière nous.

— Oui, mais le plus dur peut venir après les funérailles, parce que chacun rentre chez soi et que la vie reprend son cours. Pour tout le monde sauf pour toi. Y a-t-il quoi que ce soit que je puisse faire ?

— Oui.

— Quoi donc ?

— Laisse-moi te raccompagner chez toi.

— Tu dois arrêter de me suivre maintenant, dit-elle tandis que nous marchions dans les petites rues blanches et silencieuses de Notting Hill. Il faut que tu arrêtes, insista-t-elle.

— J'aime tes cheveux.

Elle se passa la main dans la frange.

— Cela ne peut faire de bien à personne, ni à toi ni à moi.

— Oh ! je ne suis pas sûr. Cela n'a pas l'air si mal.

— Tu sais de quoi je parle.

— Je veux que nous formions une famille.

— Je croyais que tu détestais ce genre de famille, avec plein d'ex-conjoints et d'enfants d'un autre père. Je croyais que tu voulais une vie sans complications.

— Je ne veux pas une vie sans complications. Je veux une vie avec toi. Et avec Peggy. Et avec Pat. Et peut-être un enfant à nous.

— Ah ! Ce genre de famille ? Avec ton enfant et mon enfant qui se bagarreraient avec notre enfant ? Tu détesterais cela. Tu ne le supporterais pas, Harry. Tu tiendrais... Non, je ne sais pas combien de temps tu tiendrais.

— Je ne détesterais jamais ma façon de vivre si c'était avec toi. Écoute, mon père avait un tatouage sur le bras, qui représentait un long poignard étroit des commandos et, dessus, était écrit : *United We Conquer*. C'est ce que j'éprouve quand je pense à nous : unis, nous pouvons gagner.

— Tu vas te faire tatouer ?

— Non.

— Tu t'engages dans l'armée ?

— J'essaye de te dire que, si nous sommes ensemble, tout ira bien. Je ne sais pas quelle vie de famille nous aurons parce qu'il n'y avait pas de familles de ce genre auparavant. En revanche, je suis certain que ce serait mieux que la famille que nous pourrions avoir chacun de notre côté. Je te demande seulement d'y réfléchir. Tu veux bien ?

— Bien sûr, Harry. Je vais en parler avec mon mari, ce soir, au dîner.

Nous nous étions arrêtés devant une vieille maison bourgeoise divisée en appartements quarante ans plus tôt.

— C'est fini, Harry, dit-elle.

À ce moment-là, Jim jaillit violemment de la maison. Il avait un bras plâtré et pris dans une attelle.

— Ne t'approche pas de ma femme, salaud ! hurlait-il.

Tout en hurlant, il pivota sans effort sur lui-même et sa botte de moto me fit exploser la bouche.

Je reculai en trébuchant, les gencives éclatées et en sang, les jambes en coton, et deux choses m'apparurent très clairement.

D'abord, Jim en connaissait un bout en arts martiaux. Ensuite, il avait fait une nouvelle chute à moto.

Je rebondis contre des poubelles et levai les poings pour me protéger car il revenait sur moi, mais Cyd s'interposa. Il cria de douleur quand elle l'empoigna par son bras cassé.

— Laisse-le ! Laisse-le tranquille !

— Fais attention à mon bras ! brailla-t-il.

Il lui permit néanmoins de le reconduire à la porte de la maison. Là, il se retourna pour me menacer une nouvelle fois :

— Si jamais je te revois, je te casse les dents.

— Ce ne serait pas la première fois.

Je ne pris pas la peine de lui expliquer qu'un chien trop amical m'avait fait tomber quand j'avais cinq ans. Cela ne l'aurait sans doute pas beaucoup impressionné.

Il disparut dans la maison, soutenant son bras plâtré de sa main valide.

Ils devaient habiter au rez-de-chaussée car j'entendis ce qui ressemblait beaucoup à Peggy en train de pleurer. Cyd se retourna, elle aussi, pour me jeter un dernier regard.

— Je t'en prie, Harry, laisse-moi tranquille maintenant.

— Pense à ce que je t'ai dit, réussis-je à bafouiller malgré mes lèvres gonflées qui saignaient. Je t'en prie, réfléchis à ce que je te propose.

Elle secoua la tête et — je sais que cela paraît idiot — je sentis qu'elle commençait vraiment à m'aimer.

— Tu ne renonces jamais, n'est-ce pas ? dit-elle.

— Je tiens ça de mon père.

Et elle referma la porte de la grande maison blanche pour retourner à sa vie.

37

À environ deux kilomètres de chez mes parents se trouvait une petite église sur une colline.

Quand j'étais petit, en me promenant là où je n'étais pas censé me promener pendant les chaudes nuits d'été, il m'était arrivé de me cacher dans le cimetière de cette église pour boire du cidre, tousser en fumant une cigarette et guetter l'apparition de la carabine à air comprimé de mon copain.

Nous n'étions pas si fiers que ça, cependant. Au moindre bruit — le vent dans les arbres, le bruissement des feuilles mortes sur la pierre froide d'une tombe, le craquement des vieilles boiseries à l'intérieur de l'église —, nous filions à toute vitesse, paniqués à l'idée que les morts allaient se montrer. Et aujourd'hui, c'était mon père que l'on allait enterrer ici.

Je fus réveillé par la bicyclette du livreur de journaux, le choc mat du *Mirror* jeté à toute vitesse dans la boîte aux lettres et le bourdonnement de la radio dans la cuisine. Pendant quelques instants, à la frontière du sommeil et de l'éveil, je me crus un jour comme les autres.

Mais, après le petit déjeuner, nous endossâmes nos tristes tenues de deuil, mon fils et moi, tous les deux mal à l'aise avec nos cravates noires et nos chemises blanches. Nous allâmes nous asseoir par terre dans mon ancienne chambre d'enfant pour regarder l'une après l'autre les boîtes de photos et nous consoler avec les images de mon père, son grand-père.

Nous remontions dans le temps. Il y avait d'abord les photos aux couleurs vives de mon père avec Pat en train d'ouvrir ses cadeaux de Noël, de faire de la bicyclette quand il avait encore les petites roues, ou encore Pat en bébé d'une blondeur incroyable, et en train de dormir dans les bras de son grand-père qui souriait aux anges.

Il y avait beaucoup d'autres photos dont les couleurs avaient commencé à passer — mes parents avec Gina et moi le jour de notre mariage, moi au temps de mon adolescence narquoise, avec mon père, un bel homme dans la cinquantaine, serrés l'un contre l'autre dans le jardin de derrière. On voyait que mon père était fier de son jardin et de son fils. Plus loin encore dans le temps, c'était la photo de groupe du mariage d'un de mes cousins. J'avais onze ans et l'air un peu niais. Mes parents étaient encore jeunes.

Je remontais ainsi le temps avec Pat jusqu'à mes premiers souvenirs et au-delà — une photo en noir et blanc de moi, enfant, avec les cheveux coupés en brosse, un jour où mon père m'avait emmené aux courses de chevaux à Salisbury Plain. Sur une autre photo en noir et blanc, on voyait mon père sur une plage balayée par le vent ; il me soulevait en riant. Il y avait enfin des photos en camaïeu de gris : mon père en uniforme de l'armée et mes parents le jour de leur mariage.

Il n'y avait aucune photo de lui enfant ou bébé. C'était seulement, je le savais, parce que sa famille était trop pauvre pour posséder un appareil photo mais cela me donnait l'impression que sa vie avait commencé quand il avait fondé notre famille.

Au rez-de-chaussée, les fleurs avaient commencé à arriver. J'allai avec Pat me poster derrière la fenêtre de la chambre de mes parents qui donnait sur la rue pour pouvoir regarder le fleuriste les sortir de sa camionnette et les apporter. Bientôt, l'allée de devant fut pleine de compositions et de bouquets enveloppés de papier cristal. Cela me remit en mémoire l'image de la princesse Diana et de la mer de fleurs devant les grilles noires du palais royal. Pour le fleuriste, c'était un travail comme un autre, le premier de la journée, mais il paraissait sincèrement ému.

— J'aurais aimé le connaître, l'entendis-je dire à ma mère.

Je savais qu'il le pensait réellement.

Quand le cercueil arriva à l'église, il se produisit un incident qui nous fit rire. C'était un de ces rires désespérés qui permettent de résister aux larmes, de peur de ne plus pouvoir s'arrêter si on commence à pleurer, mais c'était quand même un rire.

Nous étions juste derrière le cercueil, ma mère, mon fils et moi, et, pour une raison que j'ignore, au moment de franchir le seuil de la vieille église, les quatre porteurs s'arrêtèrent. Ma mère était entre Pat et moi, et nous la tenions serrée contre nous mais elle marchait les yeux au sol et ne se rendit pas compte de ce qui se passait. Elle ne s'arrêta qu'en se cognant brutalement la tête contre le cercueil de mon père.

Elle recula en chancelant, porta la main à son front et vit qu'elle avait du sang sur les doigts. Puis elle me regarda et nous éclatâmes de rire. Nous l'entendions, nous entendions sa voix de vieux Londonien, pleine d'affection, qui disait : « Mais que fais-tu, ma pauvre femme ? »

Nous entrâmes enfin dans l'église glaciale. C'était comme dans un rêve, un rêve où tous les gens que vous avez pu connaître dans votre vie — la famille, les amis de la famille, les voisins d'aujourd'hui et d'hier, les hommes en cravate des commandos de la Marine royale qui s'étaient connus à l'adolescence et avaient à présent soixante-dix ans — un rêve où tous ces gens s'étaient rassemblés pour la dernière fois, s'alignant sur les bancs, rangée après rangée. Certains d'entre eux ne pouvaient s'empêcher de pleurer en voyant le cercueil de mon père.

Nous étions tous les trois au premier rang. Autrefois, « nous trois » aurait signifié mes parents et moi. Aujourd'hui, c'était ma mère, mon fils et moi. Ma mère et Pat gardaient la tête baissée, les yeux fixés sur les dalles de pierre, toute envie de rire disparue. De mon côté, je regardais le pasteur qui était en train de citer Isaïe : « Ils martèleront leurs épées pour en tirer des hoyaux et leurs lances pour en tirer des faucilles. Une nation ne lèvera plus l'épée contre une autre et ils n'apprendront plus la guerre[1]. »

Son sermon portait sur le bon soldat qui devint un homme de paix, le guerrier qui apprit à être un mari aimant, un bon père, un voisin serviable. Je me rendais compte qu'il avait beaucoup travaillé son texte, qu'il avait parlé avec ma mère, avec mes oncles et avec tante Ethel, la voisine qui n'était pas vraiment ma tante. Toutefois, le pasteur n'avait jamais rencontré mon père. Il ne pouvait donc pas réellement saisir ce qu'il avait été et ce qu'avait été sa vie.

Ce fut seulement quand la musique choisie par ma mère s'éleva dans l'église bondée que je dus me raidir contre l'émotion qui m'envahissait. Je sentais tout le poids de ce que nous avions perdu.

Plus que les cantiques ou l'éloge funèbre, les platitudes bien intentionnées ou le visage de tous les gens que nous connaissions, ce fut cet air, une « vieille chanson » qui me fit craquer. C'était la voix de Sinatra, encore très jeune, très pure, sans la moindre trace du cynisme et de la prétention des dernières années. Sa voix s'élevait et remplissait toute l'église.

Ma mère ne broncha pas mais je la sentis serrer Pat encore plus fort contre elle, comme si elle avait peur d'être balayée dans un autre endroit et dans un autre temps, quelque part dans l'avenir solitaire où elle ne pourrait plus dormir qu'avec toutes les lumières allumées, à moins que ce ne fût dans un passé perdu et impossible à retrouver.

1. Isaïe, II, 4. Traduction : éd. de La Pléiade. *(N.d.T.)*

Someday
When I'm awfully low,
When the world is cold,
I will feel a glow
Just thinking of you,
And the way you look tonight [1].

J'entendais mon père, comme s'il était là, se plaindre de ce choix, très étonné par cette femme avec qui il avait passé sa vie et qui n'avait cessé de le surprendre.

« Mais non, femme ! Pas le Sinatra des débuts ! Pas ces trucs de minette en pâmoison qu'il a enregistrés pour la Columbia ! Si tu veux vraiment du Sinatra, choisis dans les albums Capitol des années cinquante. Par exemple : *One For My Baby, Angel Eyes, In The Wee Small Hours of the Morning,* une de ses grandes chansons. Mais pas un truc de ses débuts ! Et puis, que reproches-tu à Dean Martin ? Tu sais bien que je l'ai toujours préféré à Sinatra. »

Ce qui était exact. Dean Martin était le chanteur préféré de mon père. Il aimait beaucoup Sinatra mais le trouvait un peu trop romantique pour son goût. Il préférait le côté dur de Dean Martin. Seulement, ce n'était pas mon père qui avait choisi bien sûr. C'était ma mère. Il n'était pas question de la façon dont mon père se voyait mais de la façon dont elle le voyait, dont elle le connaissait, dont elle l'aimait.

But you're lovely !
With your smile so warm
And your cheek so soft
There is nothing for me
But to love you
Just the way you look tonight [2].

1. Un jour, Quand je serai trop triste, Quand le monde sera froid, Je sentirai briller une lumière, Rien qu'en pensant à toi, Et à ton visage de ce soir. *(N.d.T.)*
2. Comme tu es jolie ! Avec ton sourire si chaleureux, Et ta joue si douce, Rien d'autre ne compte pour moi Que de t'aimer Telle que tu es ce soir. *(N.d.T.)*

Les employés des pompes funèbres soulevèrent le cercueil de mon père et le portèrent à l'extérieur — lentement, très lentement — puis jusqu'au cimetière. Comme anesthésiés par les rituels de la mort, nous les suivîmes jusqu'à la dernière tombe du cimetière en pente.

L'emplacement, fraîchement creusé, se trouvait au bout d'une longue rangée de tombes. Un jour, quand bien d'autres services funèbres auraient eu lieu dans cette église, il deviendrait difficile de trouver où mon père dormait de son dernier sommeil. Il serait environné d'innombrables pierres tombales, devenu un mort parmi beaucoup d'autres. Mais pas tout de suite, pas aujourd'hui.

Sur la pierre tombale blanche et toute neuve était gravée l'épitaphe de mon père, en lettres noires luisantes dans la moitié supérieure de la pierre, laissant la place pour une autre inscription, celle que l'on graverait un jour pour sa femme, ma mère, la grand-mère de Pat.

PATRICK WILLIAM ROBERT SILVER, DSM[1], tel était le nom écrit sur la pierre, un nom de l'époque où les familles ordinaires donnaient à leurs enfants autant de prénoms qu'ils pouvaient en retenir, autant qu'ils pouvaient en porter. Sous ses dates de naissance et de mort était encore gravé : MARI, PÈRE ET GRAND-PÈRE BIEN-AIMÉ.

Le pasteur était en train de parler — les cendres retournent aux cendres, la poussière à la poussière, venez, enfants bénis de mon Père, recevez le royaume préparé pour vous de toute éternité... Mais je n'entendais rien qu'un fragment d'une vieille chanson, une chanson qui demandait à quelqu'un de ne jamais, jamais changer.

Nous nous tenions au bord de la tombe ouverte. Derrière nous s'entassait une foule de gens éplorés. Il y en avait certains que je ne connaissais pas et d'autres que je connaissais depuis

---

1. DSM : Distinguished Service Medal. *(N.d.T.)*

toujours. Pourtant, les visages que je connaissais n'étaient plus les mêmes. Je me souvenais de mes oncles et de mes tantes comme de gens d'âge moyen, élégants, en train de rire, à l'époque des voitures neuves, des vêtements chics et des vacances d'été sur la côte, leurs enfants inscrits dans de bonnes écoles ou déjà adultes.

Ces visages familiers avaient vieilli plus que je ne m'y attendais. L'assurance de leurs trente ou quarante ans s'était évanouie avec les années. Ils étaient venus voir mon père se faire enterrer, le premier de leur génération à partir, et leur propre mort devait leur paraître soudain d'une réalité insoutenable. Ils pleuraient sur lui mais aussi sur eux-mêmes.

Au loin s'étendaient les champs où j'avais couru enfant. Ils étaient d'un brun foncé dans la lumière de l'hiver, aussi strictement rectangulaires que des terrains de jeux et bordés d'arbres aux branches dénudées.

Y avait-il encore des enfants pour jouer dans cette campagne désertée? J'avais du mal à y croire mais je me souvenais avec précision de chaque cours d'eau brillant sous le soleil, des fossés boueux, de la mare aux eaux stagnantes cachée dans l'épais bosquet. Je me souvenais des fermiers qui nous pourchassaient, mes copains et moi, ces enfants de la ville qui vivaient une vie de banlieusards.

Là-haut, il n'y avait aucune trace des agences immobilières ou des centres commerciaux qui proliféraient à peu de distance. Là-haut, on ne voyait que des champs à perte de vue. Là-haut, on se sentait vraiment à la campagne.

C'était pour cela que mon père avait fui la ville. Ces champs où j'avais joué, voilà ce dont mon père avait rêvé, et c'était là qu'on allait l'enterrer.

Les gens pleuraient, à présent, plus bruyamment, avec moins de retenue. Le chagrin était le plus fort. Je levai les yeux et je vis des larmes sur les visages que j'aimais. Les frères de mon père. Nos voisins. Ma mère et mon fils.

Moi, je regardais sans pleurer les croque-morts qui descendaient le cercueil de mon père dans la tombe fraîchement creusée. J'avais un bras fermement passé autour de ma mère, qui elle-même entourait de ses bras son petit-fils en sanglots. Ma main libre était enfoncée dans la poche de mon complet noir et, dans mon poing serré, je tenais la décoration en argent de mon père comme si je devais ne plus jamais la lâcher.

38

— Le monde change, dit Nigel Batty. Nous ne sommes plus dans les années soixante-dix. *Kramer contre Kramer*, c'est fini. Dans les bagarres pour l'attribution de domicile, la loi privilégie toujours la mère, et elle le fera toujours. Toutefois, on assiste à une prise de conscience croissante du fait que les mauvais parents ne sont pas toujours les hommes.

— Je déteste l'idée que mon fils grandisse avec un autre homme, dis-je plus pour moi-même que pour mon avocat. Je déteste l'idée qu'il vive sous le même toit qu'un homme qui ne s'intéresse pas vraiment à lui, un homme qui ne s'intéresse qu'à sa mère !

— Cela n'arrivera pas. Elle peut dire ce qu'elle veut, elle vous a abandonnés tous les deux. Et vous, vous avez fait du bon travail pendant que votre enfant était sous votre garde. Peu importe ce qu'elle raconte à son avocat.

— Je n'arrive pas à croire qu'elle m'accuse de négligence. Si elle était restée correcte, je pourrais la respecter mais ça... ça me rend fou, vous comprenez, Nigel ?

— Je connais !

Mon avocat n'était plus maître Batty pour moi. Nous nous appelions par nos prénoms depuis qu'il m'avait raconté son histoire.

Sept ans plus tôt, il avait épousé une Française qu'il avait rencontrée alors qu'elle travaillait chez un autre avocat de

Londres. Ils s'étaient mariés et, dans l'année, avaient eu des jumelles. Cinq ans plus tard, quand leur couple se désintégra, elle décida de rentrer en France. Avec l'approbation de la cour d'appel, elle avait été autorisée à emmener ses filles sur le continent. Nigel Batty ne les avait jamais revues.

— C'est ainsi que mes enfants ont perdu un de leurs parents et, sans aucun doute, détestent l'autre, dit-il. Merci au juge idiot pour qui la mère est le seul des deux parents qui compte. Et mon cas n'a rien d'unique! Il y a beaucoup de pères qui perdent tout contact avec leurs enfants, simplement parce que la femme qu'ils ont épousée veut les punir.

Je murmurai quelques mots de sympathie. Il était tard et l'équipe de nettoyage s'affairait autour de nous dans les locaux vidés de leur personnel. Il s'assit sur son bureau et contempla les embouteillages de Hanover Square, quelques étages plus bas.

— Mes enfants seraient certainement plus heureuses avec leurs deux parents. Mais pour y arriver — pour réussir cet impossible défi de leur garder leurs deux parents —, il aurait fallu parvenir à un certain degré de compromis. Or, dans les bagarres sur l'attribution de domicile, il n'est pas question de compromis. Il n'est pas question, non plus, du bien des enfants. Cela devrait être le cas, mais cela ne l'est pas. Il est invariablement question de ce que veut la mère.

Il ôta ses lunettes et se frotta les yeux.

— Même si le législateur a voulu dédramatiser l'attribution de domicile, cela se termine forcément par la victoire de l'un des deux parents et la défaite de l'autre. C'est inévitable. En général, c'est l'homme qui perd mais ce n'est plus systématique. Cela a commencé à changer depuis une vingtaine d'années. Dans votre cas, nous pouvons gagner. Nous méritons vraiment de gagner avec ce dossier.

— Mais elle l'aime.

— Pardon?

— Gina aime Pat. Je sais qu'elle l'aime.

Nigel prit quelques papiers sur son bureau, presque gêné par ma réaction.

— Je ne suis pas certain que ce soit en rapport avec ce qui nous préoccupe, hein? dit-il.

Debout derrière la fenêtre, je les regardais arriver. Gina sortit du côté du passager et ouvrit la portière arrière pour Pat. Il m'avait dit que Richard avait fait installer une sécurité enfants. Gina s'accroupit ensuite pour être à la même hauteur que Pat, le prit dans ses bras, serrant la petite tête blonde contre son épaule, profitant de toutes ses forces des dernières secondes qui lui restaient avant de me le rendre.

Gina attendit avant de se rasseoir dans la voiture. Nous ne pouvions plus nous parler mais elle attendait de m'avoir vu avant de partir. De mon côté, je regardais Pat remonter en courant la petite allée qui menait à notre porte. Ses yeux brillaient. Je compris alors qu'il méritait d'être aimé autant que n'importe quel autre enfant.

Plus tard dans la soirée, je le rejoignis dans sa chambre où il jouait, assis par terre.

— Pat?

— Oui?

— Tu sais que ça ne va pas très bien entre ta maman et moi, en ce moment?

— Vous ne vous parlez pas.

— C'est parce que nous ne sommes pas d'accord.

Sans un mot, il cogna Luke Skywalker contre le Millenium Falcon. Je m'assis par terre à côté de lui. Il continuait à cogner Luke Skywalker.

— Nous t'aimons tous les deux très fort. Tu le sais, n'est-ce pas?

Pas de réponse.

— Pat?

— Oui, je crois.

— Et chacun de nous veut vivre avec toi. Avec qui préfères-tu habiter? Avec moi?

— Oui.

— Ou avec maman?

— Oui.

— Non, ce n'est pas possible avec nous deux. Tu comprends? Tu ne peux pas habiter avec nous deux en même temps. Plus maintenant.

Il vint se blottir dans mes bras et je lui fis un câlin.

— C'est dur, mon chéri, hein?

— C'est dur.

— C'est pour ça que nous nous disputons. Moi, je veux que tu restes ici et maman veut que tu ailles avec elle. Avec elle et Richard.

— Et mes affaires?

— Comment cela?

— Mes affaires. Toutes mes affaires sont ici. Si je vais vivre là-bas, qu'est-ce qui se passe pour mes affaires?

— Ce n'est pas un problème, mon chéri. On peut toujours les emporter ailleurs. Ne t'inquiète pas pour ça. Ce qui compte, c'est l'endroit où tu vis. Et moi, je veux que tu restes ici.

Il leva la tête pour me regarder avec des yeux qui étaient ceux de Gina.

— Pourquoi?

— Parce que c'est ce qu'il y a de mieux pour toi, lui dis-je, mais au moment même où je prononçais ces mots, je me demandai si c'était vrai.

J'avais changé au cours des six derniers mois, ces mois pendant lesquels j'avais élevé Pat tout seul. L'émission d'Eamon n'était qu'un moyen de payer les mensualités de la maison. Je n'avais plus besoin de prouver ma valeur, à moi-même ou à qui que ce soit d'autre. Le travail n'était plus le centre de mon univers. Le centre de mon univers était mon fils.

Si j'éprouvais de la fierté, de l'angoisse ou de l'émerveillement, ou n'importe quelle émotion qui me rappelait que j'étais bien vivant, ce n'était plus à cause d'un incident au studio mais parce que Pat avait appris à nouer ses lacets lui-même, parce qu'il avait été malmené par une petite brute à l'école, ou parce qu'il avait dit ou fait quelque chose qui m'avait ébloui d'amour pour lui, quelque chose qui m'avait rappelé que mon fils était le plus beau petit garçon du monde. S'il s'en allait, j'aurais l'impression de tout perdre.

— Je veux seulement ce qui sera le mieux pour toi, dis-je, me demandant pour la première fois si je voulais vraiment ce qui serait le mieux pour lui ou pour moi.

— Nous l'avons vue au Palladium, ton père et moi, quand elle avait dix-huit ans, dit ma mère. On l'avait surnommée la Fille de la baie du Tigre.

Ses yeux bleus étaient écarquillés d'excitation. Pourquoi n'avais-je jamais remarqué qu'ils étaient si bleus ? Dans la pénombre de l'Albert Hall, les yeux de ma mère brillaient comme certains bleus que l'on voit dans la vitrine de Tiffany.

Bien qu'ils aient passé presque toutes leurs soirées à la maison, mes parents étaient toujours allés voir un spectacle une fois tous les six mois, ou à peu près — Tony Bennett au Royal Festival Hall, une reprise de *Oklahoma !* ou de *Guys and Dolls*. Aujourd'hui, c'était moi qui l'emmenais voir un spectacle, celui de sa vedette préférée de toujours, la Fille de la baie du Tigre.

— Shirley Bassey ! dit ma mère.

On m'avait traîné à quelques-uns de ses spectacles à un âge où je ne pouvais pas encore me défendre. À l'époque, son public n'avait jamais été aussi mélangé que la foule que nous affrontions à présent à l'Albert Hall.

Des jeunes gens incroyablement beaux avec des bonnets uzbeks et des sourcils épilés cherchaient leur place au milieu de couples plus âgés venus de la grande banlieue, les hommes en blazer et très guindés, les femmes avec cette mise en plis figée à la Margaret Thatcher que la génération de ma mère arborait pour sortir.

— Je ne m'étais pas rendu compte que Shirley avait autant de succès avec les homos, dis-je. Ça doit s'expliquer ; les garçons aiment ce mélange de luxe tapageur style show-biz et de tragédie privée. C'est notre Judy Garland !

— Les homos ? répéta ma mère, ahurie. Quels homos ?

Je désignai les jeunes hommes habillés chez Versace et Prada qui tranchaient si nettement avec le style laine et polyester des banlieues.

— Tout autour de toi, maman.

Comme pour apporter une preuve à mes dires, le garçon assis à côté de ma mère — le style mannequin trop beau pour être hétérosexuel — se leva et se mit à couiner avec enthousiasme tandis que l'orchestre attaquait les premières mesures de *Diamonds Are Forever,* les diamants sont éternels.

— On t'aime, Shirley ! criait-il. Tu es merveilleuse !

— En tout cas, celui-là n'est pas homosexuel, me chuchota ma mère, parfaitement sérieuse.

Je me mis à rire et je la pris par les épaules en l'embrassant sur la joue. Elle se pencha en avant avec excitation quand Shirley Bassey apparut en haut des escaliers, sa robe de scène brillant comme si elle était cousue de guirlandes électriques et les mains dressées en l'air dans une attitude extravagante.

— Comment y arrives-tu, maman ?

— Comment j'arrive à quoi ?

— Comment arrives-tu à vivre après avoir perdu papa ? Tu as passé toute ta vie avec lui. Je ne peux pas imaginer comment on peut combler un vide pareil.

— Pour te dire la vérité, on ne peut pas. Tu ne peux jamais

surmonter une pareille absence. Il me manque. Je me sens seule. Parfois j'ai peur. Et je continue à dormir avec la lumière.

Elle me regarda. Shirley Bassey défilait sur le devant de la scène sous un tonnerre d'applaudissements et une pluie de fleurs. Oui, c'était vraiment la Judy Garland anglaise.

— Mais tu dois apprendre à lâcher prise, continua ma mère. Ça en fait partie, tu ne crois pas ?

— Partie de quoi ?

— De ce que veut dire aimer quelqu'un. Réellement aimer quelqu'un. Si tu aimes quelqu'un, tu ne le vois pas comme une simple extension de toi-même. Tu n'aimes pas les gens simplement pour ce qu'ils t'apportent.

Ma mère ramena son attention sur la scène. Dans l'obscurité de la salle, j'avais vu les larmes briller dans ses yeux bleus.

— Aimer, cela veut dire savoir quand il faut laisser partir les gens qu'on aime.

39

— Vous êtes fou ! s'exclama Nigel Batty. Vous voulez renoncer à votre enfant ? Vous allez tout bonnement le donner à votre ex-femme alors qu'on pourrait la battre à plate couture ? Elle va pouvoir pavoiser, vous en êtes conscient ?

— Je ne le fais pas pour elle, dis-je. Je le fais pour lui.

— Savez-vous que plus d'un homme voudrait être à votre place ? Savez-vous combien d'hommes je vois dans ce bureau — des adultes en train de pleurer comme des gosses, Harry ! — et qui donneraient tout ce qu'ils ont pour garder leurs enfants ? Ils donneraient leur main droite si ça pouvait les aider ! Et vous, vous le laissez partir !

— Non, je ne le laisse pas partir. Je ne renonce pas. Mais je sais à quel point il est heureux avec Gina, même s'il essaye de ne pas le montrer, de peur de me faire du mal, de me trahir ou je ne sais quoi. De plus, ou bien ils retrouvent des relations normales, ou bien elle va devenir quelqu'un qu'il ne voit que le week-end. Ça a déjà commencé.

— À qui la faute ?

— Je sais que vous êtes déçu, Nigel, mais je ne pense qu'à mon fils.

— Croyez-vous qu'elle a pensé à lui quand elle est partie ? Croyez-vous qu'elle a pensé à lui dans le taxi qui l'emmenait à l'aéroport ?

— Je ne sais pas. Je crois seulement qu'un enfant a besoin

de ses deux parents. Même quand ses parents ont divorcé. Surtout quand ils ont divorcé. Je fais donc ce que je peux pour que Pat ait ses deux parents.

— Et ce type avec lequel elle vit ? Ce Richard ? Vous ne savez rien de lui. Cela vous fait plaisir de lui donner votre fils ?

— Je ne donne Pat à personne. C'est mon fils et ce sera toujours mon fils, de la même façon que je suis son père et le serai toujours. Mais je dois admettre que Gina n'a pas trop mauvais goût pour les hommes !

— Elle me paraît aimer les andouilles, si vous voulez mon avis ! Vous savez ce qui va arriver maintenant, hein ? Vous allez devenir un de ces pères du week-end qui emmènent leur gosse dans une pizzeria le dimanche midi en se demandant ce qu'ils vont bien pouvoir trouver à dire à cet étranger qui, autrefois, était leur enfant !

— Ce ne sera jamais comme ça entre Pat et moi.

— À votre place, je ne parierais pas.

— Je ne dis pas que c'est ce que j'aurais voulu. Mais vous ne vous rendez pas compte de la situation ? Nous n'arrêtons pas de tout fiche en l'air et ce sont toujours nos enfants qui payent l'addition. Nous changeons de partenaire, et nous recommençons sans arrêt, croyant à chaque fois avoir une nouvelle chance que ça se passe bien, et ce sont chaque fois les enfants de ces couples brisés qui payent les pots cassés. Ces enfants, mon fils, vos filles, les millions d'enfants comme eux, reçoivent des blessures dont les conséquences se feront sentir toute leur vie. Il faut que ça s'arrête.

Je haussai les épaules avec découragement, sachant qu'il était révolté par ma décision.

— Je ne sais pas, Nigel, dis-je. J'essaye seulement d'être un bon père.

— En laissant partir votre fils.

— J'ai l'impression que c'est le moins que je puisse faire.

— Voilà comment on va s'organiser, dis-je à Pat. Tu peux laisser autant d'affaires que tu veux à la maison. Ta chambre sera toujours ta chambre. Personne n'a le droit d'y toucher et tu peux revenir quand tu veux. Pour un jour, pour une nuit ou pour toujours.

— Pour toujours ? dit Pat, qui poussait sa bicyclette à côté de moi.

Il avait parlé d'une toute petite voix.

— Tu vas vivre avec ta maman mais personne ne t'y oblige. Nous nous occuperons de toi tous les deux et nous voulons tous les deux que tu sois content.

— Vous ne vous disputez plus ?

— Nous essayons d'arrêter parce que nous t'aimons tous les deux très fort et nous voulons tous les deux faire tout ce que nous pouvons pour toi. Je ne dis pas que nous ne nous disputerons plus jamais, mais on essaye. Tu comprends ?

— Vous êtes de nouveau amoureux ?

— Non, mon chéri. Cette époque de notre vie est finie. Mais nous t'aimons, toi.

— Où est-ce que je vais dormir chez maman ?

— Elle est en train de t'installer une nouvelle chambre. Ça va être formidable, tu pourras étaler tous tes jouets de *La Guerre des Étoiles* par terre, écouter du hip-hop et rendre tous les voisins enragés !

— Et personne n'a le droit de toucher à mon ancienne chambre ?

— Personne.

— Même pas toi ?

— Même pas moi.

Nous étions arrivés au parc. L'allée asphaltée qui faisait le tour du lac s'étendait devant nous. C'était son endroit préféré pour faire du vélo. Il pouvait rouler assez vite pour que les cygnes installés sur la berge s'envolent en le voyant arriver. Or, ce jour-là, Pat ne fit pas mine de vouloir enfourcher son vélo.

— J'aime bien comme c'est maintenant, dit-il, ce qui me déchira le cœur. Je trouve que c'est bien.

— Moi aussi. J'aime te préparer ton petit déjeuner et je suis content quand je te vois l'après-midi avec tous tes jouets autour de toi. J'aime aussi quand nous allons chercher un plat à emporter au restaurant chinois ou une pizza, ou bien quand nous regardons un film ensemble sur le canapé. J'aime bien tout ça.

— Moi aussi, j'aime bien ça.

— Et on va continuer à faire tout ça, tu veux ? Personne ne peut nous en empêcher. Ça ne s'arrêtera jamais. En tout cas, pas avant que tu sois devenu un grand, grand garçon qui veut sortir avec ses amis et qui laisse son vieux père tout seul !

— Jamais !

— Mais essaye d'y penser sérieusement, tu veux bien ? À cette idée de vivre avec maman. Parce qu'elle t'aime très fort et que tu l'aimes aussi, je le sais. C'est très bien. J'en suis très content. Je suis heureux de voir que vous vous aimez, toi et ta maman. Et puis, même si je suis triste de te voir partir, cela ne veut pas dire que tout s'arrête. Tu peux revenir quand tu veux, n'importe quand. Alors, essaye d'être heureux avec ta maman, tu veux bien ?

— D'accord.

— Encore une chose, Pat.

— Quoi ?

— Je suis fier que tu sois mon fils.

Il laissa tomber sa bicyclette et vint se blottir dans mes bras, le visage pressé contre moi, me comblant de sa présence. J'enregistrais tout — sa crinière blonde en bataille, sa peau à l'incroyable douceur, son odeur bien à lui, un mélange de crasseux et de sucré. Mon beau petit garçon, pensais-je, avec le goût de nos larmes mêlées sur les lèvres.

Il y avait encore tant de choses que j'aurais aimé lui dire mais j'étais incapable de trouver les mots. Ce n'est pas parfait, voulais-je dire. Ce ne sera jamais parfait. Je ne suis pas idiot au point de ne pas le savoir mais, compte tenu de l'évolution de la situation, c'est probablement la meilleure solution. Mais c'est vrai, ce n'est pas parfait, parce que la seule chose parfaite dans ma vie, c'est toi.

Mon beau petit garçon.

Mon beau petit garçon.

Mon beau petit garçon.

Gina emmena Pat voir sa nouvelle chambre et je restai debout au milieu de leur appartement, une caisse pleine de jouets de *La Guerre des Étoiles* dans les bras. Je me sentais perdu comme je ne l'avais jamais été de toute ma vie.

— Attendez, dit Richard. Laissez-moi vous débarrasser.

Je lui donnai la caisse et il la posa sur la table.

Nous échangeâmes un sourire gêné. Je ne m'attendais pas à le trouver tel qu'il était — plus discret, plus gentil, moins m'as-tu-vu que je ne l'avais imaginé.

— C'est un grand jour pour Gina, dit-il.

— Un grand jour pour nous tous, dis-je.

— Bien sûr, dit-il rapidement. Mais pour Gina — comme elle est Balance, vous le savez — la maison et la famille, c'est essentiel.

— C'est vrai.

Il ne ressemblait vraiment pas à ce que j'avais imaginé. Ce n'était pas pour autant qu'il n'était pas un peu crétin, bien sûr.

— Et Pat? demanda-t-il. De quel signe est-il?

— Du signe : Tu Ranges Ma Chambre, S'il Te Plaît? répondis-je.

Gina sortit de la nouvelle chambre de Pat et me sourit.

— Merci de nous avoir aidés à déménager ses affaires.

— Je t'en prie.

— Et merci pour tout, ajouta-t-elle. Je sais ce qu'il représente pour toi.

Pendant un instant, juste un instant, je retrouvai la Gina qui m'avait aimé.

— Aimer quelqu'un, cela veut dire savoir quand il faut le laisser partir, lui dis-je.

Je ne l'avais pas vu venir. Je lançai la MGF dans le trafic de la grand-route et, soudain, un taxi fit une embardée pour m'éviter, klaxonnant de toutes ses forces tandis que les pneus hurlaient sur l'asphalte. J'entrevis le visage furieux du conducteur. Autour de nous, des têtes se tournaient pour voir l'idiot en voiture de sport avec une capote déchirée.

Je m'arrêtai sur le bas-côté pour essayer de reprendre mon souffle, essayer de calmer les battements de mon cœur, tandis que le flot des voitures grondait autour de moi. J'avais les mains qui tremblaient. Je serrai le volant de toutes mes forces jusqu'à ce que mes articulations blanchissent et que mon tremblement cesse.

Je repris ensuite lentement le chemin de la maison, conduisant avec une prudence excessive car je savais que mon esprit était sur d'autres chemins, qu'il revenait sans cesse à une photo en noir et blanc d'un père et de son fils, aperçue autrefois dans un album photo, et à un fragment d'une vieille chanson où il était question d'un étranger au paradis.

— Papa, dis-je à haute voix.

J'avais tellement besoin de parler à mon père, tellement besoin de savoir ce qu'il pensait...

— Ai-je fait ce qu'il fallait faire?

40

Nous entendîmes l'église avant de la voir.

La grande Daimler noire tourna à gauche pour prendre Farringdon Road. Tandis que nous défilions dans cette longue rue étroite qui descend jusqu'à la Tamise, les cloches continuaient de sonner pour Marty et Siobhan.

La limousine tourna encore à gauche pour rejoindre la petite place de Clerkenwell et l'église nous apparut, semblant remplir le grand ciel bleu. Sur la banquette arrière, Marty s'agita nerveusement, gêné par son costume de cérémonie. Par la fenêtre, il guettait les invités, auxquels on offrait une boutonnière à l'entrée de l'église.

— On ne pourrait pas faire une ou deux fois le tour du quartier? demanda-t-il. Ils peuvent bien attendre un peu?

— Non, Marty. C'est la fiancée qui fait ça, pas toi.

— Tu es sûr que tu as les...

Je brandis les deux alliances en or.

Il approuva de la tête.

Il fallait y aller.

Nous sortîmes de la Daimler. Les cloches sonnaient si fort à présent qu'on ne pouvait penser à autre chose. Tout en montant les hautes marches de pierre qui menaient à l'église, Marty n'arrêtait pas de boutonner et déboutonner sa jaquette. Nous adressions des sourires et des signes de tête aux gens que nous connaissions, et même à ceux que nous ne connaissions pas.

Nous étions à mi-chemin du parvis quand Marty trébucha sur quelque chose. Je dus le rattraper par le bras pour l'empêcher de tomber.

Il se pencha pour ramasser une figurine en matière plastique qui représentait un homme d'environ trente centimètres, arborant une veste bleu lavande, un pantalon en lamé et une chemise en satin blanc. Il portait aussi une ceinture de smoking qu'on aurait aussi bien pu prendre pour un gros pansement... Il lui manquait une de ses petites chaussures blanches.

— Qu'est-ce que c'est que ce truc ? s'exclama Marty. Casanova ?

— Non, pas Casanova, dis-je en le lui prenant des mains. C'est Disco Ken !

Le soleil filtrait par les vitraux illuminant de dos une petite fille qui remontait l'allée latérale en courant. D'une main, elle retenait son chapeau, du même jaune que sa robe longue.

— Peggy ! dis-je.

— Mon Disco Ken, dit-elle en me le prenant. Je le cherchais.

L'instant d'après, Cyd était là, son regard caché par le bord d'un grand chapeau noir. Il était juste un peu trop grand pour elle. Peut-être l'avait-elle acheté avant de se couper les cheveux.

— Je serai à l'intérieur, dit Marty. Sur l'autel.

— À l'autel, le corrigeai-je.

— Je sais où je serai ! grogna-t-il.

— Bonne chance ! lui dit Cyd avec un sourire.

Nous le suivîmes d'abord des yeux avant d'échanger un long regard.

— Je ne pensais pas te voir ici, dis-je enfin.

— Je suis invitée par la mariée.

— C'est normal, Siobhan t'aime beaucoup. Alors... comment vas-tu ?

— Bien, je vais très bien. Et Pat ?

— Il vit avec Gina maintenant. On dirait que ça marche. Tu le verras tout à l'heure.

— Pat vient ? demanda Peggy.

— Il est garçon d'honneur.

— Chouette ! dit-elle en rentrant dans l'église.

— Il est heureux ? demanda Cyd.

Je compris que c'était vraiment important pour elle. De mon côté, j'aurais tout fait pour la retenir.

— Il y a quelques petites tensions avec l'ami de Gina. Il est un peu spécial. Il n'aime pas que Pat lui tape sur la tête avec son sabre laser. Je n'arrête pas de le lui dire : non, Pat, non. Si tu veux lui taper dessus, vise les yeux !

Elle secoua la tête en souriant.

— Tu ne peux pas t'empêcher de plaisanter, n'est-ce pas ?

— Il faut croire.

— Mais tu le vois ?

— Tout le temps ! Tous les week-ends et une fois dans la semaine. Il reste la question des vacances scolaires, que nous n'avons pas encore réglée.

— Il doit te manquer.

— C'est comme s'il était toujours là. Je ne sais pas comment te l'expliquer. Même s'il est parti, je sens sa présence partout. Il y a juste ce grand vide à sa place. C'est comme s'il prenait autant de place absent que présent.

— Même quand ils ne sont plus là, les enfants continuent d'occuper toute la place dans nos pensées. C'est cela, être parent.

— Tu dois avoir raison. Et comment va Jim ?

— Je ne sais pas. Ça n'a pas marché. Le seul fait de vouloir essayer était déjà une erreur.

— Tu as essayé pour Peggy.

Du moins l'espérais-je. Je souhaitais de toutes mes forces qu'elle n'ait pas essayé parce qu'elle l'aimait encore de la même façon qu'elle l'avait aimé auparavant.

— Cela valait la peine d'essayer si ça pouvait rendre Peggy plus heureuse, insistai-je.

— Tu le penses vraiment?

— Absolument!

Elle me désigna une Daimler qui passait lentement devant l'église. À l'arrière se trouvaient une femme tout en blanc et un homme d'âge moyen, visiblement anxieux. La limousine disparut au coin.

— Nous ferions mieux de rejoindre nos places.

— Bien. Je te verrai plus tard. On trinquera!

— Au revoir, Harry.

Je la regardai se diriger vers son banc, du côté réservé aux amis de la mariée, cramponnée au bord de son chapeau comme s'il risquait de s'envoler. Pat surgit près de moi, me tirant par la manche. Il portait une sorte de costume marin et avait l'air briqué comme un sou neuf, effectivement comme un marin. Je lui passai un bras autour des épaules. Gina et Richard montaient les marches du parvis.

— Je t'avais bien dit qu'on ne pourrait pas se garer tout près, disait-il.

— On s'est garés, non? disait-elle. À moins que j'aie manqué un épisode.

Ils cessèrent de se disputer en me voyant, prirent en silence les boutonnières que leur tendait l'une des demoiselles d'honneur et entrèrent dans l'église.

Je souris à Pat.

— J'aime bien ton costume. Comment te sens-tu là-dedans?

— Ça gratte!

— Pourtant, tu es très élégant.

— J'aime pas les costumes. Ça me rappelle trop l'école.

— Je crois que tu as raison. Ça ressemble trop à l'école. C'est toujours d'accord pour le week-end?

Il hocha la tête.

— Que veux-tu faire?

Il s'accorda quelques instants de réflexion.

— Quelque chose de chouette.

— Moi aussi. On va faire quelque chose de chouette, ce week-end. Dans l'immédiat, on a une responsabilité !

— Oui, on est garçons d'honneur !

— Toi, tu es garçon d'honneur. Moi, je suis le témoin. Irions-nous à un mariage ?

Il eut un haussement d'épaules amusé et sourit.

Mon beau petit garçon.

Nous entrâmes dans l'église, où régnait le parfum des lis. En dehors des rayons de lumière dorée qui tombaient des vitraux anciens, c'était sombre et froid. Les femmes portaient toutes des chapeaux. Pat courut devant moi. Les talons de ses chaussures neuves résonnaient sur les dalles de pierre.

Le voir courir vers l'autel où Marty nous attendait me causa un choc. Je me sentais à la fois très heureux et très triste.

C'est difficile à exprimer. D'une certaine façon, il avait l'air d'avoir déjà pris son indépendance, d'être devenu son propre maître.

Le pasteur était grand, jeune et tendu, un de ces aimables fils de la noblesse des comtés du Centre que l'Église d'Angleterre envoie dans les cités à problèmes. Sa pomme d'Adam faisait du Yo-Yo pendant qu'il nous parlait du jour du Jugement où les cœurs seront mis à nu.

Il regardait Marty d'un air insistant, posant ses questions comme s'il attendait qu'on lui réponde honnêtement : voulez-vous l'aimer, la protéger, l'honorer et rester auprès d'elle dans la maladie comme dans la santé, et, par-dessus tout, vous garder pour elle seule aussi longtemps que vous vivrez tous les deux ?

Je pensais à la longue liste des aventures sans lendemain de Marty. Elles faisaient immanquablement la joie des journaux à scandale quand les femmes qu'il prenait aussi vite qu'il les laissait tomber comprenaient que coucher avec lui n'était pas la première étape d'une belle carrière dans l'industrie du divertissement.

Je regardai ensuite Siobhan. Son père se tenait debout à côté d'elle. Derrière son voile de dentelle, son pâle visage d'Irlandaise restait impassible. Ce n'était ni le lieu ni le moment mais je ne pouvais m'empêcher de penser à son penchant pour les hommes mariés et les petits amis douteux qui s'enchaînent aux arbres. Mais aujourd'hui, cela ne semblait plus avoir beaucoup d'importance. Ni les anciennes maîtresses vexées qui cancanaient sur Marty ni les épouses qui avaient toujours renvoyé Siobhan à la seconde place. À présent, tout cela appartenait au passé.

L'un comme l'autre, ils paraissaient renaître aujourd'hui, comme s'ils avaient fait peau neuve en prononçant ces promesses d'amour et de fidélité, en engageant leur foi, même si j'étais bien persuadé que Marty ignorait le sens du mot « foi » et encore plus du mot « engagement ». Je me rendis compte que je les aimais beaucoup tous les deux.

Quant à moi, j'avais perdu jusqu'à la moindre trace de mon ancien cynisme car cette cérémonie représentait ce que je voulais, moi aussi. Tout ce que je voulais. Aimer, chérir.

Je tournai la tête pour examiner l'assemblée. Dissimulée sous son grand chapeau, Cyd avait les yeux fixés sur le pasteur. J'apercevais à peine le dessus de la tête de Peggy. Je croisai le regard de Pat, qui me sourit, et je m'extasiai encore devant cet enfant extraordinaire. Je lui lançai un clin d'œil puis je me concentrai à nouveau sur le pasteur, qui évoquait l'importance de vivre dans une paix et un amour parfaits.

En l'entendant poser les questions rituelles, je ne pus m'empêcher de m'en poser quelques-unes à moi-même. Par exemple : puis-je représenter un élément positif dans la vie de Peggy ? Puis-je réellement me croire capable de bien élever cette petite fille alors que, sans aucun doute possible, la spontanéité des relations due aux liens du sang n'existera jamais entre nous? Suis-je assez homme pour élever l'enfant d'un autre? Et Cyd? Saurons-nous rester ensemble plus longtemps que les six ou sept ans habituels? L'un de nous — presque sûrement moi — gâchera-t-il tout? L'un de nous trompera-t-il l'autre ou s'en ira-t-il? Suis-je certain que nous nous aimons assez et assez fort pour survivre dans ce monde moderne et sans foi? En suis-je sûr? Vraiment? *Vraiment?*

— Oui, dis-je à haute voix.

Pour la première fois depuis que nous nous connaissions, Marty me regarda comme si j'étais cinglé.

Je tapotai ma coupe de champagne avec une cuillère en argent. C'était l'heure du discours du témoin.

La famille, les amis, les relations de travail, tous levèrent les yeux vers moi. Le lunch avait été délicieux et ils étaient prêts à ce qu'on les amuse. Je jetai un coup d'œil à mes notes.

Il y avait surtout des blagues griffonnées par Eamon sur des cartes postales. À voir l'ambiance, elles paraissaient tout à fait inutiles.

Je pris une grande inspiration et me lançai.

— Un de nos grands penseurs a dit : « Vous vivez tranquillement une année après l'autre, comme si aucune surprise n'était plus possible et, un beau jour, un étranger surgit et c'est l'amour. »

Je fis une pause théâtrale avant de poursuivre.

— Platon? Wittgenstein? Descartes? Non! Nancy Sinatra. Et elle a raison, cette chère Nancy. Sans l'étranger, sans quelqu'un de différent, la vie semble tellement plate, tellement vide... D'ailleurs, plus j'y pense, plus je trouve que c'est encore pire.

Ils ne comprenaient rien à ce que je disais. Le savais-je moi-même? Je frottai mes tempes douloureuses. J'avais la bouche sèche. Je bus un verre d'eau mais j'avais toujours la bouche sèche.

— Pire, bien pire, marmonnai-je en essayant de retrouver le fil de mes idées.

Je voulais parler de l'importance pour Marty et Siobhan de toujours se souvenir de leurs émotions d'aujourd'hui. J'avais quelque chose à dire sur les choses qu'il ne faut jamais oublier.

Je cherchai Cyd du regard dans la salle bondée, espérant un signe d'encouragement, mais elle gardait les yeux baissés sur les restes de son dessert. Peggy et Pat couraient entre les tables. Quelqu'un toussa. Un bébé pleurnichait. On commençait à s'agiter. Quelqu'un se leva pour aller aux toilettes. Je cherchai fiévreusement dans mes notes.

— Attendez, j'ai quelque chose d'intéressant ici, dis-je. J'en ai une sur l'amour. Au début, vous êtes sombre parce qu'elle vous manque, à la fin vous sombrez dans l'évier à déboucher !

Deux ou trois oncles qui avaient trop bu s'esclaffèrent.

— Et celle des deux jeunes mariés qui vont chez le docteur pour qu'il leur fasse une démonstration de l'acte sexuel ?

Une tante un peu pompette gloussa.

— Le docteur fait l'amour à la jeune mariée et demande au jeune marié s'il a des questions. Et il lui répond : oui, combien de fois dois-je l'amener à votre cabinet ?

On me fit l'honneur de rire. Eamon souriait fièrement. Moi, je sentais ses cartes postales échapper à mes doigts tremblants. Je n'avais plus vraiment besoin de mes notes. Je n'étais plus capable de m'en servir.

— En fait, ce que je veux vraiment dire, c'est que j'espère — non : je sais que Siobhan et Marty n'oublieront jamais qu'une vie sans amour n'est pas une vie. Nancy Sinatra l'a dit. Et si vous trouvez quelqu'un à aimer, ne le laissez pas passer sans le retenir. Ça, c'est moi qui le dis.

Je portai ensuite un toast à Marty et Siobhan. Cyd me regarda enfin mais battit très vite en retraite à l'abri de son chapeau.

— Mesdames et messieurs, jeunes gens et jeunes filles,

remplissez vos verres et buvons au bonheur de ce merveilleux couple.

Eamon m'attrapa par le bras au moment où je regagnais ma place.

— Tu as été formidable, dit-il. Mais la prochaine fois, n'oublie pas de placer deux ou trois blagues sur le jeune marié qui va voir les chèvres.

Il fallut que la musique commence pour que je réalise une chose : je ne l'avais jamais vue danser.

J'ignorais totalement si elle dansait comme une déesse — comme son homonyme — ou si elle était affreusement mais adorablement empotée.

J'ignorais si elle tournait et glissait avec une grâce infinie ou si elle restait sur place à se tortiller maladroitement sans savoir quoi faire de ses bras. J'ignorais si elle dansait comme Cyd Charisse ou comme Sid James. Tout ce que je savais, c'est que je m'en moquais.

Qu'elle danse bien ou mal me ferait mal, de toute façon. Je ne voulais qu'une chose : danser avec elle.

L'animateur avait mis *Wake Me Up Before You Go-Go* et l'euphorie béate de ce vieux disque se transmit aux invités.

Marty et Siobhan s'étaient lancés dans un boogie-woogie qui paraissait assez risqué. Le teint du marié passa au rouge brique, à croire qu'il allait avoir une attaque, tandis qu'il essayait de soulever sa jeune épouse. Eamon restait planté au même endroit et faisait de grands moulinets des bras, comme s'il était à Ibiza, complètement ivre, et non pas à moitié saoul au cœur de Londres. Mem tournait autour de lui avec force moues et déhanchements lascifs, dansant la seule danse qu'elle connût.

Gina riait avec Pat et tapait dans ses mains en le regardant exécuter une danse qu'il venait d'inventer. Cela consistait en d'étranges petits bonds où il faisait un tour complet sur lui-même. Richard dansait un slow avec l'une des demoiselles d'honneur. Ma mère valsait avec le pasteur.

Quant à Sally, dont la grossesse était très avancée à présent, elle se balançait lourdement, dans un paradoxe non dépourvu d'ironie. Ce genre de musique est plutôt prévu pour donner aux gens âgés l'impression de retrouver leur jeunesse.

Enfin, il y avait Glenn, les yeux fermés, agitant les bras comme s'il s'éclatait dans la boue de Woodstock. Soudain, la fête me parut parfaite : Glenn dansait exactement de la même façon qu'Eamon.

Les seules que je ne voyais pas étaient Cyd et Peggy.

Quand Marty reposa Siobhan pour reprendre son souffle, je touchai le bras de Siobhan. Je dus crier pour couvrir la voix de George Michael.

— Siobhan, où est Cyd?

— Elles devaient partir tôt pour prendre leur avion. Elles repartent pour les États-Unis.

— Pour combien de temps?

— Pour toujours. Elle ne te l'a pas dit?

J'abandonnai la MGF sur le bas-côté de l'autoroute, quelque part à l'ouest de la banlieue verte d'Osterley Park. Quelques jours plus tard, quand j'essayai de localiser l'endroit sur le plan de Londres, je fus incapable de le retrouver. C'était trop loin de la ville pour figurer sur le plan. On aurait dit que je l'avais laissée au bout du monde. Ou au début.

Mais il était évident que je n'arriverais pas à temps si j'y allais en voiture. On roulait au pas sur la route de l'aéroport. Et pendant ce temps, toutes les deux ou trois secondes, un nouvel avion grand comme un paquebot passait au-dessus de moi en rugissant. Ce n'était pas possible. Ma MGF ne me servait plus à rien.

Je sortis de la voiture, comprenant que j'ignorais la compagnie avec laquelle elle partait. Virgin Atlantic partait du terminal 3 mais British Airways du terminal 4. Je n'avais plus le temps d'aller aux deux. Que choisir ? La compagnie de Richard Branson[1] ou l'autre, la compagnie aérienne la plus fréquentée du monde ?

Je me mis à courir le long de l'autoroute. Les avions déchiraient le ciel bleu au-dessus de moi, tous moteurs hurlants. Les basques de mon habit de cérémonie volaient derrière moi.

En définitive, le nom de la compagnie n'avait aucune importance. Tous les vols de la journée à destination des États-Unis avaient déjà décollé quand j'arrivai dans le hall des départs.

La foule diminuait rapidement. Ceux qui partaient étaient en l'air et ceux qui restaient étaient repartis chez eux. Planté devant la porte des départs, dans mon habit où je transpirais abondamment, je baissai la tête et soupirai. J'arrivais trop tard.

C'est ainsi que je le vis, par terre, une figurine d'homme en costume de fête. Disco Ken. Je le ramassai. Son pantalon en lamé était sali et il avait perdu sa deuxième chaussure.

L'instant suivant, Cyd et Peggy étaient devant moi, leurs cartes d'embarquement encore à la main, leurs valises posées à côté d'elles. Elles n'avaient pas quitté leurs robes de fête.

— Un beau discours, dit Cyd.

— Tu ne crois pas que j'aurais dû être un peu plus traditionnel ? Que j'aurais dû, par exemple, ajouter des blagues sur le marié et les chèvres ?

— Non, c'était bien.

— Vous avez raté votre avion.

— Nous l'avons laissé partir sans nous.

Je hochai la tête d'un air incrédule.

— C'est toi, dis-je.

— Ça vaudrait mieux ! répondit-elle.

1. Richard Branson : fondateur des magasins Virgin puis de la compagnie aérienne du même nom. *(N.d.T.)*

Peggy me reprit Disco Ken et regarda sa mère comme si elle lui demandait quelle serait la suite des événements.

En cette fin de journée, le taxi nous ramenait lentement vers la ville. Cyd gardait les yeux fixés sur les tours bâties le long de l'autoroute de l'ouest, perdue dans ses pensées. Peggy dormait dans mes bras.

Parfois, cette petite fille se conduisait de façon adulte, sûre d'elle, capable de se contrôler. Là, blottie sur mes genoux, sa tête si légère sur mon épaule, elle me paraissait presque irréelle, comme si c'était encore un bébé avec toute sa vie devant elle, une vie qui attendait encore de trouver sa forme.

Elle s'agita un peu sans se réveiller en entendant les cloches d'un vendeur de glaces ambulant résonner au loin, dans l'une des interminables rues de l'Ouest londonien. Plus qu'un chant d'oiseau ou un bouton de fleur, c'était le signe que les jours de froid et d'obscurité s'achevaient. Le printemps ne tarderait pas, puisque monsieur Ding-Dong était de retour.

Assis à l'arrière de ce taxi, je ne pouvais pas voir dans laquelle de ces paisibles rues de banlieue il se trouvait, ces rues qui partaient dans toutes les directions. Mais l'écho de sa cloche résonnait dans mon esprit comme un souvenir d'enfance ou un rêve de cloches de mariage.

Fiche d'identité

Nom : Parsons
Prénom : Tony
Date de naissance : 1955
Premières années à : Romford, Essex
Vit actuellement à : Islington (Londres)
Première femme : Julie Burchill
Deuxième femme : Yuriko, traductrice
Enfant : Bobby, dix-neuf ans (avec Julie Burchill)
Documents : *The Boy looked at Johnny* (avec Julie Burchill),
      1978
      Despatches from the front line of popular culture,
      1994
Télévision : *Parsons on class*, 1994

Sous son allure de dandy dégingandé, Tony Parsons est peut-être l'une des figures les plus caustiques des médias britanniques. Dur à cuire issu du mouvement punk, il a la réputation d'être le chroniqueur le mieux payé du pays et fait preuve, avec son accent provocant de l'East End, d'un esprit acéré. C'est le critique futé des émissions tardives qui mord quand ses confrères chipotent. Oui, Tony a la réputation d'être une « grande gueule ».

Mais, vous qui venez de lire son dernier roman, *Un homme et son fils*, l'émouvante histoire d'un père abandonné, vous savez qu'il peut aussi vous arracher des larmes. Déterminé à casser le mythe du « sale gosse des banlieues » et à être pris au sérieux, il a écrit un roman largement fondé sur sa propre expérience et qu'il qualifie lui-même d'œuvre de maturité.

Si l'on se laisse émouvoir sans honte par *Un homme et son fils*, c'est que Parsons a su trouver les mots justes sur cette situation qu'il reconnaît, en grande partie, comme autobiographique. En effet sa première femme, l'écrivain Julie Burchill, l'a quitté en lui laissant leur fils de quatre ans après avoir découvert qu'il l'avait trompée avec une étudiante.

« Il est clair que c'est une part secrète de ma vie affective qui s'exprime ici », avoue Tony.

Parsons est né en 1955, au-dessus d'une épicerie de Romford, dans l'Essex en Angleterre. Sa mère, Emma, était une femme de service dans une cantine scolaire à Plaistow, dans les quartiers populaires de Londres. Son père, Victor, s'était illustré pendant la dernière guerre. Ses actions en tant que membre d'un commando lui valurent la Distinguished Service Medal, une des plus hautes décorations britanniques. « Pour moi, mon père était plus qu'un père. C'était mon héros », confie Tony.

Ses origines ont forgé son caractère : des parents qui appartenaient à la classe ouvrière mais avaient des ambitions ; et une famille soudée, qui le soutenait.

Il garda son accent cockney — prolétaire —, sans écouter ses professeurs qui lui conseillaient de prendre des cours de diction. Pour son père, l'idée que son fils prenne ce genre de cours était la chose la plus drôle qu'il ait jamais entendue.

Parsons quitta le lycée à seize ans avec l'ambition de devenir écrivain. Cependant, il enchaîna toutes sortes de petits boulots, qui, selon ses propres termes le rendaient « fou d'ennui ».

La révélation arriva dans le courant des années soixante-dix avec l'apparition du punk, période où le *New Musical Express* — célèbre hebdomadaire musical — se met en quête de nouveaux chroniqueurs. Tony, qui n'a alors que vingt ans, décide de tenter sa chance. Son côté « loubard branché » lui attire la sympathie du *NME* et il décroche le poste. Sa confiance en soi se renforce lorsqu'il découvre sa capacité à écraser verbalement les bourgeois qui étaient passés par l'université. « Les gens avaient un peu peur de lui. Il était très doué pour se créer une sorte d'aura de prolétaire brut de décoffrage, ayant fréquenté les hooligans du football. » La deuxième personne à être embauchée au *NME* fut une lycéenne de seize ans de Bristol, Julie Burchill.

Julie et Tony devinrent les nouvelles stars de la presse musicale. Ils se marièrent dès les dix-huit ans de Julie et se séparèrent cinq ans plus tard, à la suite d'une infidélité de Tony.

Julie n'a, depuis cette époque, plus eu aucun contact avec lui, ni avec leur fils, Bobby. Si Parsons affirme comprendre pourquoi elle l'a quitté, lui, il ne s'explique pas pourquoi elle a renoncé à Bobby : « C'est un gamin génial, beau et intelligent. Elle a beaucoup perdu. Je ne sais pas pourquoi elle a fait ça. Je trouve que c'était totalement idiot. Si vous voulez une réponse, vous devrez lui demander. »

Mais leur querelle est tenace et depuis leur séparation Julie n'a de cesse d'attaquer Tony. Cependant, lorsqu'on l'interroge à ce sujet, il ne résiste pas à l'envie de lancer une de ses fameuses tirades : « Elle continue à parler de moi car les gens qui sont gros et qui ont quarante ans rêvent d'être minces et d'avoir vingt ans... Je crois qu'elle continue à m'agresser parce que c'est sa façon d'avoir une relation avec moi. »

Pour Tony, son histoire avec Julie Burchill est bel et bien du passé. Il déclare en avoir plus qu'assez de cette querelle. Remarié avec Yuriko, une traductrice de japonais, il tient à se démarquer par rapport à son personnage, Harry. Celui-ci demeure une fiction même s'il comporte un certain nombre d'éléments autobiographiques.

Achevé d'imprimer par
Gráficas Estella
en Janvier 2000
pour le compte de France Loisirs
123, bd de Grenelle, 75015 Paris
Cet ouvrage a été imprimé
sur du bouffant blanco natural sans bois et sans acide
de la papeterie Amaroz, S.A
et relié par Gráficas Estella

Dépôt légal: Fevrier 2000
N° éditeur: 32872

Imprimé en Espagne